# 땅뺏기

새로운 식민주의 현장을 여행하다

# 일러두기

- 이 원고는 Stefano Liberti, Land Grabbing: Journeys in the New Colonialism, Verso, 2013을 옮긴 것입니다.
- Land Grabbing의 가능한 번역어들은, 땅뺏기, 땅따먹기, 땅 가로채기, 땅 노략질, 땅 도둑질, 땅 도적질, 땅 차지, 토지 확보, 토지 장악, 토지 약탈, 토지 수탈, 토지 강탈, 토지 탈취 등이 있습니다. 이 가운데 의미의 확장성과 간결한 전달력 등을 감안하고 원어의 뉘앙스를 가장 잘 살릴 수 있는 '땅뺏기'로 번역했습니다.
- 한글 전용을 원칙으로 했으며, 인명, 지명, 단체명, 정기간행물 등 익숙하지 않은 것은 처음 나올 때 1회만 원어를 병기했습니다. 주요 개념이나 한글만으로는 뜻을 짐작하기 힘든 용어의 경우에도 한자나 원어를 병기했습니다.
- 외래어 표기법 표기 일람표와 용례를 따랐습니다.
- 본문의 도량형은 우리나라 표준 도량형으로 바꿨습니다(ex. 마일→킬로미터). 단 기준 단위로 쓰인 것은 그대로 놔두고 환산치를 밝혀두었습니다. 화폐 단위는 달러는 그냥 놔두었고, 유로는 1유로=1,450원으로 환산해서 표시했습니다.
- 단위는 한글로 표기(ex. 킬로미터)했습니다.
- 숫자는 100,000단위까지 아라비아숫자로, 그 이상은 "100만, 1,000만" 같은 식으로 표시했습니다.

세 계 의 절 반 이 굶 주 리 는 또 다 른 이 유

# 땅 뺏기

스테파노 리베르티 지음
유강은 옮김

## 새로운 식민주의 현장을 여행하다

"나는 낙관주의자다. 언젠가 지구가 머나먼 행성의 비료로 사용될 수 있을 것이다."
_알탄 Francesco Tullio Altan,1942~ 이탈리아의 만화가이자 풍자가(옮긴이)

Redian
열정과 진보 그리고 문화의 미디어
레디앙

# 옮긴이의 말

이 책에도 등장하는 대우의 사례는 우리나라뿐만 아니라 전 세계적으로 '땅뺏기'(Land Grabbing) 현상에 대한 경각심을 불러일으킨 가장 유명한 사건으로 손꼽힌다. 2008년 11월에 영국의 『파이낸셜타임스』에 의해 공개된 대우로지스틱스와 마다가스카르 정부의 토지 임대 협약 내용은 전례 없는 규모 때문에 세계 언론의 주목을 받았다. 마다가스카르 전체 농경지의 절반 이상에 해당하는 130만 헥타르(벨기에의 절반, 서울 전체 면적의 21배)를 99년간 무상으로 임대해서 수출용 옥수수와 팜오일을 생산하는 대신 향후 20년 동안 항구, 도로, 발전소 등을 위해 60억 달러를 투자하기로 했다는 것이었다. 이 계획이 밝혀진 직후에 대규모 시위가 촉발되어 170여 명이 사망하고 결국 부패한 대통령 마르크 라발로마나나가 축출되었다. 과도정부 수반에 오른 라조엘리나 대통령이 대우로지스틱스와 진행된 협상은 무효라고 주장하면서 토지 임대 협약은 무위로 돌아갔지만, 한국 기업이 한 나라의 정권을 무너뜨리는 데 결정적인 기여를 했다는 점에서 충격적인 사건이었다. 더군다나 마다가스카르는 전체 인구의 90퍼센트인 2,000만 명이 빈곤선 이하의 삶을 살고 있고, 식량 안보가 극히 취약하며, 만성적인 영양실조 비율도 49퍼센트에 달하는 나라이다. 세계식량계획(WFP)의 식량 지원을 받는 수혜자만도 85만 명이 넘는다. 이런 나라에서 농경지의 절반을 외국 기업에 임대하고 수출용 옥수수와 팜오일을 생산한다는 계획이 알려지자 정권이 무너질 수밖에 없었다.

그렇다면 몇 년이 지난 지금 마다가스카르는 어떤 상황일까? 2009년 초부터 집권한 과도정부는 대우 건을 제외하고는 투자자들에 대한 토지 임대에 문제를 제기하지 않았다. 그리고 2010년에 투표로 제정된 헌법에는 "해외 투자자들에 이익이 되는 토지 매각과 장기 토지 임대와 관련된 방식과 조건은 법률로 정한다."는 문구가 첫 번째 조항에 명기되었다. 2005년부터 2011년까지 발표된 토지 양도 계획만 총 17건이며 대우로지스틱스를 비롯해서 중단된 계획이 6건, 진행 중이 4건, 준비 중이 4건, 진행 여부 미상이 3건이다(리보 안드리아니리나 라트시알로나 나Rivo Andrianirina Ratsialonana 외, 『대우 이후? 마다가스카르의 대규모 토지 취득의 현재 상태와 전망After Daewoo? Current status and perspectives of large-scale land acquisitions in Madagascar』, 2011, 56~57쪽 [www.landcoalition.org/sites/default/files/publication/901/WEB_CIRAD_OF_Mada_ENG_final_layout.pdf]).

한편 대우로지스틱스 웹사이트의 소개 글에는 다음과 같은 문구가 여전하다. "2006년에는 인도네시아 및 마다가스카르에 법인을 설립하여 옥수수 농장, 팜오일 및 고무 농장 조림 사업, 석탄광 개발 사업 등을 추진하고 있습니다."(http://www.dwlogistics.co.kr/company/about.asp). 2012년 10월에는 마다가스카르 서남부 한 도시의 시장이 대우로지스틱스 현지 법인인 MFE와 문서 계약을 맺지 않고 100헥타르를 임대했다고 발표했다. '시험적인' 옥수수 플랜테이션을 진행한다는 계획이었다. 2013년 2월에는 『코리아헤럴드』에 한국 외교통상부 아프리카국 담당자의 말을 인용한 기사가 실렸다. "대우로지스틱스가 2009년 쿠데타 이후 이 섬나라에서 잃어버린 거대한 토지 거래를 되찾는 일을 돕기 위해 한국 외교관들이 열심히 뛰고 있다. 올해 상반기에 새로운 선거가 예정되어 있기 때문이다. 우선 정부는 마다가스카르에 외교 공관을 개설할 생각이다." 또한 외교통상부 마다가스카르 담당 서기관의 말을 빌려 대우가 임대 토지를 되찾는다면 현재 MFE가 경작 중인 250헥타르(몇 달 새 150헥타르가 늘어난 모양이다) 사업은 더 넓은 지역으로 확장하고 농지를 개발하는 일을 촉진하는 데 도움이 될 것이라고 전했다(『한국 외교 당국 마다가스카르에서 새로운 기회 모색Korean diplomacy sees new opportunity in Madagascar』, 『코리아헤럴드』(영문), 2013년 2월 17일[http://khnews.kheraldm.com/view.php?ud=20130217000341&md=20130220004641_AT]). 2013년 5월에도 남아공 주재 한국 대사관과 한국 기업 대표단이 마다가스카르 수도 안타나나리보를 '답사 방문'해서 마다가스카르 고위 관료들과 기업 지도자들을 상대로 자국 경제 상황에 대한 발표를 했다. 이 과정에서 "대우 계약을 부활시키는 방식을 타진했다."고 한다. 대우로지스틱스 역시 결국 토지를 임대한다는 목적 아래 차근차근 단계를 밟고 있다고 한다(마다가스카르의 토지를 지키기 위한 연합, 『불길하게 다가오는 악몽, 대우로지스틱스 다시 공세에 나서나?Looming nightmare, Daewoo Logistics back on the offensive?』, 2013년 10월 16일[http://farmlandgrab.org/post/view/22871]).

해외 농지 취득에 직접 나서지 않는 다른 나라들과 달리 한국 정부는 이명박 대통령 시절인 2009년부터 해외 식량 기지 확보라는 깃발을 내걸고 해외 농업 개발 사업에 적극적으로 나서서 2011년에는 '해외농업개발협력법'을 제정하고, 2012년에는 해외 농업 개발 종합 계획(2012~2021)을 세웠다. 마다가스카르 사태 이후에는 비판을 의식한 듯 어조가 바뀌어 최근인 2013년 11월 12일에 농림축산식품부가 내놓은 보도자료 「개도국 농업 농촌 지원, 우리 농산업 해외 진출에도 한 몫」에는 다음과 같은 구절이 보인다. "개도국의 농업 농촌 발전을 위한 원조 지원이 개도국의 기아와 빈곤을 퇴치하는 동시에 우리 농산업의 해외 진출에도 기여하는 상생 협력(win-win) 방식으로 추진될 것으로 보인다." 아프리카 자원 투자에서 후발 주자인 한국은 최근 몇 년 동안 공세적인 따라잡기 정책을 펼쳤다. 그 결과 한국과 아프리카 나라들의 교역액은 2000년 130억 달러에서 2011년 200억 달러로 늘어났고, 2011년 현재 아프리카에 대한 누적 투자는 40억 달러에 달한다. 이 투자 가운데 30퍼센트가 마다가스카르에 집중되어 있다. 이 과정에서 한국 정부는 농업 기술을 전수한다는 새마을운동 수출과 대출이자와 사업 타당성 조사 등 간접 비용 지원 등을 활용하면서 대기업 종합상사들의 토지 취득을 장려하고 간접적으로 지원해 왔다.

이 책의 지은이가 설명하는 것처럼, 땅뺏기는 2007~08년 전 세계적인 식량 위기를 계기로 급격하게 확대되었다. 기후변화에 따른 농산물 공급 불안과 인구 급증에 따른 식량 가격 급등, 2007~08년 이집트 · 카메룬 · 세네갈 · 볼리비아 · 멕시코 등 아프리카와 남아메리카 등지에서 잇따라 일어난 식량 가격 인상 항의 시위, 유럽연합과 미국 등의 탄소 배출 감축 계획에 따른 바이오 연료 수요 상승, 금융 위기로 인한 안전한 투자처 부족 등 여러 가지 요인이 땅뺏기를 부채질했다. 금융 위기, 식량 위기, 환경 위기, 에너지 위기 등 21세기의 세계를 위협하는 갖가지

위기가 집약돼서 나타난 현상이 땅뺏기이다. 초국적기업, 투자 펀드, 부자 나라 정부 등 주체는 다양하지만 땅뺏기의 양상은 단순하다. 사하라 사막 이남 아프리카를 중심으로 대규모 토지를 무상이나 헐값에 매입하거나 장기 임대하는 것이다. 그 결과로 이 땅에서 농사를 짓거나 가축을 방목하던 농민과 유목민들이 쫓겨난다. 물론 땅뺏기를 추진하는 주체들은 항상 '상생'을 이야기한다. 가난한 나라에게 농업 기술을 전수하고, 일자리를 창출하며, 도로, 항만, 관개 등 기반 시설을 만들어 준다는 것이다. 그렇지만 이런 '상생'을 보여주는 구체적인 사례는 찾아보기 힘들다. 반면 이 책에서 볼 수 있는 것처럼, 하루아침에 자기 땅에서 쫓겨나고 저임금 농업 노동자로 전락하는 부작용은 많은 곳에서 목격된다.

이런 땅뺏기에 신식민주의라는 이름이 따라붙는 것은 어찌 보면 당연한 일이다. 과거 식민주의와의 차이라면 주권을 강탈하지 않는다는 점, 브라질이나 인도 같은 신흥국가들도 막대한 규모의 토지를 장악하고 있다는 점 정도이다. 또 20세기에 식민지 세계가 독립을 획득한 뒤 선진국 다국적기업들이 이어받은 플랜테이션과 차이점이라면 이전 방식이 바나나 커피, 카카오 같이 모국에서 경작이 불가능한 작물에 집중되었으나, 최근에는 쌀, 밀, 콩, 옥수수, 자트로파 등 주요 곡물과 바이오 연료용 작물에 초점이 맞춰진다는 사실이다. 가난한 나라의 농민들이 자신의 땅을 빼앗기고, 결과적으로 식량권과 노동권을 박탈당한다는 본질적인 사실에는 변함이 없다.

워낙 비밀스럽게 진행되는 땅뺏기 과정의 성격상 아직까지 정확한 수치나 통계 자료가 많지 않은 것으로 보인다. 땅뺏기에 반대하는 농민 단체나 시민 단체에서 내놓는 자료는 다소 과장된 측면도 있다. '땅뺏기'라는 명명 자체가 은유적이고 비난하는 뜻이 담겨 있다. 이 현상이 앞으로 어떻게 전개될지 정확히 예측하는 사람은 아무도 없다. 다만 식량과 에너지의 수요공급 불균형 등 땅뺏기를 불러일으킨 원인들이 앞으로도 큰 변화가 없을 테고, 오히려 악화될 것이라는 점, 국제사회가 가까운 시일 안에 땅뺏기를 규제하는 데 뜻을 모으고 구속력 있는 대책을 내놓을 가능성이 보이지 않는다는 점을 보면, 비관적인 생각이 드는 것은 어쩔 수 없다. 우리가 땅뺏기 현상에 주목해야 하는 이유, 지은이와 함께 새로운 식민주의의 현장을 향해 여행을 떠나야 하는 이유이다.

2014년 6월  옮긴이

# 감사의 말

책이라는 것은 물리적인 의미에서든, 내면적인 의미에서든 하나의 여행이다. 이 책은 특히 구상 기간이 길었고, 이런저런 이유로 3년의 시간과 네 개 대륙을 가로지르는 탐구가 필요했다. 이리저리 떠도는 동안 많은 사람들에게서 도움과 우정과 조언을 받았다. 순서와 무관하게 이 사람들에게 감사하고 싶다. 에밀리오 만프레디Emilio Manfredi, 잔루카 바카니코Gianluca Baccanico, 에밀리아노 보스Emiliano Bos, 압둘라 아발하니Abdullah Abalkhail, 사미 부흠센Sami Bukhseen, 알프레도 비니Alfredo Bini, 베레나 글라스Verena Glass, 세레나 로마뇰리Serena Romagnoli, 도라두스Dourados 원주민선교협의회(CIMI)의 크리스티아누 나바루Cristiano Navarro, 크리스티안 브뤼저Christian Brueser, 알랭 그레슈Alain Gresh, 안토니오 오노라티Antonio Onorati, 세계은행개혁캠페인Campagna per la Riforma della Banca Mondiale의 카테리나 아미쿠치Caterina Amicucci와 루카 마네스Luca Manes, 소이어테크Soyatech의 조 조던Joe Jordan, 룩산드라 라자레스쿠Ruxandra Lazarescu, 그레인Grain의 데블린 쿠예크Devlin Kuyek, 마르코 바시Marco Bassi, '땅 없는 노동자 운동'의 둘

시네이아 파방Dulcineia Pavan, 함께 신문 일을 배운 『일마니페스토』의 동료들, 실베스트로 몬타나로Silvestro Montanaro, 니노 페자Nino Fezza, 〈옛날 옛적에C'era una volta〉 지은이가 제작에 참여한 이탈리아 Rai3 채널의 TV 프로그램_옮긴이 의 모든 성원들.

이 기획을 믿고 지원해 준 미니멈팩스Minimum Fax 출판사의 직원들에게도 특별히 감사 인사를 드린다. 특히 내가 막중한 일에 엄두를 내지 못할 때 이 책을 쓰도록 확신을 주고 모든 단계에서 점검을 해 준 크리스티안 라이모Christian Raimo에게 감사한다.

마지막이지만 앞에 언급한 사람들 못지않게 중요한 줄리아와 티아고에게는 그냥 둘이 세상에 존재한다는 사실 자체로 고맙다는 말을 하고 싶다.

# 차
례

# 영어판 서문

이 책 초판이 나온 뒤로 2년이 흘렀다. 오늘날 '땅뺏기'(land grabbing)는 뉴스에 단골로 등장한다. 각종 신문 기사, 대학 집회, 비정부기구에서 착수한 호소와 청원 등이 땅뺏기를 주제로 삼는다. 하지만 밑바탕을 이루는 사실은 변하지 않았다. 오늘날 남반구에서 농경지를 취득하기 위한 경쟁은 점점 열기를 더해 가며—특히 사하라 사막 이남 아프리카에서 가장 유해하다—어느 때보다도 도박이 치열하다. 경쟁자들은 다른 대륙에서 소비할 곡물이나 대체 연료를 생산하려는 해외 집단들이다. 쌀 생산을 위해 에티오피아에 투자하는 사우디아라비아 회사든, 세네갈의 바이오 연료 생산에 관여하는 유럽의 투자 펀드든, 아시아로 수출할 콩을 재배하기 위해 모잠비크에서 수십만 헥타르의 땅을 손에 넣는 브라질 그룹이든 간에, 이런 현상은 조금도 줄지 않고 계속된다. 이런 협약을 추적하는 비정부기구인 그레인<sup>Grain</sup>의 추정에 따르면, 2007년 이래 해마다 공공 소유 농경지 1,000만 헥타르 <sub>여의도 면적의 34,500배 수준 _편집자</sub> 가 민간의 손으로 넘어가고 있다고 한다.

사업가와 기업인, 자국 시민이 먹을 식량을 확보하려고 혈안이 된 국가들, 그저 이윤 증식만을 쫓아다니는 투자자들에게 땅뺏기는 새로운 벤처 사업이다. 이처럼 땅을 향해 쇄도하는 현상은 주요 식량-쌀, 밀, 옥수수 등-의 가격이 천정부지로 치솟은 2007~08년의 식량 위기가 낳은 직접적인 결과이다. 하지만 식량 가격 인상은, 이보다 앞서 월스트리트를 집어삼키고 세계 주식시장의 절반을 소용돌이로 끌고 들어간 금융 충격이 주요 원인이다. 주식시장의 붕괴를 겪으며 휘청거린 많은 투자자들은 기본 식량과 토지 같은 '안전 상품refuge goods'에 달려들었다. 식량과 식품이 갑자기 미래 산업으로 부상했다. 이처럼 상황이 변화되면서, 어떤 대가를 치르고라도 생산성을 높여야 한다는 모델, 즉 발전 모델-문화 모델이기도 하다-에 의문이 제기되었다. 금융 투기나 일확천금을 노리는 욕망, 국가 자원을 헐값에 팔아치우는 수많은 부패한 정부들의 그릇된 믿음 등을 논외로 한다면, 우리의 미래에 점차 피할 수 없는 영향을 미치는 근본적인 문제가 드러나고 있다. 세계 인구가 증가함에 따라 우리 모두가 먹고살 식량의 양이 줄어든다는 엄연한 현실이 그것이다.

나는 이런 사실을 염두에 두고 문제를 분석하려고 노력했다. 이 책을 처음 쓰기 시작했을 때 대체로 간과한 현상을 정확하게 묘사하기 위해서 여러 주인공들에게 질문을 던지고 그들의 다양한 관점을 파악하려고 했다.

2011년 이후 몇 가지가 바뀌었다. 내가 출범을 목격한 많은 프로젝트들이 실패로 돌아가거나 중단되었다. 마지막 장에서 다루는, 탄자니아에서 영국 회사가 자트로파 Jatropha. 중남미 원산의 열대 식물. 독성이 있어서 식용으로는 쓰이지 않는다. 원래는 비누, 화장품, 의약품 등의 원료였으나 최근에는 곡물 가격의 변동에 영향 받지 않는 바이오 연료 원료로 각광받고 있다_옮긴이 를 재배한 사례도 그 중 하나이다. 다른 프로젝트들은 굉장히 크게 성장했다. 새로운 그룹들이 토지 매입에 뛰어들고 있으며, 새로운 나라들-국제사회에 처음 등장한 남수단South Sudan 등-이 수십만 헥타르를 시장에 내놓고 있다. 투자의 관점에서 보면, 추세는 여전히 바뀌지 않았다. 특히 세계경제 상황이 크게 바뀌지 않았기 때문이다. 전통적인 주식시장의 위기는 여전히 심각하며, 금융 그룹들은 토지와 식량 생산이라는 안전 상품에 계속 내기 돈을 걸고 있다.

가장 큰 변화는 이런 활동이 세간의 관심을 끌면서 관련된 주요 당사자들, 곧 투자자, 영농 기관, 각국 정부 등의 시각이 바뀌었다는 점이다. 투자자들은 경계를 늦추지 않는다. 그들은 자신들이 국제 비정부기구들의 비난 세례를 받고, 활동가들의 주요 공격 목표물이며, 국제 언론의 주목 대상이라는 사실을 잘 안다. 2012년 12월 런던에서 글로벌 애그인베스팅Global AgInvesting. 바이오 연료 전문 업체. 농업 투자자를 위한 회의를 정기적으로 개최해서 개발한 제품과 투자자를 연결한다 _옮긴이 이 농업에 관심 있는 투자자들을 위해 최근 개최한 회의에서 홍보부장은 내게 기자 출입증을 발급해 주지 않았다. 2년 전 제네바에서 열린 같은 회의에 참석했을 때와는 전혀 다른 태도였다(이 책 3장을 보라). 홍보부장은 '무비판적인 언론인들만' 입장할 수 있도록 결정됐다고 설명했다. "당신의 활동 때문에 우리 사업이 위태로워지니까 당신은 우리의 적입니다."

소농 조직들은 그들 나름대로 컨소시엄을 형성해서 힘을 키우고 있다. 그들은 자신들의 목소리를 확실히 내고 있다. 콩고공화국 수도인 브라자빌에서 유엔 식량농업기구(FAO) 지역 회의가 열리는 동안 나는 아프리카의 많은 조직들이 정부와 동등한 입장에서 대화를 하는 모습을 목격했다. 2010년 10월 식량농업기구 회의장에서 귀머거리들끼리 이야기하는 것 같다는 인상을 받은 모습은 이제 사라지고 없었다. 3년에 걸친 교섭 끝에 식량주권위원회Committee for Food Sovereignty는 토지 이용에 관한 지침을 마련했다. 풀뿌리 조직, 정부, 식량농업기구 관리들 사이의 의미 있는 상호 대화와 협상의 결과였다. 약탈적인 형태의 토지 수용을 피하기 위한 평가 기준을 적어도 서류상으로는 만든 것이다. 지침에 따르면, 각국은 투자자들에게 토지를 대규모로 양도하는 게 아니라 현지의 소규모 지주들과 제휴 관계를 촉진하는 일련의 투자 모델을 장려해야 한다.

물론 이 지침은 구속력이 없다. 하지만 도저히 막을 수 없어 보이는 무자비한 추세의 진전은 지금 몇 가지 장애물에 직면하고 있으며, 저항의 주체들이 몸집을 키우는 중이다. 처음에 상당히 의욕적으로 토지를 양도한 탄자니아 정부는 여러 차례 부정한 계약에 속은 사실을 깨달은 뒤 이제 국제 투자자들에 관해, 적어도 서류상으로는, 엄격한 규칙을 마련했다. 다른 나라들도 국제 투자자들의 접근에 의문을 던지고 있다. 이런 관점에서 보면, 식량농업기구에서 승인한 지침은 참조할 기준을 나타낸다. 서아프리카 소규모 농민 조직들의 네트워크인 로파<sup>Roppa</sup>의 명예 회장으로 불같은 성격의 인물인 마마두 치소코<sup>Mamadou Chissoko</sup>는 내게 이렇게 말했다. "이 지침이 단순한 공문서에 그치지 않고, 각국 정부가 국가 입법에 지침을 통합시키도록 하려면 시민사회의 힘이 필요합니다. 그렇지 않으면 물 위에서 자전거를 타는 셈입니다. 어떤 성과도 얻을 수 없지요." 남반구에서 농업과 사회가 어떻게 균형을 이룰지 이해하려면 각국 정부와 시민사회, 투자자가 나누는 대화─비록 종종 몰이해와 상호 불신에 빠지는 단편적인 대화이지만─의 결과가 중요할 것이다. 이 대화를 통해 토지가 엄청난 규모로 이동하는 가운데 어떤 이들은 물 위에서 자전거 페달을 밟을 수밖에 없는 반면 다른 이들은 아무 방해도 받지 않고 계속 부를 축적할 것인지가 드러날 것이다. 또는 항상 일치하지는 않는 이해관계의 한계 속에서 이 랜드 러시<sup>land rush</sup>에 관여하는 이들—투자자, 정부, 풀뿌리 협회, 국제기구—이 공동의 길을 채택할 수 있는지, 그리하여 지구 행성의 경계선을 알아보지 못할 정도로 뒤바꾸는 우려스러운 현상을 좀 더 분별 있게 규제하는 결과를 상상할 수 있는지가 드러날 것이다.

# 서론

몇 주 전 나는 탄자니아 연안에 있는 자치령 섬인 잔지바르의 해변에 있는 바 겸 레스토랑의 테이블에 앉아 있었다. 스프라이트를 마시면서 컴퓨터로 글을 쓰다가 우연히 현지 신문에 눈길이 갔다. 유엔 식량농업기구(FAO)가 최근의 식량 가격 인상에 대해 경종을 울리고 있었다. "지금의 추세가 계속되면 9억2,500만 명이 굶주림에 직면할 위험이 있다." 기사를 읽고 있는데 40대 백인 남자 네 명이 바 쪽으로 다가왔다. 수영복 차림에 추워 보였다. 한 명이 말했다. "탄자니아 밀 사업이 잘 해결되면 집에 가서 뽀송뽀송하게 지내겠지." 다른 이가 대꾸했다. "땅을 빌리는 데 비용이 얼마나 들지가 관건이야." 첫 번째 사람이 대답했다. "그건 걱정할 필요 없어. 현장에 있는 대리인들이 횡재할 거라고 말하니 말이야." 이윽고 네 사람은 다시 해변으로 갔다.

이 사람들이 하던 이야기가 바로 당신이 지금 들고 있는 책의 주제다. 지난 3년 동안 상당히 넓은 남반구 지역에서 벌어지고 있는 땅을 둘러싼 거대한 경쟁 말이

다. 외국인 사업가와 다국적기업, 투자 펀드 등에 수백만 헥타르가 임대되었다. 이
땅에서 생산되는 식량이나 농산 연료 agrofuel. 세계 농민 운동과 시민단체에서 '바이오 연료biofuel' 대
신 사용하는 단어 _옮긴이 는 결국 북반구로 간다. '땅뺏기'는 모험가와 사업가, 자국 시민들
에게 식량 공급을 보장하는 문제를 걱정하는 국가, 이윤을 늘리고 싶어 하는 투자
자들에게 새로운 정복지이다.

이처럼 땅을 향해 자본이 쇄도하는 현상은 주요 식량-쌀, 밀, 옥수수 등-의 가
격이 천정부지로 치솟은 2007~08년 식량 위기가 낳은 직접적인 결과이다. 하지
만 식량 가격 인상의 주원인은 이보다 앞서 발생한, 월스트리트를 집어삼키고 세
계 주식시장의 절반을 소용돌이로 끌고 들어간 금융 충격에 따른 결과였다. 주식
시장의 붕괴를 겪으며 휘청거린 많은 투자자들이 기본 식량 생산물 같은 '안전 상
품'에 달려듦에 따라 식량 가격이 급등했으며, 이집트에서 아이티까지, 그리고 코
트디부아르에서 인도네시아까지 지구 절반에서 폭동이 발발했다. 오늘날 우리는
비슷한 상황에 직면해 있다. 기본 식량 생산물의 가격이 다시 오르는 동시에 유가
도 상승하는 중이다. 첫 번째 봉기는 여전히 진행 중이다. 북아프리카-특히 튀니
지와 이집트-에서 봉기가 일어난 이유 중에는 식품 가격 인상도 있다. 튀니지에서
첫 번째로 일어난 폭동 중에 시위대는 바게트 빵을 휘둘렀다. '최악의 폭풍'이 다시
한 번 일어날 공산이 크다.

식량농업기구의 경고가 가리키는 것처럼 남반구의 많은 나라들이 다시 한 번
봉기의 물결에 압도될 처지인 듯 보이는 반면, 다른 나라들은 대비가 되어 있는 것
같다. 유동 자산은 많지만 식량은 부족한 아라비아 만 아랍 나라들에서는 페르시아 만을 아라
비아 만이라고 부른다. 지은이는 두 용어를 혼용한다. _옮긴이 나라들은 2008년에 닥친 것과 똑같은

상황을 피할 길을 모색하고 있다. 당시 이 나라들은 식량을 수입해 오는 상대국들의 수출 금지 조처에 발목을 잡혔다. 따라서 이 나라들은 해외에서 토지를 획득하는 거대한 캠페인에 착수했다. 외국의 토지를 직접 장악하고자 하는 것이다. 이 나라들은 국내에서 필요한 식량을 외국에서 생산한다. 이와 동시에 여러 유형의 금융회사들도 황금알을 낳는 거위 같은 이 새로운 분야에 뛰어들었다. 식량이 좋은 투기 대상이라면, 우선 생산수단을 장악해야 하는데, 결국은 토지를 장악해야 한다는 결론이 나온다. 최악의 폭풍은 여러 곳에 피해를 입히겠지만, 다른 곳에는 아무런 영향도 미치지 않을 테고 이런 곳에서는 오히려 상당히 즐거운 일이 될 것이다.

이 책에서 나는 이런 사슬의 고리를 전부 끼워 맞춰 보고자 한다. 나는 세계 여러 지역에서 이 땅을 손에 넣고 있는 게 누구인지를 파악하고자 한다. 또한 수백만 헥타르의 땅이 거래되는 상황의 배후에 있는 이유와 야망과 계산을 파악하고자 한다. 이 책에서 나는 자국 토지의 일부를 임대하는 정부들에 직접 질문을 던지고, 토지 수용에 맞서 싸우는 소농들의 목소리에 귀를 기울이며, 토지를 취득하고 있는 투자자들과 대화를 나눈다. 책에서 나는 식량농업기구의 방음 사무실에서, 브라질의 깊숙한 내륙 지방에서 홈리스로 살아가는 지역민들의 판잣집까지, 사우디아라비아의 건조한 시골에서 미국 중서부의 에탄올 생산 용도로 지정된 드넓은 옥수수밭까지, 에티오피아의 호사스러운 고원에서 시카고 증권거래소의 객장까지 오간다. 나는 이 책이 흠잡을 데 없이 완벽하다고 주장하지 않는다. 책에서 다루는 주제가 수십 개 나라를 아우르는 전 지구적인 현상이기 때문이다. 다만 나는 현장에서 수집한 데이터에 바탕을 두고 몇 가지 해석을 제시하고자 한다. 자기 집과 사무실, 때로는 자신들의 가슴까지 내게 활짝 열어 주면서 기꺼이 시간을 내주고 귀찮게 조르는 질문에 답을 해 준 수백 명의 사람들과 나눈 몇 차례의 만남과 인터뷰, 이 과정에서 생겨난 관계를 출발점으로 삼아 나는 남반구 대부분의 지역에서 사태에 결정적인 영향을 미칠 수밖에 없는 현상의 의미를 파악하려고 노력했다. 나는 수많은 사람들, 아니 더 넓은 차원에서는 지구상의 모든 사람들에게 개인적인 영향을 미치는 이 같은 전 지구적 격변의 맥락을 여러 측면에서 살피고자 했다. 또한 원인을 추적하고, 윤곽을 파악하고, 미래의 사태 전개를 예측하려고 노력했다. 이와 함께 땅뺏기가 사악한 투기꾼과 땅을 빼앗긴 가난한 농민이라는 단순한 이분법으로 간단하게 처리되는 것을 넘어서고자 끊임없이 긴장했다. 왜냐하면 가장 가시적인 결과가 바로 수많은 소농들이 자기 땅을 잃고 있다는 사실이라면, 땅뺏기는 일부 국가나 민간 기업이 통치력이 불안정한 다른 나라와 거래하면서 일으킨 신식민주의적 약탈 과정으로 단순화할 수 없기 때문이다. 이런 해석은 일부 정확한 면도 있지만 한계도 있다. 큰 그림의 다른 핵심적인 측면들, 곧 지난 20년 동안 남반구 농업에 대한 투자가 전혀 없었다는 점, 페르시아 만 국가들같이 지리적으로 불운한 나라들은 안전한 식량 자원 확보가 현실적으로 필요하다는 점 등을 무시하기 때문이다. 땅을 향한 쇄도는 식량이라는 가장 기본적이고 필수적인 재화를 대상으로 하는 것인 만큼 당연히 열망과 정념의 원인이 된다. 이런 쇄도는 문화 모델이기도 한 발전 모델, 곧 어떤 대가를 치르고라도 생산성을 높여야 하는 모델에 의문을 던진다. 금융 투기나 일확천금의 욕망, 국가 자원을 헐값에 팔아 치우는 수많은 부패한 정부들의 그릇된 믿음 등을 논외로 한다면, 우리의 미래에 점차 피할 수 없는 영향을 미치는 근원적인 문제가 드러난다. 세계 인구가 증가함에 따라 우리 모두가 먹고살 식량의 양이 줄어든다는 엄연한 현실이 그것이다. 나는 이런 점들을 염두에 두고 이 책의 제목으로 삼은 문제를 분석하고자 했다. 이 책을 쓰기 위한 기나긴 여정을 통해 나는 직업적인 면에서 한 발 올라섰을 뿐만 아니라 개인적인 면에서도 훨씬 더 성장했다. 이 책이 독자 여러분의 삶도 조금이나마 향상시킬 수 있다면 더 바랄 나위가 없을 것이다.

2011년 3월

잔지바르 스톤타운에서

# 에티오피아

## 투자자들의 엘도라도

ETHIOPIA

# 에티오피아:
# 투자자들의 엘도라도

첫눈에 들어오는 것은 광대한 풍경이다. 눈으로 볼 수 있는 먼 곳까지 초목이 우거진 땅이 뻗어 있다. 초록 언덕이 수정처럼 맑은 호숫가로 내달린다. 고원 바로 아래 수도 아디스아바바가 딛고 선 거친 땅이 실낙원 같은 풍경으로 부드럽게 녹아든다. 태양이 빛나고 있다. 공기가 맑다. 해발 2,300미터에 그나마 남아 있는 산소가 배기가스와 뒤섞이는 수도의 숨 막히는 분위기와는 동떨어진 세상 같다. 여기는 아와사<sup>Awassa</sup>. 아디스아바바에서 남쪽으로 300킬로미터 떨어진 에티오피아 지구대 Ethiopian Rift Valley. 북으로 서아프리카의 요르단 협곡으로부터 남으로 모잠비크의 델라고아 만에 이르는 세계 최대의 지구地溝. 동아프리카 지구대, 아프리카 지구대라고도 한다. _옮긴이 의 중심부에 자리한 곳이다. 주변의 시골 풍경이 숨 막힐 듯 아름답다. 시내로 이어지는 도로가에는 농기업의 광고판들이 늘어서 있다. 회사 심벌이나 이름, 때로는 멀리 떨어진 사무소의 전화번호도 있다. 끝없이 펼쳐진 미개간지처럼 보이는 땅을 제외하면, 출입구 너머로 아무것도 보이지 않는다.

하지만 바로 이 출입구 뒤편에 호기심 어린 눈길을 피해 멀리 떨어진 곳에 에티오피아 농업 발전의 최후 개척지가 있다. 콩, 과일, 채소 또는 이른바 농산 연료용으로 재배하는 식물을 키우는 최첨단 온실이 그것이다. 에티오피아 정부가 해외 투자자들에게 엄청난 장기 임대와 개발 계획을 위임하면서 지구 반대편에서 사업가와 모험가들이 속속 이 나라를 찾고 있다.

나는 이런 농기업 중 한 곳인 지투 인터내셔널Jittu International을 방문하러 아와사에 왔다. 출입구들과 온실을 가르는 비포장도로 300킬로미터를 달린 끝에 차를 주차하는데, 관리자인 젤라타 비지가Gelata Bijiga가 자부심과 약간의 과장을 섞어서 말을 건넨다. "아프리카 전역에서 가장 아방가르드한 산업형 농장입니다."

젤라타는 의례적인 인사말로 시간을 허비하지 않는다. 악수로 나를 맞이한 후 한 바퀴 구경시켜 준다. 내가 바로 전에 전화로 이야기를 나눈 네덜란드의 농학자이자 그의 상관인 얀 프린스Jan Prins가 내게 농장을 보여 주라고 지시를 했고, 그는 기꺼이 나를 안내한다. 첫 번째 온실로 들어선다. 잘 익어서 즙이 많은 빨간 토마토가 광활하게 펼쳐져 있다. 다섯 개가 한 송이를 이루는 토마토가 화려한 줄기에서 거의 인공적인 대칭을 이룬 채 달려 있다. 관리자가 묘목을 향해 몸을 굽혀 주의 깊게 살펴보면서 생육 정도를 가늠하려고 손에 쥐어 보며 회사의 통계 수치를 늘어놓는다. 1,000헥타르의 땅에 직원이 1,000명이고 온실이 여덟 개인데, 곧 열여섯 개로 늘릴 예정이라고 한다.

이 온실 여덟 개는 급속하게 확대되는 프로젝트의 첫 번째 단계일 뿐이다. 이곳에서는 토마토부터 가지, 주키니 호박부터 피망까지 온갖 식물을 재배한다. 농산물은 완벽하다. 우리 도시의 슈퍼마켓 통로에서 볼 수 있는 똑같은 표준 크기와 화려한 색깔을 자랑한다. 일부는 서구인들 눈에도 익숙하고, 다른 것들은 이국적이다. 이상한 돌연변이 과일 같은 모양도 있다. 온실 한쪽에는 껍질이 노랗고 속은 하얀 토마토가 있다. 보기에는 이상하지만 맛은 보통 토마토만큼 좋다. 젤라타는 더할 나위 없이 편한 모습으로 작물들 사이를 움직인다. 그가 여러 가지 실험을 가리키면서 각 작물의 특징을 강조한다. 그러면서 이런 집약적 작물에 응용된 최신 기법을 아주 자세하게 설명한다. "관개 시스템용 호스가 작물들 사이로 뻗어 있습니다. 중앙 정보 시스템에서 이 시스템을 조절해서 정확한 양의 물과 비료를 작물에 줍니다." 그의 목소리에서 열정이 묻어난다. 이 프로젝트는 엄청난 성공작이다. 회사는 막대한 수익을 벌어들이고 있다. 관리자는 향후 2년 동안 생산량이 최소한 세배 늘 것이라고 장담한다. 수천 킬로미터 떨어진 표적 시장target market의 수요에 특별히 맞춰 재배되는 이 즙 많은 토마토와 빨강, 초록, 노랑 피망, 애기 피부같이 부드러운 가지 등은 에티오피아 사람들이 먹는 게 아니라 아라비아 만 국가들의 훨씬 더 부유한 소비자들을 위한 것이다. "여기서 생산하는 것은 전부 수출용입니다. 우리는 24시간 안에 우리 농산물을 소비자에게 운송할 수 있습니다. 두바이의 어느 레스토랑까지요." 상품을 따서 나무 상자에 담아 냉장실에 넣고 아디스아바바까지 트럭으로 나른다. 일단 그곳에 도착하면 중동이나 아랍에미리트, 사우디아라비아 등지로 향하는 비행기에 실린다.

농산물이 해외로 나가는 것처럼, 회사의 투자자들과 일부 기반 시설도 외국인 혹은 외국 소유이다. 종자는 네덜란드에서 수입하며, 자동화 관개 시스템도 네덜란드 것이다. 온실 구조물은 스페인 기술자들이 개발했고, 비료도 유럽에서 가져온다. 얀 프린스가 운영하는 기업은 일종의 치외법권 지역이다. 관개 시스템, 최첨단 온실, 심지어 최종 생산물―유전학 실험의 결과물이기 때문에 아주 완벽하다―까지, 소나 쟁기를 든 농부가 직접 가는 땅으로 이루어진 주변 풍경과 완벽한 대조를 이룬다. 주변 농민들은 작은 밭뙈기에 매달려 오로지 손으로만 등골 빠지게 농사를 짓는다. 지투의 온실에는 온도와 토양의 산성도, 빨아들이는 물의 수질을 지속적으로 모니터하는 컴퓨터실이 있다. 출입구 바깥에는 짚과 진흙으로 만든 작은 초가집인 티쿨<sup>tikul</sup>에 농부 가족들과 그들이 기르는 가축 전부가 함께 살고 있다. 불과 몇 킬로미터를 사이에 두고 마치 중세 시대에서 최첨단 현대로 이동한 느낌이다. 온실의 가동과 수확량은 분명 인상적이지만, 겉모습에 현혹될 수도 있다. 전체적인 그림을 보려면 한 가지 중요한 측면을 빼먹지 말아야 한다. 현지인들이 보기에 아와사 들판을 착륙지로 택한 미확인비행물체(UFO)임이 분명한 이 회사는 전형적인 현지의 두 요소인 토지와 노동력을 활용한다. 높은 생산성과 매우 낮은 비용이라는 타의 추종을 불허하는 두 가지 특징은 바로 이 두 요소에서 나온다.

수백 명의 남녀가 온실에서 채소를 따고 있다. 포장 부문에서 일하는 사람도 수백 명이다. 입을 굳게 다문 채 일을 하는 사람들은 흡사 기계처럼 움직인다. 한 여자가 토마토를 40개씩 상자에 담으면 다른 여자가 포장을 하고, 계속해서 젊은 여자가 나무 상자를 냉장실로 옮겨 트럭이 와서 실어갈 때까지 보관한다. 널찍한 냉장실은 질서 정연하다. 채소는 종류별로 정리된다. 채소마다 나무 상자에 담은 뒤 줄을 맞춰 쌓아 놓는다. 그러면 누군가가 정해진 시간대에 냉장실로 옮긴다. 이 사람들이 받는 평균 일당은 9비르<sup>birr</sup>, 곧 40유로센트 2013년 9월 2일 기준 환율로 약 580원. 이하 '1유로=1,450원'으로 환산해서 표시한다. _옮긴이 이다.

짐마 대학<sup>Jimma University</sup>에서 농학 학위를 받은 젤라타는 3년째 지투 원예<sup>Jittu</sup>

Horticulture에서 일하고 있다. 급여는 공개하고 싶어 하지 않지만 밭에서 일하는 동포들보다는 높을 게 분명하다. 하지만 그는 이런 현실에 분개하지 않는 것 같다. "여기는 에티오피아입니다. 우리는 여기 사람들이 통상적으로 받는 수준보다 많은 급여를 줄 수 없어요. 어쨌든 우리는 이 사람들에게 직업훈련을 제공합니다. 업무를 가르치는 겁니다."

지투 회사가 노동 착취 공장은 아니다. 회사는 단지 수용 가능한 시장의 한계 안에서 활동하고 있으며, 이 지역에서 노동과 토지의 가격이 굉장히 싸기 때문에 막대한 이윤을 올릴 뿐이다. 게다가 자국에 대한 외국인 투자를 장려하는 에티오피아 투자청은 웹사이트에서 이런 측면을 분명하게 강조한다. '에티오피아의 노동 비용은 아프리카 평균보다 낮습니다.'(www.ethioinvest.org). 얀 프린스의 회사는 지난 5년 반 동안 에티오피아 정부가 약간의 여윳돈과 실행 가능한 노하우를 지닌 사업가들에게 장려한 기회를 잡았을 뿐이다. 2007년 말, 에티오피아 당국은 토지를 생산적으로 활용할 의향이 있는 투자자들에게 자국 토지 일부를 장기 임대하는 계획에 착수했다. 세계 각지의 여러 집단이 이 계획에 열광적으로 호응했다. 사우디아라비아인과 인도인이 주축이지만 유럽인도 있었다. 그들은 때를 놓치지 않고 대규모 생산을 시작할 수 있는 토지를 취득했다. 그들은 쌀, 차, 채소, 밀, 사탕수수뿐 아니라 자트로파에서 팜유palm oil에 이르기까지 농산 연료 제조에 사용할 수 있는 많은 식물 등 온갖 종류의 농산물을 현재 재배 중이거나 재배할 계획이다. 현재까지 약 100만 헥타르의 땅이 배분되었다. 계획에 따르면, 향후 몇 년에 걸쳐 모두 합해 약 300만 헥타르가 할당될 것으로 예상된다. 벨기에 국토 면적과 맞먹는 크기의 땅이다. 임대료는 터무니없이 낮아서 토지의 질과 위치에 따라 헥타르당 1년에 100비르에서 400비르 평당 2원에서 8원 수준 _편집자 사이이다. 남수단 국경 부근 외딴 지역으로, 대부분의 땅이 시장에 나온 감벨라Gambella 주에서는 임대료가 헥타르당 15비르 평당 30전 수준 _편집자 에 불과하다. 이처럼 유리한 규정과 낮은 노동 비용, 그리고 정부가 부여한 다른 많은 혜택 덕분에 에티오피아는 전 세계에서 농업에 대한 투자 대비 수익이 가장 높은 나라로 손꼽힌다. "여기는 농업 투자자에게 엘도라도 같은 곳입니다." 만족한 표정이 역력한 젤라타가 일렬로 늘어선 똑같은 모양의 연녹색 주키니 호박을 보여 주면서 입을 연다. 하나같이 나무 상자에 딱 맞는 크기인 호박은 금방 상자에 담겨 페르시아 만으로 보내질 것이다.

## 아디스아바바의 셰이크

에티오피아의 토지(와 다른 많은 아프리카 나라들의 토지)를 대규모로 임대하는 현상은 전형적인 시장 작동 원리가 낳은 결과이다. 매력적인 매물과 빠르게 성장하는 수요가 딱 맞아떨어진 셈이다. 2007~08년 세계적인 규모의 식량 위기가 발발해서 쌀, 밀, 옥수수, 설탕 같은 기본 식량의 가격이 폭등한 뒤, 식량 수요는 절박한 요구가 되었다. 언론에서는 아프리카와 아시아, 중앙아메리카의 여러 나라에서 불붙은 식량 폭동에 많은 관심을 기울인 게 사실이지만, 식량 위기를 계기로 평상시에 고요한 많은 지역에서도 적지 않은 풍파가 일었다. 아라비아 만 국가들은 막대한 현금 자원을 보유하고도 식량이 고갈되는 사태를 두려워하기 시작했다. 시장이 대단히 변덕스럽게 움직이기 때문이다. 가격 급등은 비용 증대로 이어졌을 뿐만 아니라 중기적으로 더욱 위험한 결과도 낳았다. 많은 농업 생산국, 특히 쌀 생산국들에서 수출을 봉쇄하기 위한 보호주의 조치가 실행되기 시작했다. 그 결과로 농산물 수입국들에서 잠재적 파괴력이 큰 첫 번째 식량 부족 사태가 일어났다. 리야드뿐만 아니라 두바이와 아부다비에서도 경고등이 켜졌고, 식량 수급 책임자들은 새로운 정책을 채택하고 여기에 절대적인 우선성을 부여했다. 국제 상업을 뒤흔드는 폭풍에 휘둘리지 않기 위해 어떤 대가를 치르고라도 식량 공급을 완전히 통제한다는 정책이었다. 사막에서 벼를 재배하는 것은 초인적인 과업이라는 점을 감안할 때, 사우디아라비아와 아랍에미리트의 통치자들은 더 빠른 해결책을 선택했다. 다른 나라에서 필요한 식량을 생산하기로 한 것이다.

에티오피아야말로 조건에 완벽하게 들어맞는 다른 나라이다. 지리적으로 가깝고, 비옥한 땅이 풍부하며, 풍족한 수확을 안겨 주는 더할 나위 없는 기후를 갖춘 이 아프리카 나라는 곧바로 '페르시아 만의 곡창지대'라는 구실을 떠맡을 최고의 후보로 부상했다. 에티오피아의 토지 시장이 외부 투자자들에게 문호를 개방할 준비가 되어 있다는 사실도 이런 사정에 한몫 했다. 사우디아라비아와 에티오피아의 관계에서 의심의 여지없는 최고의 협상가로 자리매김한 한 사람의 빈틈없는 거래와 인맥 관리 기술이 특히 중요하게 작용했다. 억만장자인 모함마드 후세인 알아무디<sup>Mohammad Hussein Al Amoudi</sup>가 그 주인공이다. 에티오피아인 어머니와 예멘인 아버지 사이에서 태어나 사우디아라비아로 귀화한 이 셰이크 sheikh. 원래는 아랍 이슬람 사회의 원로나 부족 국가의 통치자를 가리키지만, 여기서처럼 정치, 경제 분야의 지도자나 실력자를 지칭하기도 한다 _옮긴이 는 『포브스』에서 선정한 세계 50대 부자 중 한 명이다. 사우디아라비아의 압둘라 국왕 및 멜레스 제나위<sup>Meles Zenawi</sup>●가 이끄는 에티오피아 인민혁명 민

---

● 멜레스 제나위는 2012년 8월 21일에 갑자기 사망하면서 에티오피아의 정치적 미래에 커다란 불확실성을 남겼다.

주전선Ethiopian People's Revolutionary Democratic Front(EPRDF) 최고사령부와 막역한 친구인 셰이크는 자신의 컨소시엄인 미드록Midroc을 통해 진정한 제국을 건설하고 있다. 미드록은 각종 산업체와 호텔, 병원, 쇼핑센터 등을 운영한다. 에티오피아에 대한 그의 투자는 세계 곳곳에 한 투자와 마찬가지로 수익을 낼 수 있는 모든 부문으로 확대되고 있다. 탄화수소에서부터 사회 기반 시설, 그리고 금융에서 통신에 이르기까지 문어발처럼 확대된다. 식량 부족 때문에 초래된 위기 상황을 감안하면, 셰이크가 집약 농업이라는 최근의 황금알을 낳는 거위에 달려든 것은 불가피한 일이었다. 리야드의 왕가가 우려를 표명하자 알아무디가 압둘라 국왕에게 에티오피아에서 생산된 쌀 한 가마니를 가져다주는 식으로 대응했다는 이야기가 있다. 양질의 쌀에 매료된 국왕은 그에게 백지위임장을 주어 사우디아라비아의 에티오피아 농업 투자 계획의 관리자로 삼았다.

이 이야기가 사실이든 아니든 간에, 2008년 말 이래 알아무디는 대표단을 조직하고, 각종 회의를 열고, 네트워크를 확대하는 일에 뛰어들었다. 이런 일련의 홍보 노력은 사우디-동아프리카 포럼Saudi-East African Forum 개최로 이어졌다. 2009년 11월 아디스아바바에서 사우디의 장관들 및 기업가들과 동아프리카 7개국 에티오피아, 지부티, 탄자니아, 케냐, 소말리아, 우간다, 르완다_옮긴이 지도자들이 회동한 것이다. 이 행사에는 사우디의 50개 대기업 대표와 장관 네 명이 참석했다. 모두들 '세계 최대의 석유 수출국이 보유한 거대한 기술, 금융 자원과 동아프리카 "호랑이들"이 지닌 무한정한 인적 자원과 천연자원 사이에 독특한 파트너십을 장려한다.'는 의도를 품고 있었다.● 포럼이 열리기 직전에 알아무디는 사우디스타 농업개발Saudi Star Agricultural Development plc.이라는 새로운 회사를 설립했다. 농업 부문에 투자한다는 취지 아래 토지 획득을 **사업 목표**로 삼는 회사였다. 그의 컨설턴트 겸 대변인이자 사우디스타의 허드렛일까지 도맡아 하는 이는 아디스아바바 정상회담 전야에 이런 말을 되풀이했다. "셰이크 모함마드는 농업 생산에 집중하기 위해 점차 도시 지역을 포기하는 쪽으로 기울고 있다."●●

말이 떨어지기 무섭게 결과가 나타났다. 그때부터 농업 부문 투자가 순식간에 급등한 것이다. 오늘날 알아무디는 에티오피아에서 농장 세 곳을 직접 관리한다. 사우디아라비아에 수출하는 쌀을 생산하는 감벨라 주에 있는 10,000헥타르의 토지도 그 중 한 곳이다. 300,000헥타르를 추가로 취득하기 위해 정부와 교섭이 진행 중이다. 아와사에 있는 지투 원예도 알아무디 제국의 자매 회사이다. 공식적으로는 독립된 회사이지만, 사실 지투는 셰이크의 양보를 받아 토지를 획득했다. 셰이크가 정부로부터 임대한 토지를 양도한 것이다.

### 토지는 인민(과 인민을 다스리는 이들)의 소유이다

에티오피아에서 법적으로 유일한 토지 소유자는 국가이다. 1991년 '붉은 독재자' 멩기스투 하일레 마리암Mengistu Haile Mariam을 몰아내고 권력을 잡은 인민혁명 민주전선은 임시 군사행정위원회(DERG)의 사회주의 체제 아래 존재했던 토지 관리 체제를 그대로 유지하기로 결정했다. 당시 에티오피아는 가뭄과 기근에 유린된 재난 지역이었다. 에티오피아라는 이름은 배만 볼록한 채 발육 부진에 시달리는 아이들의 이미지를 떠올리게 만들었다. 1985년 보브 겔도프Bob Geldof와 보노Bono를 비롯한 팝

● saudieastafricanforum.org를 보라.
●● *Addis Fortune*, 12 October 2009.

스타들이 이 아이들을 돕기 위해 라이브 에이드$^{Live\ Aid}$라는 자선 공연을 주최할 정도였다. 이런 세계저인 행사-'에티오피아를 위한 콘서트'-를 계기로 집단적 감정이 고조되는 가운데 많은 사람들이 기근의 원인을 임시 군사행정위원회가 토지 관리를 부실하게 한 탓으로 돌렸다. 임시 군사행정위원회가 표방한 '농업 사회주의'는 사유 재산을 금지하고 당이 통제하는 협동조합으로 농민들을 조직하려고 했다. 멜레스 제나위가 이끄는 반정부 세력이 집권하자 모든 이들은 신속한 토지 개혁이 시행되기를 기대했다. 하지만 국제 원조 공여자들-주로 대규모 토지 사유화를 기대한 세계은행과 국제통화기금(IMF)-로서는 대단히 불쾌하게도, 신생 정부는 곧바로 임시 군사행정위원회의 토지 정책이 유효함을 확인했으며, 그 뒤 1995년에는 '토지 공유재산'의 원칙을 헌법에 집어넣었다. 헌법 40조에서는 '토지는 에티오피아의 여러 민족, 국민, 인민의 공유재산'이라고 선언했다. $^*$

그러므로 이 원칙에 따르면, 주 및 동사무소(이른바 워레다$^{woreda}$와 케벨레$^{kebele}$)를 통해 경작지를 부여하는 주체는 국가이며, 수혜자는 소유권이 전혀 없고, 토지 사용을 허가받을 뿐이다. 평등주의적 정의 원칙에 따라 생겨난 이 정책은 농촌 인구의 지지를 받았다. 농촌 주민들은 한 줌도 안 되는 지주들이 토지를 지배했던 제국 시대의 엄청난 불평등을 여전히 생생하게 기억했기 때문이다. 하지만 이 정책은 또한 정부에 가공할 만한 권력의 원천을 제공했다. 인구의 85퍼센트가 시골에 살면서 농업으로 생계를 유지하는 나라에서 토지를 지배하는 사람이야말로 국민을 지배한다. 따라서 생계를 위해 땅을 필요로 하는 농민이나 현지 또는 해외의 대규모 투자자에게 농경지를 수여하는 주체는 국가이다.

그런데 수익성이 굉장히 높아 보이는 투자 기회는 어떤 방식으로 누구에게 주어지는 걸까? 그 답을 찾기 위해 나는 수도 교외의 새로 생긴 주거 지역을 방문하는 길이다. 많은 관공서가 이쪽으로 옮겨왔기 때문이다. 이 지역은 건설 현장으로 가득하다. 도시의 풍경 자체를 뒤바꾸고 있는 엄청난 부동산 호황의 징표이다. 지난 몇 년 동안 아디스아바바는 장기적이고 끊임없는 하나의 '공사 현장'이 되었다. 도시 구석구석에 건물들이 올라가고, 기초 공사가 진행되고, 시멘트가 부어지고 있다. 이런 건설 열풍의 한가운데서 현재 진행되는 개발의 전체적인 논리를 찾기란 쉽지 않지만 말이다. 농업·농촌발전부(이하 농업부)는 아스팔트 포장도 없는 구멍투성이 도로변에 있는 별 특징 없는 건물이다. 도시 개발이 아무 계획 없이 진행되고 있다는 또 다른 증거이다. 나는 농업부 산하 투자청의 청장인 에사야스 케베데Esayas Kebede와 약속을 잡았다. 투자청은 정부와 잠재적 투자자들 사이의 유대를 강화하기 위해 2009년에 창설된 기관이다. 케베데야말로 대화를 나눠야 할 사람이다. 그는 에티오피아에서 토지를 취득하려는 투자자들이 만나러 오는 사람이며, 이 부문에 진입하기를 원하는 집단들이 제시하는 각종 사업 계획서도 결국 그의 책상 위로 온다. 이 계획들이 타당한지, 그리고 해당 기업들이 토지를 취득할 자격이 있는지 여부를 결정하는 것은-적어도 공식적으로는-투자청장 케베데이다. 나는 그를 찾으면서 농업부의 여러 사무실을 닥치는 대로 돌아다녔다. 안내인이 없었기 때문에 나는 에티오피아의 관공서에서 각기 다른 권력 층위가 어떻게 작동하는지를 관찰할 기회를 얻었다. 사무실들은 넓고 개방적인 공간이다. 벽 쪽으로 책상이 10개 정도

● 하일레 셀라시에Haile Selassie의 제국 시대부터 임시 군사행정위원회 시기와 1995년 헌법 규정에 이르기까지 에티오피아의 다양한 토지 체제에 관한 자세한 검토로는 Wibke Crewett, Ayalneh Bogale and Benedikt Korf, 'Land Tenure in Ethiopia: Continuity and Change, Shifting Rulers, and the Quest for State Control', CAPRI Working Paper, September 2008(capri.cgiar.org에서 열람 가능)을 보라.

씩 있고, 가운데는 텅 빈 공간이다. 책상은 모두 같은 크기이지만, 책상 위에 쌓인 서류의 양은 제각각이다. 어떤 책상은 사실상 텅 비어 있다. 이런 책상을 차지하고 앉은 사람들은 달랑 종이 한 장과 펜 하나만 놓고 있다. 관료 위계제의 말단에 속해 있다는 분명한 징표이다. 다른 책상들은 파일함으로 뒤덮여 있다. 책상 주인이 서류를 검토하는 일을 하는 중간급 공무원이라는 뜻이다. 그리고 틀림없는 진정한 권력의 상징, 컴퓨터가 놓인 몇몇 책상이 있다.

영어로 투자청장실을 안내해 줄 만큼의 의욕이 없어 보이는 졸린 표정의 공무원들 사이를 10분 정도 일없이 거닐다 마침내 에사야스 케베데의 자리를 찾아냈다. 그는 책상 앞에 앉은 채 먼 곳을 응시하고 있다. 적어도 한 사이즈는 큰 파란 재킷 차림의 그는 들뜬 모습이다. 책상 위에 당당하게 자리를 차지하고 있는 컴퓨터를 보니 이 사람 **거물**임이 분명하다. 내가 만나야 하는 사람과 연락을 한 게 틀림없다. 내가 다가가자 그가 나를 맞이하러 나와서는 눈도 마주치지 않고 악수를 한다. 그러고는 자기 사무실 옆에 있는 작은 방으로 따라오라고 한다. 일종의 공간 속의 공간인 이곳에는 약간의 사생활을 보장해 주는 나무 칸막이벽이 있다. 방은 거의 비어 있다. 가구라곤 색이 바랜 가죽 소파 한 쌍뿐이고 벽에 지도가 몇 장 붙어 있다. 정부가 토지를 임대하는 지역을 보여 주는 지도들이다. 케베데는 말이 없고 신중하다. 그는 최근 몇 달 동안 많은 언론인을 만났는데, 하나같이 사무실에 들어서자마자 똑같은 질문을 던지려고 입이 근질근질한 이들이었다. "국제 원조에 의존해서 국민을 먹여 살리는 나라인 에티오피아가 어떻게 현지 시장을 위해 아무 생산도 하지 않는 해외 투자자들에게 사실상 무상으로 토지를 임대하게 되었습니까?" 그래서 그는 기폭 장치가 활성화되기 전에 미리 폭탄의 신관을 제거하려고 한다. 형식적인 인사를 하자마자 그가 일장 연설을 늘어놓기 시작한다. 토지 임대 정책의 주된 기조가 '낡아빠진 농업 부문을 현대화한다는 목표'에 맞춰져 있음을 보여 주려는 속셈이다. 그는 에티오피아의 농경지 740만 헥타르 중에서 투자자들에게 양도된 것은 4퍼센트에 불과하다고 지적한다. 그러면서 에티오피아에는 토지와 노동력이 있지만 이 둘을 생산에 활용하는 데 필요한 자본이 없다고 주장한다.

케베데의 스타일은 특별히 준비된 이야기를 기계적으로 암송하는 공무원의 전형적인 모습이다. 똑같은 이야기를 워낙 많이 되풀이하다 보니 결국 그 자신도 거의 믿게 된 것이다. 헐렁한 재킷에 밑창이 두꺼운 구두를 신은 채 몸짓 하나 없이 조금의 열의도 보이지 않으면서 이야기를 하는 그를 보고 있자니, 두세 가지 이야기를 미리 준비해 놓고 대화 상대에 따라 골라서 풀어놓는다는 생각이 든다. 투자자들과 대화를 할 때는 아마 '큰돈을 들이지 않고도 부자가 될 수 있다.'는 이야기를 할 테지. 국제 원조 공여자들이 앞에 있으면 '우리는 세계시장에 문호를 개방하고 있다.'는 이야기를 꺼낼 테고. 언론인들과 만나면 큰 줄거리는 별반 다르지 않더라도 좀 수세적인 이야기를 할 게 분명하다. '우리는 우리나라의 이익을 위해 이 일을 하고 있다.'는 식일 테지. 하지만 이 경우에 그의 주장은 다소 약해진다. 그는 임대 정책이 농업 현대화를 목표로 하는 것이라고 주장하지만, 해외시장에 이익을 주기 위한 외국인 투자가 지역민들에게 미치는 효과를 설득력 있게 설명하지는 못한다. 대신에 그는 어쨌든 '이 땅들은 버려진 빈 땅이고, 미개발 상태'라는 사실과 일자리 창출을 언급하는 선에서 멈춘다.

케베데의 어조는 워낙 나직해서 다음과 같은 허풍스러운 말을 늘어놓을 때에도 거의 지루할 정도이다. "우리가 착수한 사업은 커다란 모험이지만 농업 부문 현대화로 이어질 겁니다." 그렇지만 시간이 지나면서 그가 경계심을 내려놓기 시작한다. 그러고는 서서히 임대 계획의 주된 이유인 듯 보이는 내용을 발설한다. 나는 끈질기게 묻는다. "단기적으로 볼 때 이 계획에서 어떤 경제적 이익을 얻습니까?" 시장 개방에 관한 천편일률적인 이야기를 되풀이하던 그가 갑자기 새롭고 자세한 설명을 내놓는다. "더군다나 우리는 안정 통화strong currency 자금이 시급하게 필요합니다." 그것이 문제로다. 만성적으로 경화가 부족한 것이다. 이 나라는 달러(또는 오일 달러)로 현대화를 하려고 하는데, 외국 통화를 손에 넣기 위해 자국이 보유한 자원을 헐값에 팔 준비가 되어 있다. 에티오피아에서는 달러가 왕이다. 외국인이 현지 통화로 비행기 표 같은 많은 물건을 사는 게 사실상 불가능할 정도이다. 공항에서도 입국 비자 비용이 20달러 아니면 17유로이다. 내가 갈색 지폐 한 움큼으로 비자 비용을 내려고 했을 때 출입국 관리 직원은 "비르로 낼 수 없다."고 말했다.

토지를 임대하는 계획도 똑같은 방식을 따른다. 외국 통화를 끌어들이거나 아니면 재투자할 수 있는 달러를 차입할 방도를 찾는 것이다. 케베데는 에티오피아 은행들과 외국인 투자자들이 계약을 체결할 때 생기는 거래 관계와 신용장의 복잡한 메커니즘을 설명하면서 거대한 임대 계획의 주된 목적을 슬쩍 암시한다. 재투자할 수 있는 외국 돈으로 국고를 채우는 게 목적인 것이다. 그는 투자자들에게 문호를 개방하는 핵심 동기 중 하나가 국제 금융 시장에 침투하는 것임을, 공개적으로 발설하지 않은 채 알려 준다. 허약한 경제 체제 때문에 희생이 뒤따르고 경제적인 이득이 거의 없더라도 상관없다.

내가 시장 가격에 비해 임대료가 최저 수준이라는 점을 지적하자 그는 임대 수입은 우선적인 고려 사항이 아니라고 대꾸한다. 그의 말에 따르면, 정부의 주된 관심은 세계 시장에 편입해 들어가는 데 있으며, 따라서 주요 목표는 투자를 유치하는 것이다. 하지만 막을 수 없는 세계화의 흐름 및 고용과 노하우 창출이라는 (별 볼일 없는) 지역 차원의 부산물을 이처럼 단언하는 것 말고는, 그는 여전히 이런 대규모 투자 계획의 실질적인 이익을 설명하지 못한다.

## 비밀 협약과 비밀 교섭

케베데가 신봉하는 농업 부문의 일대 도약은 정부 관리들이 문을 걸어 잠근 채 결정한 것이다. 오늘날 이 관리들은 마치 개인영업을 하는 것처럼 나라를 운영한다. 공개적인 논의는 전혀 없었다. 그냥 임대 계획이 발표되었을 뿐이다. 그것도 이 문제에 발언권이 전혀 없는 국민들이 아니라 투자자들에게 알리기 위한 것이었다. 지난 몇 년 동안 멜레스 제나위가 이끄는 정당인 인민혁명 민주전선은 점차 권력 요직을 모조리 차지하면서 귀에 거슬리는 목소리는 침묵시키거나 부적절한 발언으로 치부해 버렸다. 내가 방문한 때인 2010년 5월에 이 나라에서 진행된 선거 운동은 명백한 사례를 보여 준다. 국민들이 투표를 준비하는 와중에 여러 차례 정계 은퇴를 공언한 제나위가 마침내 핑계를 대며 5연속 집권에 도전하겠다고 후보로 나서는 쓴약을 삼킨다. 아디스아바바는 총리의 얼굴을 자랑스럽게 내건 광고판과 거대한 포스터, 티셔츠들로 가득하다. 거리의 벽, 택시 문, 심지어 메스켈 광장Meskel Square의 거대한 시계에 이르기까지 사방에서 인민혁명 민주전선의 상징인 꿀벌이 눈에 들어온다. 거의 찾아보기 힘든, 야당 연합인 연방 민주연합Medrek의 포스터는 부지런한 꿀벌들의 바다에 어울리지 않는 물방울 신세다. 마치 1당 선거를 보는 느낌이다.

그런데 실제로도 그런 결과가 나왔다. 2010년 선거는 인민혁명 민주전선의 도

전할 수 없는 권력 체제를 공고화하는 새로운 계기에 지나지 않았다. 제나위 정부는 교활함과 폭력과 기회주의가 결합된 결과물이자, 다른 세력의 분열을 최대한 이용하는 한편 자신의 지배력을 강화하기 위해 국제 사회라는 체스판에서 자신의 지위를 활용하는 능력이 낳은 소산이다. 인민혁명 민주전선은 티그레이족<sup>Tigrinyas</sup>이 지배하고 있음에도 불구하고 1991년 이래 이 나라를 다스리고 있다. 티그레이족은 에티오피아연방의 종족 구성에서 전체 인구의 6퍼센트를 차지한다. 인민혁명 민주전선이 민주적인 규정에 따라 투표를 시행하기로 결정하면서 치러진 2005년 선거에서 이 당은 기대한 것보다 상당히 낮은 득표율을 기록했다. 야당이 압도적인 승리를 거두자 인민혁명 민주전선이 선거 결과를 인정하지 않았고, 에티오피아 국민들은 선거 결과를 지켜 내기 위해 거리로 몰려나왔다. 항의 시위를 막기 위해 정부는 보안군에 시위대를 향해 발포할 것을 명령했다. 막대한 희생자가 발생했다. 최소한 200명이 사망하고 30,000명이 체포되었다. 그때부터 제나위는 총리직을 거는 모험을 하지 않는 게 좋겠다고 마음을 먹었고, 자신과 당의 절대 권력을 보장하기 위해 생각할 수 있는 모든 일을 서슴지 않았다. 그는 일련의 조치를 통해 주요 야당 지도자들을 망명이나 투옥으로 내몲으로써 모든 비판을 침묵시켰다. 그리고 당과 입장이 다른 모든 언론 조직을 폐쇄했다. 또한 외국 비정부기구와 재정의 10퍼센트 이상을 해외로부터 받는 시민 단체(사실상 모든 단체)가 '인권과 시민권, 여성 · 소수자 · 장애인 권리, 종족 문제나 갈등 해결' 등에 관여하는 것을 금지하는 특별법을 제정해서 비정부기구에 재갈을 물렸다. 결국 그는 반정부 세력을 제압하고 시민사회를 잿더미로 만들면서 국가 전체를 아우르는 전체주의 체제를 수립했다. 인권감시단<sup>Human Rights Watch</sup>은 보고서에서 에티오피아에서는 '국가와 당, 또는 당과 국가를 구별하기가 쉽지 않다.'는 점을 강조했다.*

이런 싹쓸이 정책의 결과가 바로 내 눈앞에 펼쳐져 있다. 2005년에 아디스아바바 거리에 수천 명의 사람들을 결집시켰던 야당 세력에서 유일하게 남은 대표들은 사재를 털어 남는 시간에 선거 운동을 벌이는 몇몇 노인들뿐이다. 이 중에서 가장 권위 있는 사람은 은행가와 유엔 관리 출신으로 현재 연방 민주연합을 구성하는 여러 정당 중 하나인 오로모연방 민주운동Oromo Federal Democratic Movement(OFDM) 총재를 맡고 있는 불차 데멕사Bulcha Demeksa이다. 나는 계속해서 선거를 앞둔 어느 날 오후에 그를 만나러 오로모연방 민주운동본부를 찾았다. 비포장 도로 끝에 있는 금세라도 무너질 듯한 작은 별장이다. 그는 가구가 거의 없는 검소한 방에서 나를 맞이한다. 가구라곤 나무 탁자 하나와 의자 세 개뿐이다. 선거 운동이 정점에 달한 때이지만 당 본부는 텅 빈 모습이다. 어떤 운동도 벌어지지 않고, 일하는 직원도 없고, 선거 전에 마지막 압박을 가하는 활동을 조정하는 투사도 없다. 문 앞에서 방문자를 맞이하는 수위도 없다. 입구에 나붙은 작은 포스터 한 장만이 여기가 주요 야당 한 곳의 본부임을 알려 준다. 데멕사가 미소를 지으며 입을 연다. "나이지리아에서 유엔을 위해 일할 때는 100평방미터 규모의 사무실에 비서가 세 명 있었지요. 건물도 아주 아름다웠고요. 지금 우리 모습을 보세요. 자기 나라에서 유배 생활을 하는 셈입니다. 전기도 없어요."

이 남자는 흠잡을 데 없이 차려 입었다. 회색 정장에 빨간 넥타이 차림의 모습은 세련된 복장을 추구하지 않는 에티오피아의 일반적인 규범과 대조를 이룬다. 주

● Human Rights Watch, 'One Hundred Ways of Putting Pressure. Violations of Freedom of Expression and Association in Ethiopia', 24 March 2010(hrw.org에서 열람 가능).

름진 얼굴에서 그의 경력이 새어나온다. 그의 표정에서는 열정과 동시에 절도가 드러난다. 게으름을 피울 시간 따윈 없고 이제 어떤 환상도 품지 않는 남자의 표정이다. 데멕사는 자신이 생존자임을 안다. 그는 여전히 자유롭게 돌아다닐 수 있는 몇 안 되는 야당 성원 중 하나다. 나이가 많은 덕분에 탄압을 피했는데, 아마 집권당의 우두머리들에게 '별로 두렵지 않은 적'이라는 분위기를 풍겼기 때문일 것이다. 선거 운동에 관해 이야기를 하던 중에 나는 거리에서 그의 지지자들은 전혀 보이지 않는 데 반해 인민혁명 민주전선 지지자들은 사방에 널려 있어서 극명하게 대조된다는 점을 지적했다. 그가 대꾸한다. "정부가 후보자 한 명당 선거 비용으로 제공하는 액수는 258비르, 그러니까 10유로 약 14,500원 _옮긴이 가 약간 넘습니다. 반면에 인민혁명 민주전선은 정부 공금을 선거 운동 자금으로 사용하지요. 우리가 활용할 수 있는 수단의 차이를 감안하면, 할 수 있는 일이 많지 않습니다." 불과 몇 시간 전에 나는 시민운동장에서 열린 마지막 집회에 참석해서 집권당의 엄청난 동원 능력을 직접 목격한 터였다. 에티오피아 전역에서 줄줄이 대형 버스를 타고 집회에 참석하려고 온 투사들 수만 명이 운집해 있었다.

이런 상황에서 야당은 존재 자체가 거의 코미디로 보인다. 야당의 존재는 민주주의를 표방하는 집권당의 겉치레에 정당성을 부여할 뿐이다. 나는 데멕사에게 야당을 금지하는 것이나 다름없는 상황에서 도대체 왜 선거에 참여를 고집하는지 묻는다. 전직 은행가는 '점진적 민주주의' 이론에 반대한다는 뜻을 밝힌다. "오늘날 우리는 권위주의 국가에 살고 있습니다. 선거는 장난이에요. 선거는 다 조작이고 집권당이 휩쓸 겁니다. 우리는 호소할 테지만, 이 호소는 부정될 겁니다. 하지만 적어도 우리 중에 젊은 사람들은 설령 우리가 탄압을 당하고 우리 당원들 대부분이 징

역형을 받더라도 우리가 계속해서 법의 지배를 신봉한다는 사실을 알게 될 겁니다. 물론 내일 당장 변화가 일어나진 않겠지만, 우리는 언젠가 에티오피아에 참된 민주주의가 오리라고 믿습니다. 우리 아이들을 위해서라도 믿어야 합니다."

적어도 선거와 관련해서는 데멕사의 예상이 제대로 들어맞았다. 인민혁명 민주전선은 99.6퍼센트를 득표했고, 야당은 547석 중 단 한 석을 얻었다. 야당은 법원에 호소했지만 결국 실패만을 맛봤다. 데멕사의 두 번째 예상에 관해서는 시간이 답을 해줄 것이다.

이런 이례적인 선거 결과가 나온 뒤 몇 주 동안 인민혁명 민주전선이 오랜 세월에 걸쳐 구축한 국제적 네트워크의 진정한 힘이 여실히 드러났다. 특히 농촌 지역에서 명백한 선거 부정과 수치스러운 투표 조작이 있었지만, 에티오피아와 손잡은 파트너 가운데 어느 하나 감히 입을 열지 않았다. 많은 인권 단체들이 분노로 가득한 고발을 했으나 돌아오는 것은 적막에 가까운 침묵뿐이었다. 유럽 선거 참관자들이 다소 비판적인 보고서를 제출해서 "선거 운동이 공정하게 이뤄지지 않았다."고 지적했지만, 이 목소리조차 유럽연합 외교안보 고위 대표인 캐서린 애시턴<sup>Catherine</sup> <sup>Ashton</sup>이 나중에 발표한 성명에 묻혀 버렸다. 애시턴은 에티오피아에서 진행된 투표야말로 '민주주의 발전 과정에서 중요한 순간'이라고 규정하면서 '투표 과정을 평화롭게 마무리하고 높은 선거 참여율을 보인 점'에 대해 유권자들에게 축하 인사를 보냈다. 모든 이들이 앞을 다퉈 이런 광대극 같은 선거의 정당성을 조심스럽게 인정한 것은 제나위가 기본적으로 손댈 수 없는 존재이기 때문이다. 에티오피아는 아프리카의 뿔 지역 Horn of Africa. 에티오피아와 소말리아, 지부티 등이 자리한 아프리카 동북부 지역 _옮긴이 의 안정을 위해 무척 중요한 나라다. 이 지역은 제어가 불가능한 에리트레아 정

에티오피아: 투자자들의 엘도라도 45

권과 끊임없는 전쟁에 시달리는 소말리아 때문에 위협받고 있다. 서구가 보기에 인민혁명 민주전선 지도자는 이 이질적인 연방 국가의 통일성을 유지할 수 있는 유일한 인물이었다. 인구 8,400만 명인 에티오피아는 아프리카에서 두 번째로 인구가 많은 나라다. 에티오피아 정부가 반정부 세력을 빈틈없이 탄압하는 정책을 개시한 2005년 이래 국제 원조 공여자들은 한 마디도 하지 않았다. 사실 2008년 한 해에만 그들은 '인도주의 원조'라는 이름으로 30억 달러를 에티오피아 국고에 쏟아 부었다. 사하라 사막 이남 아프리카에서 가장 큰 원조 액수다.* 에티오피아의 파트너 국가들이 보인 이러한 침묵은 믿을 수 없을 정도로 위선적인 모습으로 바뀌었다. 다섯 살짜리 딸의 어머니로 36세의 변호사이자 야당 지도자인 비르투칸 미덱사Birtukan Mideksa가 단지 선거 조작에 반대하는 발언을 했다는 이유로 2005년에 투옥되었다가 2008년에 '반역죄'로 종신형을 선고받은 사례 등을 보면 이런 위선이 더욱 극명하게 드러난다.**

야당과 시민사회 전반에 대한 탄압에도 불구하고 미국과 유럽연합은 에티오피아의 환심을 사려는 노력을 계속하면서 원조를 제공하고 멜레스 제나위를 현대적이고 세련된 정치인의 본보기로 치켜세우고 있다. 한 가지 예만 들어 보자. 2005년 선거 당시 영국 총리 토니 블레어는 에티오피아 총리를 영국의 '아프리카위원회Commission for Africa' 구상에 끌어들였다. 처음에 라이브 에이드에서 영감을 받은 집단적 구상인 이 위원회는 발전과 경제성장의 필수 요소로 간주된 인도주의 원조와 관련된 기존의 약속을 지키라고 국제 원조 공여자들에게 압력을 가했다.*** 위원회가 내놓은 최종 보고서 제목은 의미심장하게도 『우리 공동의 이익Our Common Interest』인데, 제나위는 심지어 공동 저자로 참여했다. 미국의 전 대통령 빌 클린턴이 규정한 것처럼, 그는 '2차 대전 이후 현대 아프리카의 신세대 지도자' 중 가장 중요한 대표로 간주되는 인물이었다. 시간이 흐르면서 아디스아바바의 독재자는 이런 이중적 역할을 수행하는 데 무척 익숙해졌다. 한편에서는 빈곤과 기후변화에 맞서 싸움을 벌이는(이런 자격으로 모든 국제 정상회담에 초청된다) 진정한 지킬 박사이고, 다른 한편에서는 모든 야당 세력을 탄압하고, 정부에 반대하는 온갖 목소리를 침묵시키며, 자기와 시각이 다른 사람은 닥치는 대로 투옥하거나 추방하는 하이드 씨이다. 그의 분노가 폭발하면 어느 정도인지를 너무나도 잘 아는 한 집단은 『아디스네제르Addis Neger』 출신 언론인들이다. 전투적인 독립 신문인 『아디스네제르』에서 일하던 언론인들은 '테러리즘으로 기소'하겠다는 거짓 위협에 시달리다가 해외로 도망칠 수밖에 없었고, 지금은 여러 아프리카 나라와 미국에서 디아스포라처럼 유랑 생활을 하고 있다.**** 2005년에 아디스아바바 시장에 당선된 뒤 같은 해 10월에 항의 시위 이후 투옥되어 '종족 말살과 반역죄'로 20개월을 감옥에서 보낸 뒤 펜실베이니아로 이주한 베르하누 네가Berhanu Nega도 비슷한 신세이다.

제나위는 독보적인 자신의 존재와 '아프리카의 뿔 지역의 우리 사람'이라는 이미지를 지탱하기 위해 고안하고, 꼼꼼하게 유지한 동맹 정책에 의존해서 거의 바위처럼 단단한 권력 체제를 구축했다. 오늘날 이 권력 체제는 권위주의적 통치 방식과

● 에티오피아 정부가 인도주의 원조를 정치적으로 활용하는 문제에 관해서는 Helen Epstein, 'Cruel Ethiopia', *New York Review of Books*, 14 April 2010을 보라.

●● 비르투칸 미덱사는 공식적으로 용서를 구한 끝에 2010년 10월에 풀려났다.

●●● 이런 접근 방식에 대한 '내부자'의 비판과 지난 30년 동안 사하라 사막 이남 아프리카 전역에 투입된 원조 때문에 야기된 갖가지 왜곡된 결과에 대한 심층적인 검토로는 Dambisa Moyo, *Dead Aid: Why Aid is Not Working and How There is Another Way for Africa*, London: Allen Lane 2009를 보라.

●●●● addisnegeronline.com을 보라.

명백한 인권 침해에도 불구하고 상당한 존중을 받고 있다. 오히려 또 다른 새로운 요인 때문에 최근 몇 년 동안 제나위의 지위가 더욱 공고해졌다. 아프리카의 많은 독재 정권들처럼 에티오피아 정권도 중국에 문호를 개방하고 있다. 문이 활짝 열리자 베이징의 기업들이 무리지어 들어와서 도로와 댐을 비롯한 온갖 사회 기반 시설을 짓느라 분주하다. 이런 새로운 개발 덕분에 제나위는 다방면에서 활약할 수 있고 또 전통적인 파트너들과 협상을 할 때 폭넓은 여지와 교섭력을 갖게 되었다. 중국과 서구 강대국들은 아프리카 대륙 전역, 특히 원료를 생산하는 나라들에서 영향력(과 시장 지배)을 얻기 위해 전쟁을 벌이고 있는데, 이런 전쟁 덕분에 아프리카 여러 나라에서 정부의 힘이 커지는 것은 의심의 여지가 없다. 전에는 상대방의 협박이나 압력에 취약했을 테지만 이제는 손에 비장의 무기를 들고 있다. 선거가 끝난 뒤 열린 기자회견에서 제나위는 비타협적인 언사를 늘어놓았다. "우리는 어느 누구의 비판도 받아들이지 않을 겁니다. 서구 원조 공여자들이 손을 떼겠다고 결정한다면, 이제까지 그들이 한 일에 대해 감사를 표할 겁니다. 하지만 친구를 표방하는 이들에게 이래라저래라 하는 말을 듣지는 않을 겁니다."●

야당에 속한 많은 이들이 보기에, 땅을 헐값에 파는 에티오피아 정부의 행동은 모두 동일한 원대한 계획의 일환이다. 영구 집권을 하기 위해 국제적 지지를 확대하려는 계획 말이다. 불차 데멕사는 이런 식으로 내게 말한다. "토지 임대의 목적은 일차적으로 정치적인 겁니다. 토지 임대는 전반적인 전략의 일환이에요. 총리가 국제사회에 자신을 대신할 정치 세력은 없다고 말하려는 겁니다. 마치 마법에라도 걸린 것처럼 누구 하나 야당 압살이나 선거 조작, 표현의 자유 제약에 관해 한 마디 말도 하지 않는 건 다 이 때문입니다." 데멕사는 오로모족이다. 그는 지금까지 농지 임대 때문에 극심한 영향을 받은 지역 출신이다. 이 지역은 투자자들에게 매력적인 대상이다. 수도와 잘 연결되어 있고 토양도 무척 비옥하기 때문이다. 따라서 이 문제는 당연히 데멕사에게 중요한 의미를 갖는다. 이 문제에 관해 이야기를 시작하면서부터 여태까지 상당히 침착하던 그의 태도가 잠시 달라진다. 그의 분노가 생생하게 느껴진다. "그자들은 우리와 한 마디 상의도 없이 우리 땅을 사실상 내주고 있어요. 괘씸한 일입니다."

그의 말에 따르면, 에티오피아는 새로운 토지 임대 협약을 통해 점차 거대한 연쇄의 필수적인 일부분이 되고 있으며, 중개자인 집권당을 거치지 않고는 어떤 일도 진척시킬 수가 없다. 일단 영향력 있는 나라들이 에티오피아 정부와 비밀 교섭을 통해 대규모 투자를 하면, 그들은 자국과 협약을 맺은 정부가 흐트러짐 없이 계속 집권하도록 보장하기 위해 어떤 식으로든 힘을 쓰게 마련이다.

이런 주장은 야당이 아무 활동도 하지 않고 또 정부에 전혀 만족하지 못하는 국민들에게 거의 전혀 영향을 미치지 못하는 현실에 대한 일종의 알리바이처럼 보일지 모르지만, 나이든 은행가의 말에 많은 진실이 담겨 있음은 의심의 여지가 없다. 토지 임대 협약은, 야심적인 사회 기반 시설 프로젝트 협약과 마찬가지로, 언제나 밀실에서 이뤄졌다. 경쟁 입찰도 없었고, 이런 프로젝트가 과연 실행 가능한지에 관한 독립적인 평가도 없었다. "누가 건설 계약을 따낼지를 결정하는 건 언제나 정부입니다. 어느 땅을 누구에게 임대할지를 결정하는 것도 정부지요. 해외 언론에 나온 기사를 통해 어느 외국 기업이 어떤 땅을 받았다는 소식을 접하는 일이

● 2010년 5월 아디스아바바에서 지은이가 직접 들은 내용이다.

다반사예요." 데멕사는 이런 말을 하며 반어적인 질문으로 결론을 대신한다. "당신 생각에는 농업부가 누구에게 땅을 임대할지를 결정할 때 정확히 어떤 기준에 따른다고 보십니까?"

## 넘어서는 안 되는 한계선

나는 투자청장 에사야스 케베데에게도 직접 똑같은 질문을 던져 본다. 그러자 그는 직업적인 어조로 대답한다. "우리는 이 부문에 경험이 있는지 여부를 기준으로 같이 할 상대를 결정합니다. 우리는 해당 기업의 경력, 사업 계획과 잠재력, 그리고 그들이 수행하고자 하는 경작 방식 등을 분석합니다. 그러고 나서야 결정을 내리고 주 사무소에 조치를 넘기지요." 그는 투자청이 맡은 기능은 조정하고 서로 연결해 주는 일에 불과하다는 점을 강조한다. 이론상 토지 양도에 관해 최종 발언권을 가진 주체는 농업부가 아니다. 각 지역은 주 정부와 체결한 협약으로 양도되며, 주 정부는 사용하지 않는 토지를 제공할 뿐이다. "우리나라는 연방 국가입니다. 지방 문제에 관한 중앙정부의 권한은 제한되어 있지요." 케베데가 말해 주지 않는 점은 인민혁명 민주전선이 모든 주 정부를 장악하고 있으며 지역사회는 이 문제에 관해 거의 또는 전혀 발언권이 없다는 사실이다. 2008년 4월 치러진 지방선거에서는 야당이 선거 참여를 거부한 가운데 정부와 동맹 세력이 99.99퍼센트를 득표함으로써 밑바닥부터 꼭대기까지 공공 행정을 완전히 장악했다. 주와 군의 관청은 모두 권력자들과 밀접하게 연결된 행정관들의 수중에 떨어졌다. 이 행정관들은 거대한 문어발처럼 뻗은 통제 체제를 건설하는 과정에서 각자 맡은 역할을 다했다. 사실 식량 원조 프로그램, 고용, 주택, 토지, 심지어 소액 대출 이용까지 통제하는 주체는 군과 촌의 행정관들이다. 특히 농촌 지역에서 주민의 생존을 좌우하는 열쇠인 행정관들은 이런 부문들을 통제하면서 서구 중세 시대의 대지주와 별반 다르지 않은 존재로 변모하고 있다. 다만 한 가지 차이는 있다. 그들은 언제든 권력을 빼앗길 수 있기 때문에 계속해서 일을 훌륭하게 수행하고 있음을 보여 주어야 한다. 따라서 그들은 '지도자'라는 역할에 열정적으로 몸을 던지면서 자체적인 지역 감시망을 구축한다. 비호와 정실 관계, 밀고자들로 이루어진, 조지 오웰의 소설에나 나올 법한 이런 상황에서 아무도 감히 반대의 목소리를 높이지 않는다. 모든 게 정부의 손에서 놀아나기 때문에 정부는 토지 양도를 비롯한 어떤 과정에서든 간에 지역 기관을 참여시켜서 투명하다는 인상을 계속 유지할 수 있다.

바로 이런 이유 때문에 이곳에서는 토지를 헐값에 팔아 치우는 행위가, 다른 아프리카 나라들에서는 전면적인 폭동으로 비화하는 데 반해, 평화적인 방식으로 진행되는 것처럼 보이며, 소요나 심지어 언론에 논쟁도 되지 않는다. 최근에 폭동 장면이 목격된 곳은 국경에 접한 감벨라 주뿐이다. 정체불명의 무장한 남자들이 사우디스타의 시설에 들어가서 파키스탄인 농학자 6명을 비롯한 노동자 10명을 죽였다. 감벨라 주의 정치적 긴장과 연결된, 아직 전모가 밝혀지지 않은 이 사건을 제외하면, 이제까지 토지 헐값 매각 때문에 심각한 논쟁이 벌어지거나 어떤 식으로든 여론의 저항이 일어난 적은 없다. 아직 이 나라에서 활동을 계속하는 극소수 비정부기구 중 한 곳의 대표는 이런 점을 분명히 설명해 주었다. 나는 어떤 경우에도 그의 이름을 밝히지 않을 것이며 철저하게 익명으로 처리하겠다고 거듭 다짐하고 나서야 그와 이야기를 할 수 있었다. 아디스아바바 중심부의 극장 앞에서 만나자마자 그가 '이른 점심'을 먹자고 한다. 이제 겨우 11시인데다가 나는 배가 전혀 고프지 않지만, 그를 따라 근처 레스토랑으로 들어간다. 그는 텅 빈 뜰 끝 구석진 자리에 눈에 띄지 않는 테이블을 골라 생선 튀김과 샐러드 2인분을 주문한다. 그리고 그는 오전에 이런 어정쩡한 식사를 권유하는 이유를 털어놓는다. "여기서는 그래도 편안하게 이야기를 할 수 있거든요. 아무도 귀찮게 하지 않을 겁니다." 에티오피아의 정치 상황, 방금 전에 끝난 선거 등 이런저런 얘기를 하는 동안 남자는 내 질문에 답하면서 나를 꼼꼼하게 살펴본다. 그는 꽤 친절하지만 약간 의심스러운 표정이다. 그의 목소리는 희미하고 조용한데, 이제 막 살집이 붙기 시작한 건장한 체격과는 전혀 어울리지 않는다. 원래 음흉한 얼굴이지만 이따금 갑자기 밝게 친절한 표정을 짓는다. 간혹 낄낄거리는 웃음을 짓기도 하는데 즐거움의 표시라기보다는 신경성 안면 경련처럼 보인다. 그는 경계를 늦추지 않은 채 내 질문을 에둘러 피한다. 대부분의 조직이 문을 닫을 수밖에 없는 상황에서 당신은 어떻게 해서 아직도 일을 할 수 있느냐고 묻자 그는 '정부와 지속적으로 변증법적인 관계'를 확립할 수 있었기 때문이라고 말한다. 나는 이런 은유적 대답을 '우리는 끊임없이 감시를 당하고 있다.'는 뜻으로 해석한다. 선거 결과를 어떻게 생각하느냐고 묻자 그는 인민혁명 민주전선이 나라를 장악했다고 딱 잘라 말하면서 여러 진영에서 주장하는 투표 조작 비난에 관해서는 일언반구도 하지 않는다. 하지만 토지 임대 문제를 꺼내자마자 갑자기 그의 어조가 달라진다. 나는 그와 전화로 말할 때 이 얘기는 거론하지 않았다. 그가 걱정스러운 눈빛으로 주변을 둘러보기 시작한다. 그가 접시로 시선을 떨어뜨린다. 그러고는 다시 고개를 든다. 이윽고 레스토랑 안에 몇 안 되는 손님들을 샅샅이 훑어본다. 마침내 내 쪽으로 몸을 숙이고는 들릴 듯 말 듯한 목소리로 이 문제는 일종의 금기라고 알려 준다. "그건 아주 민감한 문제라 언급조차 할 수 없습니다. 그건 넘어서는 안 되는, 이른바 '한계선' 중 하나예요." 이 문제는 워낙 민감하기 때문에 자세히 조사하는 사람이 아무도 없다. 에티오피아에서는 감히 어느 누구도 이른바 한계선을 넘어서지 않는다. "사실 어느 땅이 얼마나 많이 양도되었는지는 아무도 모릅니다. 독립적인 조사가 전혀 없으니까요. 이런 상황에서는 조사를 할 수도 없고요." 속삭이는 그의 목소리에는 그가 이 상황을 수치스럽게 생각한다는 암묵적인 뜻이 담겨 있지만, 또한 자기 조직이 24시간 안에 폐쇄되는 사태를 피하려면 가능한 어떤 비판도 능숙하게 피해 가야 한다는 의미도 들어 있다.

이런 이유 때문에 토지 임대 규모에 관해서는 알려진 바가 거의 없다. 입수할 수 있는 데이터는 정부에서 내놓는 것뿐인데, 정부의 말에 따르면, 100만 헥타르가 이미 임대되었고 조만간 200만 헥타르 정도가 추가로 임대될 것이라고 한다. 하지만 임대 협약은 조사 대상이 아니다. 협약은 케베데가 일반적이라고 설명한 방식으로 비밀리에 교섭되며, 어떤 형태로든 확인할 수 없다. 극소량의 정보가 흘러나오는 통로는 외국 언론에 실리는 기사나 토지를 취득한 기업들의 신고 내용, 에티오피아 출신 이민자들이 제기하는 반대 등이다. 이민자들도 1차 정보를 접하는 경우는 거의 없기 때문에 해외 언론에 의존해야 한다.

## '에티오피아는 존재하지 않는다'

나는 오로모족 야당이 조직한 학술회의에서 이런 사실을 분명히 체감한다. 토지 문제만을 다룬 회의라 참석한 길이다. 세미나 제목이 인상적이다. '토지 쟁탈전. 오로미아Oromia 주의 투자와 환경 파괴. 미래에 예상되는 결과.' 세미나가 에티오피아가 아니라 런던 중심부의 어느 대학 강당에서 열린다는 건 말할 필요도 없다.

회의는 7월 어느 토요일에 시티 대학 지하실에서 열렸다. 분위기가 마치 비공식적인 뷔페 같다. 바깥의 날씨는 매혹적이고, 공원마다 반쯤 벌거벗은 젊은이들이 가득하다. 영국의 기후에서 며칠 안 되는 뜨거운 열기를 최대한 즐기고 싶은 젊은이들이다. 반대로 캠퍼스는 텅 빈 광경이고, 대학에 의존하는 주변의 동네 전체도 황량하다. 눈에 띄는 사람은 수위들뿐인데, 어쩔 수 없이 주말에 초과 근무를 하는 표정이 썩 달갑지 않다. 회의에는 30명 정도가 참석 중이다. 발표자들끼리는 다들 아는 사이이다. 매년 여름마다 특정한 주제를 토론하는 그룹의 성원들이다. 주최 측 사람 하나가 내게 말해 준다. "올해에는 토지 문제를 토론 주제로 삼았습니다. 이 문제야말로 최근 우리 문화에 대한 공격의 표본이니까요. 이와 같은 21세기의 식민주의를 통해 제나위 정부는 오로모족의 전통을 완전히 쓸어버리려고 합니다."

발표자들마다 이야기의 어조가 강력하다. 에티오피아의 정의 자체에 의문이 제기된다. 어느 발표자의 말마따나 이 나라는 '고원 주민들이 남부 여러 지역을 침략한 결과로 생겨난 자의적인 창조물'이기 때문이다. **땅뺏기**(land grabbing)라는 부정적인 표현으로 언급되는 농지 임대 현상은 독재 정부가 최근에 벌이는 극악한 행동일 뿐이다. 이 정부는 '차이를 인정하지 않고, 반대파를 억압하며, 지난 20년 동안 밀어붙인 정책으로 에티오피아 사회의 풍경에서 지방 문화를 의도적으로 말살했다.' 에티오피아 최대 종족인 오로모족이 제기하는 이런 주장들은 새로운 게 아니다. 모든 발표자는 '종족 연방주의' 개념에 의문을 제기한다. 티그레이족이 20년 동안 집권할 수 있게 해 준 교묘한 책략인 종족 연방주의는 일종의 분권주의를 활용

하는데, 사실상 말 잘 듣는 엘리트들을 흡수하는 체제에 지나지 않는다.[*]

이야기하는 내용은 하나같이 무척 비슷하다. 대부분 에티오피아인인 발표자들은 미국을 비롯한 여러 나라에서 회의에 참석하러 왔다. 인류학자, 사회학자, 경제학자 등인 발표자들은 모두 출중한 직함을 갖고 있다. 적어도 이론상 그들은 당면한 주제에 관한 손꼽히는 전문가들이다. 하지만 그들이 이야기하는 내용은 모호하고 종종 이데올로기적이다. 때로는 주제 자체를 건드리지도 않는다. 사실이나 수치를 제시하지 않은 채 모든 걸 당연하게 여긴다. 회의 분위기는 무척 시사적인 주제에 관해 정보를 교환하거나 아이디어를 모으는 대신 정치적인 논쟁의 어조를 띤다. 현재 아무런 영향력도 없고 가까운 장래에도 영향력이 생길 가능성이 없는 사람들이 조국의 정치적 결정을 놓고 논쟁을 벌이고 있다.

이처럼 피상적으로 접근하는 이유는 분명하다. 발표자 대부분은 망명자, 곧 박해가 두려워 에티오피아에서 탈출한 사람들이며 따라서 조국과 겨우 간헐적인 접촉만 할 수 있을 뿐이다. 그들이 가진 정보는 한 다리, 심지어 두 다리 건너들은 것이다. 특히 에티오피아에서는 국영 통신 회사가 완전히 통제하는 통신망이 끊임없는 감시를 받고 있다고 여겨지기 때문이다. 설령 사실이 그렇지 않더라도 그럴 것

---

[*] 티그레이 인민해방전선Tigrinyan People's Liberation Front(TPLF)의 티그레이족 반군은 멩기스투를 타도하기 전부터 에티오피아 인민혁명 민주전선을 결성했다. 이 연합체에는 암하라 민족민주운동Amhara National Democratic Movement(ANDM), 오로모 인민민주조직Oromo People's Democratic Organisation(OPDO), 남부에티오피아 인민민주운동Southern Ethiopia People's Democratic Movement(SEPDM) 등 다른 세 '종족' 정당도 참여했다. 이 당들이 대변하는 엘리트 집단은 시간이 흐르면서 국가적 차원에서 티그레이족의 지배를 받아들이는 대가로 각자 자기들 지역에서 권력을 장악했으며 연방의 정책에 관해 제한된 발언권을 얻었다. '종족 연방주의'와 그 함의에 관해서는 다음의 보고서를 보라. International Crisis Group, 'Ethiopia: Ethnic Federalism and its Discontents', 4 September 2009(www.crisisgroup.org에서 열람 가능). 역사적·비교적 관점의 설명으로는 David Turton (ed.), *Ethnic Federalism: The Ethiopian Experience in Comparative Perspective*, London: James Currey 2006을 보라.

이라는 두려움은 훌륭한 억지력으로 작용한다. 문자 메시지를 통해 항의 시위 호소가 퍼져 나간 2005년 선거 이후, 제나위 정부는 통신 시스템의 전면 통제를 최우선 과제로 삼았다. 소요가 최고조에 달했을 때 정부는 2년 동안 문자 메시지 발송 자체를 봉쇄했다. 그 뒤로는 기술을 세련되게 다듬었다. 음성이나 문자로 교환되는 모든 정보를 해독할 수 있는 중국 소프트웨어 기술을 들여온 것이다. 2010년 선거 직전에 영국의 『이코노미스트』는 이런 발전을 다음과 같이 꼬집었다. '다른 아프리카 나라 국민들은 블랙베리와 아이폰 중 어떤 걸 사는 게 나을지 고민하는 반면, 에티오피아 사람들은 전화를 가질 수 있는지를 궁금해 한다.'*

시티 대학에서 발표자들의 이야기를 듣고 있자니, 에티오피아 정부의 다른 억압 조치와 더불어, 광범위한 통신 통제 때문에 정보의 흐름이 방해 받는 건 분명해 보인다. 결국 어느 교수는 인민혁명 민주전선이 권력을 잡은 과정과 그들의 토지 정책에 관해서는 장황하면서도 흥미롭게 곁가지까지 이야기하는 반면, 현재 상황에 관해서는 수박 겉핥기식으로 거의 설교조의 말만 한다. 어느 인류학자는 오로미아 주에서 원주민 공동체가 쫓겨난 이야기를 한다. 20년 전에 벌어진 사건이다. 감벨라 접경 지역에 살고 있는 아나우크족 활동가 은이카우 오찰라Nyikaw Ochalla는 '여러 해 동안 계속되고 있는 종족 말살의 마지막 단계'에 관해 말한다. 그는 아나우크족이 방목지로 사용하던 농업 지역의 전부는 아닐지라도 대부분이 해외 투자자들에게 넘어갔다고 말한다. 또한 자기 마을 주변의 땅이 어떻게 완전히 사유화되었고 그 결과로 마을 사람들이 어떻게 전부 일용직 막노동자로 전락했는지를 말해 준다. 그의 발표 내용은 앞선 발표들보다는 뚜렷하지만 그래도 오래된 뉴스 같은 인상을 풍긴다. 내가 어떤 회사들이 감벨라에서 토지를 취득했느냐고 묻자 그는 카루투리<sup>Karuturi</sup>를 언급한다. 인도의 대기업인 카루투리가 300,000헥타르를 취득했다는 소식은 이미 해외 언론에서 충분히 다뤄졌다. 내가 그 지역에서 벌어지는 현상의 실제 규모를 분명히 밝혀 달라고 요청하지만, 그는 정확한 수치를 알려 주지 못한다. 영국의 정치 난민인 오찰라는 공유 자원을 독점하는 아디스아바바 엘리트 집단의 정책 때문에 가장 고통 받는 원주민 집단인 아나우크족에 관해 세계에서 손꼽히는 전문가이다. 박해를 피해 도망친 그는 아나우크족의 문제를 핏줄로 물려받았다. 그는 멩기스투 정권의 박해를 받던 시절부터, 처음에는 기대를 불러일으켰던 인민혁명 민주전선이 토지 매각이라는 새로운 몰수 정책의 정점을 보여 주면서 배신을 한 현재에 이르기까지 자기 종족의 이야기를 너무나도 잘 안다. 오찰라는 감벨라 주에 많은 친구와 친척들이 있으며, 새로운 상황을 일일이 파악하려고 노력한다. 하지만 그조차도 자신의 무기력한 처지를 인정한다. 그는 10년 동안 고향 땅에 발을 들여놓지 못했기 때문에 새로운 정보를 얻기가 힘들다. 그는 이런 사실을 의기소침한 어조로 인정한다. "사람들은 이 정책으로 마을이 황폐화될 것임을 잘 알면서도 이 문제를 거론하기를 두려워합니다. 이런 이유 때문에 정부는 순조롭게 일을 해나가는 겁니다."

회의는 보도 자료를 배포하면서 끝나지만, 이 자료는 에티오피아 이민자들이 사는 장소에서만 눈에 띈다. 보도 자료는 거창하지만 특별히 신랄하지는 않은 언어로 '다국적기업들의 이런 무책임한 행동을 세계 여론에 알리기 위한 전 지구적 노력을 진행할 것을 제안한다.'

---

● 'Five more years', *The Economist*, 20 May 2010.

## 방갈로르 부동산 소유주

에티오피아의 토지를 차지하기 위해 줄을 서는 이 기업들은 누구일까? 케베데는 이렇게 말한다. "많은 부류의 기업들이 있습니다. 우리는 토지를 양도하기 전에 주로 기업의 신뢰성에 초점을 맞춥니다." 사실을 말하자면, 이미 에티오피아에서 활동하면서 정부와 좋은 관계를 누리고 있는 그룹이나 개인이 노른자위를 차지한다. 특히 토지가 양도되고 있지만 착취는 이제 막 시작되는 이런 초기 단계에서는 더더욱 그러하다. 이런 사정 때문에 앞서 언급한 셰이크 알아무디 소유의 회사들이나 적어도 그의 말에 좌우되는 회사들이 있는 것이다. 이 농장들에서 현재 생산하는 농산물 가운데는 과일과 채소도 있지만 무엇보다도 현지에서 재배하고 건조한 뒤 사우디아라비아로 수출하는 쌀이 주된 품목이다. 그렇지만 셰이크는 사업을 확대할 계획이며, 농산업을 전문으로 하는 기업들과 임시 제휴 관계를 수립했다. 그는 신젠타Syngenta와 협력해서 동북부에 30,000헥타르 규모의 사탕수수 농장을 세우고자 하며, 말레이시아 기업인 아그리 넥서스Agri Nexus와 함께 베니샨굴구마즈Benishangul Gumuz 주에 바이오 디젤을 전문 생산하는 100,000헥타르 규모의 농장을 세울 생각이다. 이런 프로젝트들은 아직 계획 중이지만, 에티오피아 정부와 알아무디의 관계를 감안하면 긍정적인 결과가 나올 게 사실상 확실하다.

나이지리아의 전 대통령 올루세군 오바산조Olusegun Obasanjo에서부터 지부티의 현 대통령 이스마엘 오마르 구엘라Ismael Omar Guellah에 이르기까지 에티오피아 정부가 해외의 정치적 동지들에게 양도한 작은 구획의 토지가 많이 있다. 두 사람은 각각 오로미아 주의 토지 2,000헥타르와 4,000헥타르를 받았다.* 하지만 이 나라에 진출한 가장 큰 농업 투자자는 벵갈루루 Bengaluru. 옛 방갈로르_옮긴이 에 본사를 둔 인도 그룹이다. 런던 회의에서 아나우크족 활동가가 언급한 카루투리 그룹이 그 주인공이다. 케냐와 에티오피아에서 으뜸가는 장미 생산 업체인 이 회사는 지난 2년 동안 활동을 다변화하는 게 어떻겠느냐는 에티오피아 정부의 제안을 받아들이기로 결정했다. 이 회사가 유일한 사례는 아니다. 다른 소규모 장미 생산업체들도 생화 같은 부차적인 상품을 강타한 경제 위기에서 심각하게 타격을 입은 뒤 적어도 경작물의 일부를 식품 종류로 전환하고 있다. 그렇지만 카루투리는 원대한 구상을 하면서 아디스아바바에서 250킬로미터 떨어진 곳에 10,000헥타르, 그리고 감벨라 주에 300,000헥타르(룩셈부르크 크기의 땅이다)를 취득하고 있다. 남수단과 국경을 접한 이 지역에서 활동하면 비교가 되지 않는 이점이 생긴다. 땅이 공짜인 것이다. 이 인도 회사는 에티오피아 정부와 불공평한 협약을 체결했다. 처음 6년 동안 임대료를 전혀 내지 않는다. 그 뒤에는 84년 동안 헥타르당 15비르 약870원 _옮긴이 를 지불한다. 회사 스스로도 인정하는 것처럼, 말레이시아나 인도네시아에서 같은 질의 토지를 빌리려면 연간 헥타르당 약 300유로 약 435,000원 _옮긴이 의 비용이 든다.

사우디아라비아인들이 자국에 수출할 생산물을 재배하는 반면, 카루투리는 좀 더 글로벌한 방식으로 접근한다. 이 회사는 장미를 재배해서 유럽에 수출하고 팜 유는 인도와 아프리카 시장에 판매한다. 특히 동남아프리카 공동시장Common Market for Eastern and Southern Africa(COMESA) 나라들이 주요 대상이다. 에티오피아는 수출 관세를 피하기 위해 이 자유무역협정에 가입을 고려하는 중이다.●● 카루투리는 아프리카

---

● 'World Leaders Are Taking Notice of Land in Debre Zeit', *Capital*, 28 December 2009.
●● 동남아프리카 공동시장은 리비아부터 짐바브웨까지 아프리카 20개국을 포괄하는 자유무역지대이다. 이 가운데 14개국만이 조인을 마무리해서 수출입 관세를 폐지했다. 에티오피아는 이 14개국에 속하지 않지만 현재 교섭을 진행 중이다(www.comesa.int를 보라).

내에서 수출할 곡물을 재배할 계획이다. 이 인도 회사는 시장의 변동에 대응하는 입지를 차지하기 위해 다양한 목표를 설정했다. 전무이사인 사이 라마크리슈나 카루투리Sai Ramakrishna Karuturi는 이 정책을 추호도 의심하지 않는다. "모두들 중국에서는 산업에 투자하고, 인도에서는 서비스업에 투자하고 있다. 식량에 투자할 곳은 아프리카이다."● 에사야스 케베데 투자청장도 그의 말에 동의하면서 에티오피아야말로 아프리카에서 가장 매력적인 나라라고 주장한다. "에티오피아에서는 모든 작물이 자랍니다. 그냥 심기만 하면 돼요. 우리가 제시하는 조건은 다른 나라는 거의 엄두도 내지 못합니다." 우수한 토질과 훌륭한 기후뿐만 아니라 투자청이 투자자들에게 제시하는, 믿을 수 없을 정도로 유리한 조건까지도 염두에 둔 발언이다.

사실 정부는 어떤 작물을 재배할지에는 특별히 관심이 없고, 진정한 농업 발전 전략을 갖고 있는 것 같지도 않다. 정부는 토지를 배당할 뿐 다른 아무 일도 하지 않는다. 케베데도 이런 사실을 인정한다. "처음에 우리는 주로 바이오 연료에 집중하려고 생각했지만, 지금은 다소 지연되는 상태입니다."

투자청장의 이런 발언은 대단히 절제된 표현이다. 에티오피아는 한때 '주로 바이오 연료에 집중'한 정도가 아니라 아프리카의 브라질로 부상하려는 원대한 꿈을 꾸었다. 대륙 전체에서 가장 큰 농산 연료 생산국이 되겠다는 꿈은 덧없이 사라졌다. 더욱 일반적인 토지 임대 정책을 공식화하기 직전인 2007년 9월, 정부는 '바이오 연료 개발과 활용 전략'을 발표했다.●● 정부는 에티오피아가 화석연료 의존도가 심하다고 주장하면서 2,330만 헥타르의 땅을 바이오 연료 생산에 활용할 준비를 마쳤다고 선언했다. 미국과 유럽연합이 대체 연료 사용을 확대하겠다는 목표를 공언한 때에 에티오피아 정부는 바이오 연료라는 심각한 질병에 걸렸다. 하지만 정부가 세운 계획은 과대망상증과도 같았다. 바이오 연료 생산용으로 배정한 토지가 전체 경작지의 4분의 1이 넘었다. 이 거대한 계획은 집약적인 단일 작물 재배를 추구했다. '현지와 해외의 투자자들에게 무상 장기 임대 협약을 통해 토지를 양도해서' 경작을 맡긴다는 계획이었다.

처음에는 소수의 개척자들이 이 제안을 받아들였다. 그들 대부분은 많지 않은 양의 팜유를 생산하기 시작했고, 나머지는 자트로파나 바이오 디젤용 피마자유를 생산했다. 하지만 이 부문은 도약하지 못했고, 모험적인 사업에 뛰어든 소수는 나가 떨어졌다. 독일 기업인 플로라 에코파워Flora Eco Power는 오로미아 주에서 피마자유 생산을 위해 8,000헥타르를 양도받았는데, 세 종류의 종자만을 수출한 뒤 파산해 버렸다. 전면적인 활동을 하지도 못한 채로 말이다. 미국 기업인 아던트 에너지 그룹Ardent Energy Group은 자트로파 생산을 위해 양도받은 땅 15,000헥타르를 '현지 농민들'에게 돌려주기로 결정했다. 모잠비크와 탄자니아에서 상당한 규모의 프로젝트를 진행하는 영국 기업 선바이오퓨얼Sun Biofuels은 에티오피아를 일종의 연구소로 활용한다고 주장한다. 이 연구소에서 '재배 기법과 식물 성장 모델을 실험한다.'는 것이다. ●●● 남부민족지역 주Southern Nations, Nationalities and Peoples' Regional State(SNNPRS)에서 주의 사업체를 인수한 이탈리아 기업 프리-엘그린 파워Fri-El Green Power는 아직 생산을 시작하지 않았다. 청정 연료 부문에서 사업권을 획득한 70개 기업 가운데 10개

- Jason McLure, 'Ethiopian Farms Lure Investor Funds as Workers Live in Poverty', Bloomberg News, 31 December 2009(farmlandgrab.org에서 열람 가능).

●● Ministry of Mines and Energy, 'The Biofuel Development and Utilization Strategy of Ethiopia'(phe-ethiopia.org에서 열람 가능).

●●● sunbiofuels.com. 이 회사가 탄자니아에서 한 활동에 관해서는 이 책 6장 231쪽 첫 주를 보라.

만이 운영을 시작했으며, 이 중 많은 기업은 여전히 초기 단계일 뿐이다.* 문제는 이 분야에서 에티오피아는 지형학적인 한계 때문에 난관에 봉착했다는 점이다. 이 나라는 바다로 곧장 연결되지 않으며, 에리트레아와 갈등 관계인 상황에서 마사와 Massawa 항구를 이용할 수도 없다. 결국 지부티로 생산물을 수송해야 하는데, 그러려면 구불구불한 도로를 따라 수백 킬로미터를 이동할 수밖에 없다. 항구와 거리가 멀다는 이런 불가피한 약점은 상대적으로 운이 좋은 탄자니아나 모잠비크 같은 나라들에 유리하게 작용한다. 이 나라들에서는 바이오 연료 부문이 실제로 두 자릿수 성장을 거듭하고 있다. '에너지 독립'을 달성하고 싶다고 주장한 정부의 선언에도 불구하고, 이 생산물은 또한 주로 해외시장을 겨냥한 것이다. 케베데도 '이 부문은 정체 상태'임을 인정하면서 다음과 같은 말을 덧붙인다. "우리는 에너지 독립을 달성한다는 목표를 포기하지 않았습니다. 에너지 독립은 현대적인 국가로 나아가기 위해 필연적으로 달성해야 하는 단계입니다."

### 식량에서 댐까지, 단일 모델

에너지는 인민혁명 민주전선 정부가 안고 있는 또 다른 커다란 강박이다. 지난 10년 동안 아디스아바바 당국은 국내용과 수출용 수력 전기를 생산하기 위해 거대한 댐 건설 프로젝트에 착수했다. 이 계획은 특히 세계은행과 유럽투자은행 European Investment Bank. 유럽 각국의 경제적 격차를 해소하기 위해 1958년에 설립된 투자 기관. 2000년 이후로는 유럽연합 이외의 지역에도 대출 문호를 개방했다 _옮긴이 을 비롯한 해외 원조 공여자들 덕분에 진전을 이루었다. 이탈리아 개발협력 Italian Development Cooperation 프로그램을 통해 확보한 신용과 중국이 저렴하게 제공한 차관의 덕도 컸다. 중국은 그 대가로 사회 기반 시설 건설 계약을 확보했다.

환경영향평가를 거치지 않고 지역 주민들에게 미리 알리지도 않은 채 필요한 재원을 확보하기 위해 비밀리에 교섭하고 공사에 착수하는 것으로 유명한 댐 건설에 관한 이야기는 에티오피아 특유의 현상이며, 여러 면에서 토지 임대 문제와 연결된다. 이 과정이 어떻게 진행되는지를 알고 싶은 사람이라면 오모Omo 강에 있는 길겔기베 2호 댐Gilgel Gibe II의 사례를 살펴보면 된다. 이탈리아 기업인 살리니Salini가 축조한 이 댐은 이탈리아 개발협력 프로그램으로부터 2억2,000만 유로약 3,190억 원 _옮긴이에 달하는 대규모 '신용 원조'를 받아 재원을 충당했다. 하지만 당시 이탈리아 재무부와 이탈리아 개발협력의 전무이사는 원조를 승인하지 않았다. 이탈리아는 마치 마법에라도 걸린 것처럼 차관을 인가한 직후에 에티오피아와 양자 간에 누적된 3억3,235만 유로약 4,819억 원 _옮긴이 규모의 채무를 탕감해 주었다. 이탈리아는 사실상 차관을 선물로 바꿔 줌으로써 자국의 공공 자금으로 에티오피아에 댐을 건설하도록 했으며, 공사는 이탈리아 기업이 맡았다. 이 기업이 어떻게 계약을 따냈는지는 명확하지 않다. 어떻게 이런 일이 벌어진 걸까? 살리니가 이탈리아 외무부 내에 여러 연줄을 훌륭하게 동원한 결과이다. 외무부는 제나위 정부가 경쟁 입찰을 실시하지 않고 이탈리아 기업에 공사를 맡기도록 설득하기 위해 차관 제공을 약속했다. 댐은 호된 시련을 잇달아 겪은 뒤 2010년 1월에 완공되었지만, 준공식을 치른 뒤 2주일 만에 내부 터널이 붕괴돼서 가동을 전면 중단할 수밖에 없었다. *

● 에티오피아 바이오 연료 산업의 발전에 관한 많은 정보는 환경 비정부기구인 멜카Melca가 펴낸 보고서와 이 단체의 대표인 밀리언 빌레이Million Belay와 2010년 5월 아디스아바바에서 나눈 대화에서 따온 것이다. Melca, 'Rapid Assessment of Biofuels Development Status in Ethiopia and Proceedings of the National Workshop on Environmental Impact Assessment and Biofuels', September 2008(melca-ethiopia.org에서 열람 가능).

사정이 이러한데도 살리니는 다시 첫 번째 댐 하류에 길겔기베 3호 댐을 건설하는 계약을 따냈다. 3호 댐은 240미터 높이의 대형 댐이며, 전문가와 활동가들의 말에 따르면, 에티오피아와 케냐의 수십만 주민에게 파괴적인 영향을 미칠 것이라고 한다. 댐이 완공되면 투르카나^Turkana 호수의 수면이 급격하게 낮아질 것이기 때문이다.** 오모 강에 건설하는 댐들(기베 4호 댐과 기베 5호 댐 건설 현장이 이미 정해졌으며, 중국 기업들이 사업 가능성 평가를 맡았다) 외에도 전국 각지, 특히 청나일 강과 그 지류들을 따라 다른 댐들이 계획되거나 가동이 시작됐다. 이집트는 이런 현실에 대해 분노하면서 아프리카에서 가장 긴 강의 물을 공유한다는 협정을 지키지 않은 데 대해 보복하겠다는 위협을 가하고 있다.

댐 문제는 여러 가지 이유로 토지 문제와 연결된다. 첫째, 댐은 에티오피아가 풍부하게 보유한 다른 자원, 곧 수자원의 집약적인 착취와 관계된다. 둘째, 댐은 넘어서는 안 되는 또 다른 '한계선'을 나타낸다. 에티오피아에서는 여러 공사의 진행에 관한 정보를 얻는 게 사실상 불가능하다. 이런 프로젝트들이 야기하는 부정적인 결과와 원주민 공동체의 파괴에 관한 정보는 말할 것도 없다. 사우스오모^South ^Omo 지역만 살펴보아도 정부는 63개 지역 협회의 활동을 중단시키고, 여러 라디오 방송국의 인가를 취소했으며, 기베 3호 댐과 관련된 외국 조사단을 위해 통역사로 일한 사람을 '반역죄'로 체포했다.*** 셋째, 이 댐들의 건설은 나이든 데멕사가 이야기한 것과 똑같은 유익한 부수 효과를 나타낸다. 외국 기업들에게 공사를 주면 공동의 이익을 추구하는 공통 전략이 강화되며 협력망이 튼튼해진다. 결국 관련된 나라들이 에티오피아 집권층의 지위를 지켜 주기 위해 최선의 노력을 기울이게 된다.

하지만 댐 건설을 토지 임대와 훨씬 더 긴밀하게 연결하는 네 번째 측면이 있다. 댐은 전력 생산만을 가능하게 하는 게 아니다. 댐은 또한 수자원과 물의 흐름을 조절하는 시스템으로서 대규모 관개 프로젝트에 유용하다. 처음에 소수의 활동가들만이 의심한 사실은 이후 에티오피아 농업·농촌발전부가 오모 강이 흐르는 지역인 남부민족지역 주에 관해 수행한 연구에서도 반박의 여지없이 확인되었다. 이 연구에 따르면, 기베 3호 댐이 건설될 위치 바로 옆에 있는 농지 180,000헥타르가 투자자들에게 양도될 예정이라고 한다. 연구 보고서에 따르면, '목화, 참깨, 땅콩, 팜유 등을 재배하는 데 아주 적합'하고 '오모 강으로 물을 댈' 수 있는 땅이다.••••

관개용 물 사용은 토지 임대 정책의 일환으로 임대료에 포함된다. 에티오피아는 물이 부족하지 않으며, 정부는 투자자들에게 물을 무상으로 공급하는 게 최선이라는 결정을 내렸다. 하지만 많은 경우에 이 물은 다른 사람들에게서 빼앗은 것이다. 감벨라 주에서 카루투리와 알아무디에게 임대된 토지는 이 지역을 흐르는 주요 지류들의 강둑에 자리해 있는데, 이 지류들은 원주민의 주된 생활 원천이다. 오찰라는 다음과 같이 항의한다. "사우디스타 프로젝트는 알로워로^Aloworo 강의 수자원을 사용하는데, 20,000명이 이 물에 의존해서 물고기를 잡고 농사를 짓고 식수로 씁니다. 이 강과 주변 환경에는 또한 야생동물과 물고기, 새 등이 사는데, 집약 영

---

• 길겔기베 2호 댐 계약 승인에서 터널 붕괴에 이르기까지 전체적인 줄거리에 관한 자세한 설명으로는 Stefano Liberti and Emilio Manfredi, 'La diga di cartapesta', 'The Papier Mâché Dam', *Il Manifesto*, 17 March 2010을 보라.
•• 비정부기구인 인터내셔널 리버스^International Rivers와 세계은행 개혁캠페인^Campagna per la Riforma della Banca Mondiale(CRBM)이 주축이 되어 길겔기베 3호 댐 자금 지원에 반대하는 국제 캠페인을 진행 중이다. 이 댐이 지역사회에 미치는 영향에 관해서는 세계은행 개혁캠페인(crbm.org)에서 펴낸 자세한 보고서들과 웹사이트 stopgibe3.org를 보라.
••• Terry Hathaway, 'Silencing Dam Critics in Ethiopia', *Ethiopian Review*, 27 April 2010(ethiopianreview.com에서 열람 가능).
•••• 이 연구 보고서는 assets.survivalinternational.org에서 볼 수 있다.

농을 하면 이 동물들이 멸종될 위험이 큽니다."

아와사에서는 지투 인터내셔널이 세운, '아프리카 전역에서 가장 아방가르드한 산업형 농장'이 더욱 현대적인 시스템을 만들어 냈다. 8개의 초현대적인 온실에 사용할 관개용수는 회사가 직접 판 깊은 우물에서 곧장 끌어올린다. 젤라타 비지가는 완전 자동 시스템을 자랑스럽게 보여 준다. 커다란 물탱크에서 시작해서 온실의 관개와 유지에 필요한 모든 것을 제공하는 시스템이다.

이 농장은 풍요로운 환경의 혜택을 누린다. 물은 부족하지 않고 토양은 비옥하다. 하지만 주변을 둘러보다 보면, 지투에 땅이 넘어가기 전에 누가 이곳에 살았는지 자문할 수밖에 없다. 나는 젤라타에게 질문을 던진다. 그는 처음에는 답을 피하면서 땅이 놀고 있었다고 말하다가 이내 처음에 울타리를 세우던 때 이야기를 나직하게 털어놓는다. "농부 몇 명이 우리 울타리를 부수고 자기네 가축을 우리 땅에서 방목하려고 해서 문제가 좀 있었지요. 그렇지만 금방 경찰이 개입해서 모든 게 정상으로 돌아갔습니다."

아디스아바바에서는 외딴 지역에서 벌어지는 비슷한 일화들이 숨죽인 목소리로 전해진다. 하지만 어떤 식으로든 입증하기는 불가능하다. 한계선을 넘어서는 안 된다. 정부의 공식적인 설명에 따르면, 임대된 토지는 아무도 살지 않고 노는 땅이다. 감히 다른 이야기를 하는 사람이 있다면 그는 발전의 적이며, 따라서 응징을 당해야 한다.

# 사우디아라비아

## 땅을 정복하러 나선 셰이크들

SAUDI ARABIA

# 사우디아라비아:
# 땅을 정복하러 나선 셰이크들

아스팔트 혓바닥 같은 도로가 별 볼거리 없는 풍경을 가로질러 뻗어 있다. 모래 한 가운데에 어울리지 않는 작은 시멘트 구조물들, 성스러운 도시인 메카와 메디나로 가는 길을 알려 주는 이정표들, 망망대해 한가운데 떠 있는 부표처럼 바람에 흔들리는 외딴 야자나무들만이 눈에 띈다. 이따금 멀리서 터벅터벅 걸어가는 낙타가 등장해서 모래와 돌뿐인 황토색 지평선의 단조로움을 깨뜨린다. 그밖에 존재하는 거라곤 천천히 덜컹거리며 달리는 트럭들, 남자와 여자를 태운 자동차 몇 대(여자는 법에 따라 절대 운전을 하면 안 된다), 그리고 아말이 중얼중얼 내뱉는 몇 마디 말뿐이다. 리야드에서 10년을 산 벵골 출신 운전사 아말은 지루하고 피곤한 판에 박힌 일상을 말해 준다. "일하고, 자고, 자고, 일하지요." 이윽고 사우디 수도 주변 지역을 점차 벗어나서 100킬로미터 남쪽에 있는 하르즈Kharj에 가까워지자 주변 풍경이 바뀐다. 처음에는 푸른빛이 조금씩 감돌다가 갑자기 중소 규모의 농지가 잇따라 펼쳐진다. 흰 비닐로 덮인 거대한 온실들이 눈에 들어온다. 무슨 연유에서인지 사막에 수많은 이글루가 줄줄이 늘어서 있는 것 같다. 조금 더 가니 닭이 바글바글한 것 같은 목재 건물들을 지나친다. 특유의 악취가 나는 걸 보니 양계장이 분명하다. 도로변에는 대추야자나무가 늘어서 있다. 사우디아라비아가 세계에서 손꼽히는 대추야자 생산지이고 여기서는 대추야자가 일종의 숭배 대상이라는 사실을 감안하면 전혀 놀랍지 않다. 이곳에는 상상할 수 있는 온갖 종류와 크기의 야자를 판매하는 가게들로 가득한 대추야자 전문 시장까지 있다. 이런 시장에 가 보면 어디든지 작은 알림판이 손님을 맞이한다. 다양한 대추야자의 종류와 생산지, 익은 정도, 당도 등이 적힌 알림판이다. 만약 당신이 뻔뻔스럽게 "아무 거나 골라서 0.5킬로만 주세요."라고 말한다면, 상대는 불만스러운 표정으로 수많은 종류의 대추야자에 관해 장황한 설명을 늘어놓을 것이다. 결국 인내심이 바닥이 난 당신은 아무것도 사지 않은 채 자리를 뜨고 만다.

하르즈로 차를 몰고 가자 좀 더 전통적인 채소밭이 보이기 시작한다. 주키니 호박, 토마토, 가지, 브로콜리 등이 눈에 띈다. 갈아 놓은 밭고랑 사이에 덮어 놓은 비닐은 일종의 미니 온실 작용을 한다. 마지막 물 한 방울까지 기화하기 전에 최대한 활용하기 위해서다. 워낙 더운 지역이라 물을 주어도 순식간에 말라 버린다. 갑작스럽게 나타난 이 초록 들판은 1970년대에 사우디 정부가 특별한 목적을 염두에 두고 개시한 대규모 국가 지원 프로그램의 결과물이다. 수입에 지나치게 의존하지 않고 식량 안보를 확보하기 위한 노력의 일환이다. 오일 달러로 자금을 대는, 비용이 무척 많이 드는 생산 시스템은 지하 깊숙한 수원까지 전례가 없이 깊이 파서 물을 댄다.

이 모든 일은 1973년 석유 파동 이후 벌어졌다. 당시 석유수출국기구(OPEC)

나라들이 원유 수출을 동결하자 서구는 '식량 무기'를 활용하겠다는 위협으로 대응했다. 식량 수출을 동결하겠다고 을러댄 것이다. 리야드의 집권 셰이크들은 이런 위협이 현실화되는 사태에 대비하기로 결정했다. 논리는 간단해 보였다. 풍부한 석유라는 하늘의 은총을 활용해서 식량 독립을 확보한다는 게 당연한 결론이었다. 금고는 가득 채워 놓았지만 식품 저장실은 텅 빈 신세가 되는 것보다는 한결 나았다. 석유수출국기구 나라들이 원유의 꼭지를 잠글 수 있다면, 서구는 식량 공급을 차단하는 방법으로 보복할 수 있었다. 이 점에 관한 한 사우디아라비아는 산유국 카르텔에서 가장 취약한, 아무도 부러워하지 않는 나라였다. 이 시기 동안 식량 생산을 촉진하려는 여러 가지 정책이 숱하게 도입되었다. 1978년에 밀 생산 지원 프로그램이 시작되었다. '공적 개입에 대한 민간 부문의 적극적인 부응'[*]이라고 국가가 소개한 이 프로그램은 실제로 대규모 보조금 시스템으로 구성되었다. 국가가 모든 생산물을 시장 가치보다 훨씬 높은 가격에 사들이는 방식이었다. 이 프로그램이 시작되자 생산된 밀 1톤당 933달러를 지불하도록 규정되었다. 실제 시장 가격은 165달러였는데 말이다.[**] 이런 엄청난 불균형에 직면한 농민들은 순식간에 수완을 발휘했다. 1984년에 사우디아라비아는 밀 자급 수준에 도달했고, 1992년에는 세계 6위의 밀 생산국으로 올라섰다.

요즘에는 바람의 방향이 바뀌었다. 사우디아라비아의 관리자들은 석유와 마

---

● 사우디아라비아의 곡물 생산과 보조금에 관한 정확한 데이터를 원한다면, 2009년 5월 10일과 11일에 잘츠부르크에서 열린 식량 안보에 관한 회의에서 사우디 농업부 차관이 연설하면서 사용한 파워포인트 발표문을 보라. 'Wheat Production in Saudi Arabia(A Three Decade Story)'(agritrade.org에서 열람 가능).

●● 이 수치는 1979년에 소련이 미국으로부터 수입한 곡물 1톤당 지불한 가격이다. Padma Desai, 'Estimate of Soviet Grain Imports in 1980-85: Alternative Approaches', a study by the International Food Policy Research Institute, February 1981에서 인용.

찬가지로 사용 가능한 물도 소모되는 자원임을 깨닫고 있다. 이 왕국은 호수나 강의 혜택을 누리지 못하기 때문에 수원을 찾아서 계속 더 깊이 땅을 팔 수밖에 없고, 조만간 수원이 말라 버릴 게 분명하다. 결국 정부는 이런 노력을 기울일 가치가 없다고 판단하고 밀 생산 보조금을 점차 줄이기 시작했다. 2016년까지 보조금을 완전히 폐지할 계획이다. 2008년에는 30년 만에 처음으로 밀 880,000톤을 수입했다.

하지만 그래도 문제는 남는다. 사실 문제가 더 커졌다. 사우디아라비아는 현재 거주 인구가 2,600만 명이며, 2035년이면 3,900만 명으로 증가할 것으로 예상된다. 지형학적으로 워낙 불리해서 '사막의 왕국'이라고 불리는 나라에서 인구가 기하급수적으로 늘어난다면, 어떻게 자국 시민과 국경 안에 살고 있는 수백만 이민자의 식량 안보가 보장되기를 기대할 수 있을까? 1973년 이후 시기 동안 비록 현실화되진 않았지만 서구로부터 위협을 받은 뒤 또 다른 경종이 울렸다. 2007~08년 식량 위기가 터진 것이다. 한편에서는 식량 가격이 상승함에 따라 남반구 곳곳에서 기아 폭동이 일어났고, 아라비아 반도의 유력한 왕궁들까지 쓰나미가 소리 없이 몰려오고 있었다. 사우디아라비아를 필두로 카타르, 쿠웨이트, 아랍에미리트의 지배자들은 인도, 아르헨티나, 우크라이나, 베트남 등 많은 나라에서 시행하는 수출 금지 조치를 비롯한 다양한 억제책을 면밀히 살펴보고 있었다. 특히 그해에 아라비아 반도 나라들은 국내 수요를 충족할 만큼 충분한 쌀을 살 수 없었다. 리야드의 관리자들은 자금이 아무리 많아도 시장이 자신들을 배신할 수 있음을 깨달았다. 세계 2위의 쌀 수입국이자 1위의 보리(대부분 동물 사료용이다) 수입국, 그리고 보조금을 폐지함에 따라 조만간 세계 1위의 밀 수입국이 될 위태로운 처지에 놓인 사우디인들은 발밑의 땅이 흔들리는 기분이다. 국제 시장을 믿을 수 없고 또 국내에서 필요한 식량을 생산할 수도 없기 때문에 그들은 새로운 전략을 고안해야 하는 처지이다.

압둘라 국왕은 이런 문제에 열정적으로 대처했다. '외부화 관리controlled externalisation'라는 전략을 택한 것이다. 사우디 투자자들은 사우디 국내뿐만 아니라 해외에서도 필요한 만큼의 비옥한 토지를 임대함으로써 국내 수요를 채워 줄 것이다. 이 토지는 왕국 바깥에 있지만 사우디 그룹들이 관리할 것이다. '해외 농업 투자를 위한 압둘라 국왕의 계획King Abdullah Initiative for Saudi Agriculture Investments Abroad(KAISAIA)' 은 2009년 1월에 위풍당당하게 시작되었다. 해외 시장 개척에 관심이 있는 사우디 투자자들을 장려하기 위해, 저리 융자를 비롯한 각종 분할 지급 형태를 통해, 30억 리얄약 8,990억 원 _옮긴이 의 초기 예산이 투입되었다.• 학계, 정부 관리, 투자자들로 이루어진 대표단이 인접성과 현지 조건의 관점에서 가장 유망해 보이는 나라들을 방문했다. 대표단은 수단, 에티오피아, 이집트, 터키뿐만 아니라 필리핀, 베트남, 우크라이나도 찾아갔다. 이 계획이 개시되고 오래지 않아 첫 번째 계약이 체결되었다. 곧이어 첫 번째 프로젝트가 준공되고 첫 번째 경작이 시작되었다. 앞 장에서 언급한 것처럼, 모함마드 후세인 알아무디의 사우디스타는 에티오피아에서 쌀뿐만 아니라 다양한 종류의 채소도 생산하기 시작했다. 제다Jeddah에 본부를 두고 이슬람개발은행Islamic Development Bank과 리야드 정부, 기타 민간 투자자들에게서

---

• '해외 농업 투자를 위한 압둘라 국왕의 계획'의 자세한 내용과 사우디아라비아의 식량 수입 필요량에 관해서는 2009년 잘츠부르크 식량 안보 회의에서 엔지니어 타하 A. 알샤리프Taha A. Alshareef가 발표한 내용을 보라. agritrade.org에서 볼 수 있다.

끌어 모은 자금을 사용하는 포라스 인터내셔널<sup>Foras International</sup> 그룹은 사우디 시장에 판매할 쌀을 생산하기 위해 세네갈과 말리, 모리타니에서 토지를 취득했다.* 밀 생산을 전문으로 하는 하일 농업개발<sup>Hail Agricultural Development</sup>은 밀을 생산해서 본토로 수입하기 위해 수단에서 수만 헥타르의 토지를 임대했으며 터키와 카자흐스탄으로도 진출할 계획이다.**

## 용의 침묵

2008년 초쯤 시작된 이런 랜드 러시는 정부들끼리 잇따라 체결한 협약을 통해 더욱 촉진되었다. 이들은 대부분 밀실 안에서 교섭한다. 직접 투자하는 정부도 있었지만, 대개는 모험적 사업에 흥미가 있는 사기업들에 공적 지원과 용이한 조건을 제공했다. 그런데 보통 남반구 투자에서 주도적인 역할을 하면서도 이런 움직임에 놀라울 정도로 거의 관여하지 않는 한 나라가 있었다. 중국이 그 주인공이다. 중국은 특히 1차 원료 개발과 사회 기반 시설 건설 분야를 중심으로 전통적으로 아프리카에서 무척 많은 활동을 했는데, 이 경우에는 상대적으로 두각을 나타내지 않았다. 많은 신문 보도들이 정반대의 경향을 확인하고 있지만,*** 베이징의 사업체들은 아프리카든 다른 곳이든 간에 해외의 대규모 농업 프로젝트에 크게 참여하지 않는다. 특히 시에라리온과 잠비아, 라이베리아에서 중국 기업들이 여러 계획을 추진하긴 했지만, 사우디가 추구한 것과 같은 전면적인 '외부화 관리' 전략을 보여 주는 예는 전혀 없다. 중국의 침략이라는 표현은 이제 자체 증식하는 지경에 이른 스테레오타입의 일종이다. 특히 서구에 만연한 이런 흔한 인식을 감안할 때, 아프리카의 토지를 사재기한다는 말이 나오자마자 사람들은 중국인들이 떼로 몰려들어 아프리카 농민들을 몰아내고 그들의 토지를 장악하는 모습을 떠올린다. 사실 이런 일은 전혀 없었다. 중요한 투자도 없었고, 중국 농민들이 아프리카 대륙의 처녀지로 대규모 이주하는 일도 없었다. 베이징의 기업들이 관여하는 프로젝트들은 비교적 규모가 작으며, 대부분 국내 시장용 생산을 한다. 또한 이 프로젝트들은 2007~08년 식량 위기가 폭발하기 오래 전에 시작되었으며, 많은 경우에 1970년대에 시작된 협력 프로그램의 결과물이다. 나중에 기업가들이 프로젝트를 인계 받아서 영리 사업으로 전환한 것이다.••••

중국에서 경작지 규모가 줄어듦에 따라 중화인민공화국의 관리들이 농업 생산을 외주화하는 방안을 검토한 것은 사실이지만, 아직 이런 취지로 공식적인 정책이 시행된 적은 없다. 베이징 농업부의 관리는 이렇게 말한다. "해외, 그것도 아프리카나 남아메리카에서 곡물을 경작하는 건 현실성이 없다. 아프리카에서 많은 사람이 굶주리고 있는 현실을 감안할 때, 그곳에서 중국으로 농산물을 수출하는 건 가능하지 않다. 비용이 무척 많이 들 것이고 리스크도 클 것이다."•••••

현재 중국에서 농업 투자를 담당하는 주체는 중소 사기업인데, 투자의 발전 정

• Souhail Karam, 'Saudi-Based Partners Launch Africa Rice Farming Plan', Reuters, 3 August 2009(farmlandgrab.org에서 열람 가능).

•• Andrew England, 'Riyadh Paves Way for Foreign Ventures', *Financial Times*, 24 May 2009.

••• 'China's Africa Land Grab Myths Part II: The (Non-Existent) $5 Billion Fund'를 보라. 『용의 선물: 중국의 아프리카 진출에 관한 진짜 이야기The Dragon's Gift: The Real Story of China in Africa』(Oxford: Oxford University Press, 2010)의 저자인 데보라 브로티검Deborah Brautigam의 블로그(chinaafricarealstory.com)에서 볼 수 있다.

•••• 중국의 아프리카 개입 정책을 무척 자세한 역사적 관점에서 분석한 글로는 앞에서 언급한 데보라 브로티검의 책을 보라.

••••• Stephen Marks, 'China and the Great Global Land Grab', *Pambazuka News*, 11 December 2008(pambazuka.org에서 열람 가능)에서 재인용.

도는 특별히 주목할 만한 수준이 아니다. 베이징 당국이 대규모 팜유 제조 공장을 세우기 위해 콩고민주공화국과 교섭 중인 임대 프로젝트조차 식량용 농산물보다는 연료 개발을 겨냥한 것이다.*

물론 이런 정책이 가까운 장래에 바뀌지 않을 것이라고 단언할 수는 없다. 세계 인구의 20퍼센트를 차지하지만 경작지 보유 비율은 7퍼센트에 불과한 중국은 아주 현실적인 문제를 안고 있다. 중국은 무리한 도시화 정책과 맹렬한 발전 속도 때문에 베이징의 관리들이 확정한 1억2,000만 헥타르의 경작지가 거의 결정적인 한 계점에 다다랐다. 『파이낸셜타임스』의 보도에 따르면, 2008년에 중국 농업부는 해외 농지 취득을 지원하는 계획을 승인하려고 했다가 막바지에 철회했다고 한다.** 일부 프로젝트들을 보면 농업 생산 외부화가 급격하게 늘어날 가능성이 엿보인다. 모잠비크와 에티오피아에서 여러 댐의 건설 자금을 지원하는 걸 보면 알 수 있다. 이 댐들은 관개 시스템 구축에 도움이 되고 결국 농업 생산 증가로 이어질 테니 말이다. 중국 관리들 사이에서 이 점에 관한 논의가 진행 중이지만, 지금으로서는 이런 식의 공공 정책이 채택된 바가 없고, 대규모 투자가 승인되거나 '랜드 러시'가 시작되지도 않았다. 토지 매점<sup>hoarding of land</sup> 문제에 관한 심층적인 연구로 손꼽히는 한 연구는 다음과 같이 주장한다. '협약이 체결되어 프로젝트가 개발된 50,000헥타르를 제외하면 지금까지 중국인들이 아프리카에서 토지를 취득한 주목할 만한 사례는 전무하다.'***

아프리카 여러 나라 정부와 긴밀한 관계를 유지하며, 또 당장 대규모 수출용 생산에 착수하는 데 필요한 노하우를 가진 중국이 왜 랜드 러시에 가담하지 않는 걸까? 첫째, 페르시아 만 국가들이 다급한 필요성 때문에 행동에 나서는 것과 달리 중국은 아직 느긋하다. 중국이 결정적인 한계점에 가까이 다가선 것은 사실이지만, 그래도 이 나라는 광대한 경작지가 있으며 지금까지 수많은 인구가 필요로 하는 식량을 보장해 줄 수 있었다. 둘째, 중국은 사우디아라비아나 카타르에 비해 '탐나는' 나라들로부터 훨씬 멀리 떨어져 있다.

마지막으로 언급하지만 마찬가지로 중요한 이유는 중국 농업부 관리가 말한 것이다. 토지 임대 협약이 논쟁의 여지가 많다는 점이 그것이다. 이 협약은 해당 국가의 시민사회에서 격분을 야기하며, 북반구에서도 분노로 가득한 의식 향상 캠페인을 불러일으킨다. 또한 신식민주의라는 비난과 완벽하게 맞아떨어진다. 중국은 이미 아프리카에 다른 투자를 하면서 이런 비난에 직면하고 있다. 베이징 당국으로서는 이런 측면에 특히 민감하다. 외부 세계에 문호를 개방하는 정책의 일환으로 중국은 자국의 경험을 활용해서 협력 국가들이 빈곤에서 벗어나도록 돕는 모범 국가를 자임하기 위해 계속 노력하고 있다. 또한 옛 식민 강대국들이 흔히 반감을 사는 것과 달리 세심하게 이미지를 관리한다. 중국이 아프리카를 침략하고 있다는 서구

---

● 이 협약에 관해서는 각기 다른 많은 수치가 제시된다. 2007년 이후 콩고민주공화국 언론에 등장한 몇 가지 설명에 따르면, 통신 전문 중국 기업인 ZTE가 산업용 바이오 연료 생산을 위한 야자나무를 재배하려고 300만 헥타르를 취득했다고 한다. 킨샤사의 각료회의에서 ZTE에 100,000헥타르의 토지 임대를 승인하면서 이런 보도가 일부 확인되었다. 중국 기업이 아프리카에서 농업 부문에 투자한 최대 액수가 될 이 프로젝트는 콩고민주공화국 정부와 ZTE가 '양해의정서'를 체결한 지 3년이 지났지만 아직 착수도 하지 않은 상태이다. 이 협약에 관한 자세한 설명으로는 데보라 브로티검의 블로그 기사를 보라. 'China and the African Land Grab: The DRC Oil Palm Deal', 15 March 2010(chinaafricarealstory.com에서 열람 가능).

●● Jamil Anderlini, 'China Eyes Overseas Land in Food Push', *Financial Times*, 8 May 2008.

●●● Lorenzo Cotula, Sonja Vermeulen, Rebecca Leonard and James Keeley, 'Land Grab or Development Opportunity? Agriculture Investment and International Land Deals in Africa', International Institute for Environment and Development(IIAD), Food and Agriculture Organisation(FAO) and International Fund for Agricultural Development(IFAD), London-Rome 2009.

의 뿌리 깊은 편견은, 몇 가지 예외가 있긴 하지만<sup>*</sup>, 정작 아프리카 대륙에서는 통용되지 않는다. 중화인민공화국 지도자들은 항상 자국은 다른 나라와 다르며, 쌍방의 호혜적인 이익을 위해 투자를 하고 자신들이 놀라운 성장을 거치면서 쌓은 경험을 좋은 쪽으로 활용한다는 인상을 전달하려고 노력한다. 지금까지 그들은 자신들이 거래를 하는 상대국 정부뿐만 아니라 일반 여론으로부터도 지지를 얻는 데 대체로 성공했다. "유럽 사람들이 우리한테 차 한 대 파는 값에 중국인들은 세 대 판다면, 우리가 택하는 방향은 논리적으로 올바른 방향입니다. 중국은 우리에게 여러 면에서 교섭의 가능성을 제공합니다."<sup>**</sup> 2007년 12월 리스본에서 열린 아프리카연합-유럽연합 정상회담에서 세네갈 대통령 압둘라예 와데<sup>Abdoulaye Wade</sup>가 명쾌하게 선언한 내용이다. 당시 유럽연합은 무슨 수를 써서라도 아프리카 나라들과 자유무역협정을 타결할 작정이었다. 사실상 아프리카 각국에는 이점이 거의 없는 협정이었다. 사실 중국은 아프리카에서 독단적인 행동을 고집하지 않기 때문에 좋은 이미지를 쌓아 왔다. 타이완에 대한 외교적 인정을 배제하는 '하나의 중국' 정책을 제외하면, 중국은 자신이 투자하는 상대국에 다른 어떤 조건도 붙이지 않는다. 서아프리카의 어느 관리는 리스본 정상회담 당시 가장자리에서 내게 이렇게 말했다. "중국인들은 우리말에 귀를 기울이며, 제안을 내놓고 우리가 결정하게 내버려 둡니다. 반면 유럽인들은 그저 지시하려고만 들지요."

## '박애주의적 계획'

중국이 뒤처지고 있다면, 아랍 나라들, 특히 페르시아 만 나라들은 농지를 향한 거대한 돌진에서 이미 호조의 출발을 한 상태이다. 이 현상이 어느 정도인지 실감나

게 파악하고, 경주에서 선두에 선 이들의 생각을 직접 들어 보기 위해 나는 2010
년 12월에 리야드를 찾아갔다. 마침 보기 드문 기회였다. 두바이의 걸프연구센터
Gulf Research Center가 사우디의 수도에서 '페르시아 만 국가들의 아프리카 투자'에 관
한 고위급 회의를 개최한 것이다. 직접 관련된 다양한 사람들을 만날 수 있는 장이
자 보통 언론인을 환영하지 않는 나라인 사우디아라비아 입국 비자를 받을 수 있
는 절호의 기회였다.

편안한 비행을 마치고 상용 비자를 무사히 손에 쥔 채 사우디 수도에 착륙한다.
사우디아라비아항공의 비행기에 워낙 손님이 없는지라 스튜어디스들이 순전히 지
루해서 기내 서비스를 세 번이나 제공한다. 공항은 황량하고 섬뜩할 정도로 조용
하다. 높은 천장의 대기실 한가운데에는 분수대가 있고, 커다란 메카 사진이 눈에
띈다. 사람은 코빼기도 보이지 않는다. 수속이 오래 걸리지 않겠거니 하는 가뿐한
마음에 여권 심사대 방향을 따라가는데, 모퉁이를 돌자마자 기운이 빠지는 광경에
맞닥뜨린다. 인도인과 파키스탄인 이민자들이 외국인용 심사대 앞에 인간 장벽을
세운 것처럼 끝도 없이 줄을 서 있다. 한 사람마다 5분이 걸리니 줄은 사실상 정지
된 상태다. 여권 심사대에서 밤을 보내기로 마음을 다잡으면서 비행기가 10분 늦
게 도착해서 줄 끝에 서게 되었다는 사실에 저주를 퍼붓는다. 내 앞에 있는 사람들
이 얼마나 오랫동안 줄을 서 있었는지 알지도 못하면서. 어디 좀 누울 데 없나 하고

● 중국이 비교적 확고한 존재를 구축한 나라들에서 간헐적으로 반중국 정서가 폭발한다. 특히 잠비아에서는 2006년 선
거 당시 야당 후보인 마이클 사타Michael Sata가 선거 운동 전체를 북부 구리 벨트에 중국이 진출하는 데 반대한다는 내용으
로 채웠다. 2011년에 다시 선거 운동을 하면서 사타는 좀 더 온건한 노선을 택했고, 대통령에 당선되자마자 중국과 양
자 관계를 발전시키기 시작했다.

●● 2007년 12월 9일 리스본에서 와데가 한 기자회견. 지은이가 직접 들은 내용이다.

구석 자리를 둘러보는데, 긴 턱수염에 눈매가 좀 사나운 직원 한 명이 다가온다. "인도에서 오셨습니까?" "아니오." "그럼 이쪽으로 오십시오." 그러고는 빈 통로로 데려간다. 그곳에 있던 직원은 미소를 지으며 여권을 받아서 바로 도장을 찍어 주면서 말한다. "사우디아라비아에 오신 걸 환영합니다."

공항을 나선다. 한밤중이다. 기온은 쾌적하다. 택시를 타고 예약해 둔 호텔로 간다. 창문 밖을 보니 첫눈에 들어오는 리야드가 간간이 나타나는 도시처럼 보인다. 눈부신 불빛이 보이다가 어느 순간 건물 하나 없는 컴컴한 거리가 등장한다. 두 극단의 대비가 인상적이다. 한껏 충만한 공간이 갑자기 공허한 분위기로 바뀐다. 거리에는 사람 하나 보이지 않는다. 차들은 쏜살같이 지나간다. 40분 뒤 우리는 도시의 역사적 중심부인 바타<sup>Batha</sup>에 있는 호텔에 당도한다. 바타는 사우디 사람들이 안 좋게 생각해서 피하는 지역이다. 주변에는 온통 아시아계 이민자뿐이고 전부 남자다. 잠자리에 들기 전에 속으로 생각한다. '사우디아라비아에 오신 걸 환영합니다.'

호텔 옆에 있는 사원에서 새벽 5시에 기도 시간을 알려 주는 사람인 무에진 muezzin의 소리에 한 번 깨 가며 잠을 자고 난 뒤, 회의장으로 갈 준비를 한다. 아프리카 7개국 정상과 주최국을 비롯한 페르시아 만 나라들의 장관들, 각급 관료들, 미래를 위해 유용한 연줄을 만들려고 온 사업가들이 참석하는 중요한 회의다. 회의는 리야드의 최고급 호텔에서 열리는데, 이 호텔은 사실상 하나의 도시나 마찬가지여서 택시 운전사는 정확한 출입구를 알아야 한다고 힘주어 말한다. 내가 모른다고 대답하자 그가 대꾸한다. "아주 차이가 크다니까요. 엉뚱한 출입구에 내리면 안에 들어가서 몇 킬로나 걸어야 한다고요." 호텔로 가는 도중에 도시의 랜드마크 격인 건물들을 지나친다. 300미터 높이의 킹덤타워Kingdom Tower는 위층 사이에 거대한 구멍이 있어서 심술궂은 사람들로부터 '병따개'라는 별명을 얻었다. 내무부 건물은 작은 창문이 달린 이중 피라미드를 뒤집어 놓은 모양인데 마치 방금 도시에 착륙한 우주선 같다. 알파이살리야 타워Al Faisaliah Tower의 꼭대기에 있는, 사람이 들어가 살기에는 좋지 않은 거대한 유리공 안에는 호화 레스토랑이 들어서 있다. 다들부와 사치를 한껏 과시하려는 의도로 설계된 초현대식 건물들이다. 하나같이 미래가 투영된 모습이다. 여자는 운전도 못하고, 남자와 접촉하는 직장에서 일도 못하는 초보수적인 나라의 성격과 일부러 대조를 이루려는 것 같다. 이 건물들은 세계를 향해 이런 말을 하려는 것 같은 인상을 준다. '우리는 전통주의자이지만 원시적이지 않다. 우리는 여자들이 운전하거나 일하는 걸 금지하지만, 지구상에서 가장화려한 쇼핑센터에 쇼핑하라고 보낸다.' 경이를 불러일으키기 위해 지어진 이 구조물들은 원래 별다른 특징이 없는 도시에서 유난히 두드러진다. 인도 없는 3차선 도로가 미로처럼 뻗어 있고, 군데군데 쇼핑센터와 휴게소, 그리고 기계에서 곧바로음식이 나오는 패스트푸드 레스토랑 등이 있을 뿐이다. 사막의 평원 중심부 허허벌판에서 생겨난 리야드는 수평으로 발전했다. 어디를 가려고 해도 거리가 멀고, 대중교통이 전혀 없어서 도로는 항상 교통 정체가 심각하다. 더군다나 여기서는 연료가 사실상 공짜다. 도시 한쪽에서 다른 지역으로 가려면 무한한 인내심이 필요하다. 특히 거의 전부가 뱅골, 파키스탄, 인도 출신인 택시 운전사들은 주요 지점만알기 때문에 좀처럼 간선도로를 벗어나려 하지 않는다.

다행히도 회의가 열리는 호텔은 주요 지점 가운데 하나여서 별 문제 없이 도착한다. 정말 거대하다. 최소한 2평방킬로미터 규모로 뻗어 있고, 수십 개 출입구마다 알파벳 순서로 이름이 붙어 있다. 모든 출입구에 무장 경비원이 지키는 보안 블록이 있어서 금속 탐지기로 차량을 체크한다. 보안 게이트를 통과해 걸어가면서 '걸프−아프리카 투자회의Gulf-Africa Investment Conference' 장소로 가는 길을 물었더니 출입구를 잘못 들어오긴 했지만 그렇게 멀지는 않다는 대답이 돌아온다. 서로 연결된 복도 몇 개를 지나 걷다 보니 드디어 회의가 열리는 강당이 나온다. 광고판이 줄줄이 서 있다. 사우디 상공회의소와 이슬람개발은행, 그리고 서구에서는 악명이 높지만 사우디에서는 손꼽히는 민간 그룹 중 하나로 농업 투자라는 새로운 흐름에 참여하는 빈라덴그룹Binladin Group의 광고판이 눈에 띈다.* 널찍한 강당은 격자형 천장과 낮에도 불을 켜 놓는 거대한 유리 램프로 장식되어 있다. 전통 의상인 흰색 디슈다샤dishdasha를 차려입은 사우디인들과 정장에 넥타이를 맨 아프리카인들이 뒤섞인 채 강당을 가득 메우고 있다. 서구 언론인도 몇 명 있고, 여자도 몇 명 눈에 띄는데 약간 구석진 자리 한쪽에 모여 있다. 이번 행사를 위해 왕국의 엄격한 남녀 분리 규칙에 약간 예외를 두었다. 보통 때는 여자들 스스로 남자가 있는 방에는 절대 들어와서는 안 된다. 여기서는 남자들로부터 떨어진 구역에 여자들이 앉아 있지만 그래도 눈에 띈다. 오찬 중에는 다시 통상적인 분리 체계가 강화된다. 뷔페 줄에는 남자들과 같이 서지만, 식사를 할 때는 레스토랑 끄트머리에 있는 자리에 앉아야 한다. 나무 칸막이 덕분에 흘끔흘끔 보는 눈길로부터 보호를 받는다.

현재 미국에서 정교한 수술을 받고 있는 압둘라 국왕에 대한 의례적인 감사의 말로 회의가 시작된다. 빠른 회복을 바란다는 기원과 온갖 아첨의 언사가 끝난 뒤, 여러 기관들의 인사말이 시작된다. 사우디 장관들과 아프리카 각국 정상과 관리 들이 연설을 한다. 이야기하는 사람들마다 이 자리는 우애와 상호 존중과 호혜적 이익을 통해 생겨난 파트너십을 강화하는 절호의 기회를 축하하는 장임을 강조한다. 다들 아프리카 각국과 걸프협력회의Gulf Cooperation Council(GCC)●● 나라들이 새로운 통상 관계를 맺고 성공적인 시너지 효과를 창출해야 한다는 데 동의한다.

총회의 주제는 무척 일반적인 범위를 다룬다. 많은 연사들이 자기 나라와 페르시아 만 나라들의 통상 교류가 어느 정도인지에 관한 수치를 제시하는 반면, 다른 이들은 의지를 표명하는 데 그친다. 다양한 부문에 관한 투자가 논의되지만, 한눈에 보아도 회의의 초점이 농업임이 분명하다. 총회 다음에 등장하는 네 가지 '작업 그룹'은 이 점을 보여 주는 명명백백한 사례다. '통상', '통신과 사회 기반 시설', '에너지, 광물, 천연자원', '농업'. 처음 세 개가 비교적 제한된 공간에서 열려서 참석자들이 테이블 주변에 거의 격식 없이 모여 있는 반면, 네 번째 그룹은 대형 회의장에서 열리며 아랍어와 영어, 프랑스어 동시통역이 완벽하게 제공된다. 회의가 시작되기 한참 전부터 회의장 안은 사람들로 가득하다. 조금 지나자 좌석이 모두 찬다. 연사석에는 사우디아라비아를 비롯한 페르시아 만 국가들의 경영자들과 대형 국제기구—특히 세계은행과 식량농업기구—에서 온 관리들, 아프리카 장관들이 앉아 있다. 입만 열면 해외 임대 정책과 '해외 농업 투자를 위한 압둘라 국왕의 계획'을 강조하는 사우디인들에게 발언권이 주어진다. 사우디 농업부 차관 압둘라 알오바이드Abdullah Al Obaid는 이 계획을 '박애주의적 계획'이라고 규정한다. 상대방 국가들

●  빈라덴그룹은 인도네시아에서 500,000헥타르 규모의 벼농사 플랜테이션을 개발하는 데 관심을 보였지만, 이 프로젝트는 실현되지 않았다. Mita Valina Liem, 'Binladin Freezes Plans to Invest in Local Rice', *The Jakarta Globe*, 3 March 2009를 보라.

●●  아라비아 반도의 자유무역지대인 걸프협력회의 참여국은 사우디아라비아, 아랍에미리트, 카타르, 바레인, 쿠웨이트, 오만이다.

의 농업 생산성을 향상시키고 발전을 창조하기 위한 계획이라는 것이다. "이건 자연스러운 파트너십입니다. 한쪽에는 풍부한 땅과 물, 노동력이 있고, 다른 쪽에는 잉여 자본이 있으니까요." 차관은 자세한 이야기는 피하면서 민간 투자자들에 대한 신용 공급에서부터 선별된 나라들과의 임대 협약 촉진에 이르기까지 정부가 관여하는 내용을 설명한다. 선별된 나라들은 몇 가지 기본적인 특징이 있는 게 분명하다. 특히 왕국과 관계가 좋아야 하고, 농산물 운송과 수출에 적합한 사회 기반 시설이 있어야 한다. 게다가 수출에 제한을 두거나 재배 농산물의 종류에 조건을 붙여서는 안 된다. 임대 협약 과정을 간략하게 설명한 뒤, 차관은 압둘라 국왕이 내놓은 계획은 이득만을 제공한다는 점을 단언하며, 마치 불필요한 변명이라도 하듯 "우리 프로그램은 일종의 보완물일 뿐 지역 생산과 경쟁하지 않는다."고 강조한다. 그리고 정당성을 증명하려고 하는 말이지만 흡사 자백한 범인이 죄를 인정하는 말처럼 들리는 이야기로 결론을 맺는다. "이건 오래된 현상입니다. 페르시아 만 국가들은 유럽인들이 오랫동안 해온 일을 하고 있을 뿐입니다."

이렇게 뻔뻔스럽게 신식민주의를 고백하는데 회의장에 있는 어느 누구도 눈 하나 깜박이지 않는다. 중얼거리는 불평 소리도 없고, 오직 미소와 찬성의 눈빛만이 보인다. 차관의 연설이 끝나자 우레 같은 박수갈채가 이어지고, 모잠비크 농업부 장관 주제 파셰쿠José Pacheco에게 발언권이 주어진다. 쉰 살 정도의 나이에 잘 빼입은 그는 모잠비크 해방전선(Frelimo)의 신임 총재단 중 한 명이다. 이 당은 마르크스주의 게릴라 집단에서 생겨나서 모잠비크가 포르투갈로부터 독립을 획득한 1975년 이후 권력을 잡고 있다. 파셰쿠는 몇 주 전까지 내무부 장관을 지내다가 농업부로 옮겼다. 높은 생계비를 둘러싼 항의 시위를 경찰이 폭력 진압하면서 내무 장관에서 물러날 수밖에 없었다. 항의 시위는 몇 달 전에 빵 값 인상을 계기로 폭발했으며 13명이 사망하면서 끝이 났다. 그는 이미 오랫동안 농업 문제에 관여했다. 농학자 출신에다 이전 정부에서 농업부 차관을 지내기도 했다. 그런데 새로 맡은 장관 자리에서 한 행동을 볼 때, 그는 폭동 사건에서 아무 교훈도 얻지 못한 것 같다. 농업 잠재력이 대단히 큰데도 식량 수입에 의존하는 나라 사정 때문에 폭동이 일어난 것인데 말이다. 파세쿠는 이런 잠재력을 해외 투자자들의 손에 쥐어 주어야 한다고 확신하는 것처럼 보인다. 이런 정책 때문에 식량 자급 전망이 한층 더 축소될 위험이 있다는 사실에는 아랑곳하지 않는다. 참석자들과 주최 측에 감사 인사를 한 뒤 장관은 대형 스크린의 도움을 받아 가며 발표를 시작한다. 그는 준비가 덜 된 사람들을 위해 국경, 인구, 지형 같은 일반적인 지리적 지표를 두루 갖춘 모잠비크 지도를 보여 준다. 사진도 몇 장 보여 준다. '여러 방식의 경작에 적합한' 풍요로운 자연 환경을 과시하려는 속셈이다. 그는 자국 정부가 최근에 해외 투자를 촉진하기 위한 다양한 계획을 추진하면서 '우호적인 경제 환경을 조성'하고 있다고 말한다. 그러고는 이 계획들을 자세히 설명한다. 기계 수입에 대한 관세 폐지, 투자자들을 위한 인가 절차 간소화, 농축산물 수출 한도 폐지 등이 그것이다. 장관의 설명에 따르면, 50년 임대 협약에다 협약 만료 시 50년 연장이 가능하다. 그리고 극적인 효과를 위해 잠시 뜸을 들인 다음 슬라이드를 펼쳐 보인다. 장관은 내심 이 정보가 케이오 펀치라고 생각한다. 청중 가운데 마음의 결정을 하지 못한 이들은 이 정보를 들으면 모조리 모잠비크로 마음을 굳힐 것이기 때문이다. 장관이 마우스를 클릭해서 임대료를 자세히 안내하는 표를 내보인다. 광대한 지역의 땅이 헥타르당 1달러에 나온다. "함께 발전한다고 믿기 때문에 우리가 제시하는 가격입니다." 파셰쿠가 자신에 찬 어조로 단언하면서 '새 천년으로 나아가기 위해 우리가 함께 개시해야 하는 새로운 녹색혁명'이 얼마나 거대한 발전을 이룩할지를 설명한다. 장관이라기보다는 거리 연사의 연설을 듣는 기분이다. 그의 연설은 자기 나라의 잠재력을 설명하기보다는 그 잠재력을 구입하기 위해 귀를 기울이는 이들을 설득하려는 데 초점이 맞춰져 있다. 그의 모든 이야기는 하나의 목표를 추구한다. 청중을 설득해서 모잠비크로 끌어들여 정부가 헐값에 내놓은 땅을 경작하게 만들겠다는 목표 말이다. 그가 대변하는 정부는 리야드에 대거 출동했다. 총회 중에 모잠비크 대통령 아르만두 게부자<sup>Armando Guebuza</sup>도 좀 더 일반적이지만 비슷한 방식으로 이야기를 했다. 그러면서 사우디아라비아와 다른 아랍 국가들에게 모잠비크에는 사업의 문이 열려 있으며, 토지를 임대하려는 해외 투자자들에게 문호를 활짝 개방한다는 사실을 보여주는 한편 특별한 파트너가 되고 싶다는 강력한 의지를 표명했다. 마푸투 <sup>Maputo. 모</sup><sub>잠비크의 수도 _옮긴이</sub>에서 온 통치자들은 뒤처진 서열을 따라잡고 싶어 한다. 모잠비크는 '해외 농업 투자를 위한 압둘라 국왕의 계획' 팀이 방문한 나라 명단에 없다. 기존 계약이 별로 없다는 점이나 언어상의 난관, 또는 다른 어떤 이유에서든 간에 모잠비크는 처음에 고려한 후보지에 없었다. 마푸투에서 온 대표단은 이런 초기의 실수를 바로잡기를 원한다.

하지만 경쟁이 치열하다. 파셰투가 발언을 끝내고 회의장에 있는 사람들에게 토론 기회가 열리자마자 맨 앞줄에 앉아 있는 40대 남자가 벌떡 일어나서는 발언 기회를 요청한다. 그가 자신을 소개한다. 에티오피아 농업·농촌발전부 소속 공무원이며 내가 아디스아바바에서 방문한 투자청에서 일한다. "우리나라도 농업 부문의 외국인 투자를 열렬히 환영합니다." 그러고는 양심적으로 한 마디 덧붙인다. "

우리 장관님도 조직 관리 일만 없었더라면 이 회의에 기꺼이 오셨을 겁니다." 다시 말해, 그는 아마 공식 초청된 게 아닌가 보다. 이런 특정한 논점을 꺼내든 남자는 계속해서 말을 이어간다. 내가 몇 주 전에 그가 속한 부처의 수장인 에사야스 케베데에게 들은 말과 대동소이한 내용이다. 몇 가지 표현은 그의 상관이 한 말과 정확히 똑같다. 자기 나라에는 물과 경작지가 엄청나게 풍부하고, 기후 덕분에 1년에 몇 차례 수확할 수 있으며, '300만 헥타르가 시장에 나와 있다'는 것이다. 그는 기계류 수입 관세 폐지와 경작한 농산물을 전량 수출할 수 있는 가능성에 관해 이야기한다. 그러고는 곧바로 모잠비크 장관의 주장을 각개격파라도 하려는 것처럼 에티오피아는 훨씬 더 싼값에 토지를 임대한다고 말한다. "입지에 따라 다르지만 우리는 심지어 헥타르당 70센트에서 50센트에 임대할 수 있습니다." 그도 파워포인트를 이용해서 발표를 하려 했지만 사회자가 제지한다. 사회자는 세련된 정장 사이로 군살이 삐져나오는, 턱이 늘어진 뚱뚱한 남자에게 발언권을 준다. 남자는 중앙아프리카공화국에서 온 장관이라고 자신을 소개한다. "우리나라는 육지로 둘러싸여서 바다로 접근할 수 없습니다. 하지만 수자원은 풍부합니다. 우리나라에는 수백만 헥타르의 미개간지가 있으며, 이 땅을 활용할 수 있는 해외 투자자들에게 기꺼이 주고 싶습니다." 툭하면 일어나는 쿠데타에 시달리는 세계 최빈국 중 하나이자 사회 기반 시설이 워낙 부족해서 도무지 신뢰할 수 없는 중앙아프리카공화국도 시장에 나와 있다. 시장 가격은 계속해서 떨어진다. 중앙아프리카공화국 장관은 횡격막 구멍에서 나오는 것 같은 바리톤 음성으로 분명히 밝힌다. "우리는 이 기회를 처음 활용하는 이들에게 특별한 양보를 할 준비가 되어 있습니다. 기간을 정해서 토지를 완전 무상으로 제공할 생각입니다."

## 카타르, 국왕의 꿈

"회의장에서 열린 경매는 참 딱한 구경거리였지요." 마헨드라 샤Mahendra Shah는 방금 전에 참여한 작업 그룹에 관해 평하면서 거리낌 없이 이야기한다. 케냐에서 자라 케임브리지에서 학교를 다닌 60세의 이 인도인은 카타르 국가식량안보프로그램Qatar National Food Security Programme 총재다. 그리 크지는 않지만 마른 몸매에 날카로운 눈매가 특징적인 샤는 전형적인 글로벌 관료다. 그는 세계은행과 식량농업기구를 비롯한 여러 유엔 기구에서 오랫동안 일을 했고, 카타르 국왕의 연락을 받고 식량 안보에 관한 새로운 프로그램 운영을 맡았다. 식량 안보는 페르시아 만의 작고 건조한 이 나라에서 최우선적인 관심사다. 샤가 도하에 안착한 사건은 정보 대기업인 알자지라 위성 채널의 등장에 이어 하마드 빈 할리파 알사니Hamad bin Khalifa Al Thani 국왕의 현대적이고 실용적인 성격을 보여 주는 또 다른 사례다. 자금은 많지만 자체적인 전문성이 부족한 상황에서 국왕은 서로 다른 여러 부문에 사람을 끌어들이는 전술을 채택했다. 세계 곳곳에서 최고의 전문가를 영입하기로 한 것이다. 그리고 샤는 의심의 여지가 없는 강타자다. 두뇌가 명석하고 유능하며 외교적인 조용한 어조에 의존하지 않는다. 회의장 바깥의 안락의자에 앉아 식후 커피를 마시며 이야기를 하는 동안 그는 거듭해서 말한다. "우리가 거기서 본 헐값 토지 제공은 역겨운 일입니다." 당면한 주제를 이야기하기에 앞서 그는 내게 이탈리아에서 과거에 겪은 일을 이야기해 준다. 식량농업기구에서 일한 시절에 국한된 게 아니다. "영국에서 대학을 다닐 때 밀라노 출신 여자와 데이트를 했지요. 여자 친구의 남동생인 엘리오가 뻔질나게 누나 집에 오곤 했어요. 남동생은 흡사 자연의 힘 같았어요. 아이디어가 화산처럼 솟아난다고 할까. 어느 날 그 친구가 나한테 벤처 사업을 같이 하자고 하더군요. 바지를 사서 이탈리아에 가져다 팔겠다는 거예요. '이건 밀라노에 있는 매춘부들한테 안성맞춤이거든요.' 나는 확신이 가지 않았지만 그가 인도하는 대로 장사에 돈을 좀 투자했습니다. 나중에 알고 보니 그의 직감이 정확하게 맞아떨어졌더군요. 이탈리아로 간 엘리오는 이틀 만에 바지를 다 팔았어요. 그래서 다시 바지를 샀습니다. 그리고 또 샀고요. 작은 벤처 사업이 짭짤한 수익이 나기 시작했지요. 그래서 그는 진짜 회사를 차려서 완전히 동업을 하자고 제안했습니다. 나는 공부를 계속 하고 싶다고 말하면서 거절했습니다. 그때 그러자고 했으면 지금쯤 억만장자가 됐을 겁니다. 세계에서 손꼽히는 초대형 의류 브랜드 엘리오 피오루치Elio Fiorucci의 창립자가 됐을 테니까요." 그는 이런 말을 하며 웃었다.

샤는 세계인이다. 그는 지구의 절반에서 살아 보았다. 그는 서구에서 아프리카와 아시아로 손쉽게 이동하면서도 발리에 소유한 건강센터에서 이따금 휴식하는 일을 가볍게 보지 않는다. 카타르 프로젝트에서 그가 맡은 역할은 해외투자 담당 총재다. 그리고 그의 말로 보건대, 그는 거기서 꽤 많은 재량권을 갖고 있는 것 같다. 작업 그룹 논의 중에 그가 간결하게 설명한 미래 구상은 사우디인들의 구상과는 다르다. 그는 각국 정부와 협정 체결을 제안하기보다는 더 안정적으로 농민들과 파트너십을 구축하는 방식을 선호한다. "정부는 바뀌지만, 농민들은 그 자리에 계속 있거든요. 우리가 함께 일하는 건 농민들입니다." 어쩌면 그는 자신이 케냐 정부와 교섭한 협약 때문에 정부와 손잡는 데 흥미를 잃었는지도 모른다. 당시 케냐 정부는 라무Lamu 시에 상업항을 건설하는 대가로 카타르에 토지를 제공했다. 이 협약은 케냐 시민사회의 몇몇 조직들로부터 비난을 받으면서 철회되었다. "문제가 좀 있었거든요. 이 프로젝트가 진척될 거라고 생각하지 않았습니다." 그는 자세한 사정은 밝히지 않는다.* 그가 발표 중에 한 몇 가지 이야기 때문에 그를 만나고 싶은 마음이 들었다. 샤는 토지 임대에 관해 이야기하는 대신 페르시아 만 투자자들과 아프리카 농민들의 합작 투자를 거론했다. 그는 균형 잡힌 접근에 관해 말했다. 생산 증대를 수출과 지역 소비를 통해 공유해야 한다는 것이다. 또한 전문 기술 이전에 관해서도 말했다. 기본적으로 그가 내놓은 구상은 사우디인들의 구상에 비해 독창적이었다.

샤가 관리하는 프로그램은 선진 염분 제거 기술과 작은 국토 규모에 어울리는 집약 재배에 대한 투자 외에도 '모두를 위해 작동하는 통합 시스템을 창출할 것'을 제안한다. 그는 몽상가들이 흔히 그러는 것처럼 자신의 프로젝트를 열정적으로 소개한다. "우리는 자본을 투입하고, 농민들은 토지와 노동력을 제공합니다. 우리가 가령 500개를 생산한다고 치면, 200개는 카타르로 수출하고, 200개는 농민들이 차지하며, 100개는 지역 시장에서 판매됩니다. 이 마지막 부분의 수익이 생산성을 높이기 위해 재투자됩니다." 계약 농업contract farming**의 확대판이라고 할 수 있는 이 구상은 대단히 야심적이며, 샤는 이런 내용을 거침없이 털어놓는다. "몇 년 안에 우리는 허브가 될 수 있습니다. 중국과 인도까지 수출할 수 있는 농업 생산 중심지가 되는 겁니다."

샤의 확신에도 불구하고 한 가지 의문이 떠오른다. 그런 프로젝트가 정말로 지속 가능할까? 그런 계획이 완전히 실행된다면 모든 당사자에게 이익이 될 것임은 의심의 여지가 없다. 하지만 아프리카에서 정부를 거치지 않고 농민들과 협약을 맺는 게 실제로 가능한가? 거의 모든 아프리카 나라에서 토지는 국가의 자산이며 관습법에 입각해서 농민들이 경작하는 것이다. 이런 종류의 협약에서 한쪽 당사자는 누구일까? 해당 국가의 정부일까? 농민들을 대표하는 협회는 과연 실제로 존재할까? 마을 대표는? 샤는 이렇게 말한다. "우리의 목표는 모두가 이익을 얻을 수 있다는 점을 이해시켜서 관련된 모두를 끌어들이는 것입니다. 우리는 생산을 증대하기 위해 자금을 제공합니다. 토지는 여전히 줄곧 땅을 사용해 온 이들의 수중에 남아 있습니다. 우리가 요구하는 거라곤 생산물 가운데 우리의 정당한 몫밖에 없습니다." 프로젝트는 여전히 태동 단계다. 첫 번째 계약은 몇 개 체결되었지만 진행되는 건 아직 아무것도 없다. 샤가 리야드에서 활동한다는 건 전반적인 홍보 전략의 일환이며, 그의 존재는 결실을 맺고 있다. 회의장 주변에서 가나 부통령 존 드라마니 마하마John Dramani Mahama가 기자들을 상대로 발표를 하고 있다. 가나 정부와 카타르가 양국을 위해 식량을 생산하는 합작 투자 개시를 놓고 교섭을 진행 중이라는 내용이다. 마하마가 마이크와 텔레비전 카메라에 둘러싸여 이야기하는 동안 회의장 끝에서는 샤가 무관심한 표정으로 차를 홀짝이면서 그 광경을 멀찍이서 보고 있다. 빛나는 미래가 되리라고 믿는 구상이 성공을 거두는 최초의 작은 징후를 내심 즐기면서.

### '사업은 모험이다'

지금 나는 파이살 빈 압둘아지즈 알베슈르Faisal bin Abdulaziz Albeshr의 '두 번째 집'을 방문하는 중이다. 대저택의 정원에 텐트 모양으로 세운 일종의 조립식 건물인데, 곳곳에 카펫이 깔려 있고 텔레비전에서는 영국 프리미어리그 축구 경기가 한창이다.

● 위키리크스WikiLeaks 사이트에서 공개한 전문에 따르면, 이 협약이 파기된 이유는 중국이 에티오피아와 남수단까지 포함한 전반적인 사회 기반 시설 프로젝트의 일환으로 이 항구 건설에 관심을 보였기 때문이다. Samwel Kumba, 'How China Pushed Qatar out of Sh400bn Lamu Port Deal', *The Daily Nation*, 10 December 2010(farmland-grab.org에서 열람 가능).
●● 계약 농업에서는 대규모 투자자와 소농 집단 사이에 계약이 이루어진다. 투자자는 수확량의 일정 비율을 사전에 정해진 가격으로 구매하기로 약속한다. 농민 집단은 계약에서 합의한 양의 농작물을 생산하기로 약속한다.

"쉬면서 친구들과 이야기를 하려고 여기 옵니다." 파이살이 박력 있는 악수와 과장된 환영의 미소로 문 앞에서 나를 맞이한다. 그는 지난 8년 동안 수단에서 사업을 하고 있는 회사의 사장인데, 내가 만나러 온 이유도 그 때문이다. 깊은 검은색 눈과 양쪽으로 갈라진 기다란 턱수염이 눈에 들어온다. 특별히 키가 크지는 않지만 살집이 없고 단단한 체격이다. 말투에 탄탄한 지성이 담겨 있다. 의례적인 인사말을 하고 나서 그가 나를 텐트로 초대한다. 주변은 아주 조용하다. 부속 건물을 세운 정원 옆에 있는 집에는 아무도 살지 않는다. 내가 10분 동안 침실을 찾아 미로같이 복잡한 방들을 돌아다니자 그가 말해 준다. "가끔 주말용으로 빌리는 사람들이 있습니다."

리야드에 확실히 없는 것 하나가 있다면 그건 숙소 문제이다. 주택이 넘쳐나고, 그것도 대부분 거대한 집들이다. 내게 도시 구경을 시켜 주겠다고 한 친한 친구의 친구인 압둘라는 자기와 부인, 갓난아기가 사는 아파트에 방이 여섯 개인데 "약간 작다."고 말한다. 통신원으로 4년 동안 이곳에서 일한 중국 언론인 왕준펑<sup>Wang Junpeng</sup>(그는 불과 4개월을 지낸 뒤 이미 신경쇠약 일보 직전까지 갔다)은 도착하기 전에 '중간 규모' 주택을 빌렸는데, 부인과 함께 쓰는 수영장이 완비된 3층짜리 대저택을 소개받았다고 말해 주었다. 그는 놀라움과 괴로움이 섞인 어조로 말한다. "가끔 옆방에 있는 부인과 서로를 부를 때면 메아리가 들리기도 해요."

공공 영역이 거의 없고 남자들이 자기 소유의 공간에서 대부분의 시간을 보내는 나라에서 주택이 중요한 의미를 갖는 것은 당연한 일이다. 물론 여자는 정도가 훨씬 더하다. 서구의 경우와는 사정이 전혀 다른 것이다. 능력이 있는 사우디인이라면 적어도 도시에 집 두 채는 갖고 있으며, 두 번째 집이 없으면 종종 집을 빌리곤 한다. 압둘라는 이런 현상이 어느 정도인지를 보여 주기 위해 도심에서 멀리 떨어진 지구로 나를 데려간다. 시 외곽에 있는 사막 근처이다. 이 지역은 담장과 철문으로 둘러싸인 대저택들로 가득하다. 압둘라가 어느 저택 앞에 차를 세우고는 문을 두드린다. 경비원이 문을 열더니 작은 정원을 지나 집으로 우리를 안내한다. 300 제곱미터 정도 되는 집에는 별다른 특징 없는 가구들이 갖춰져 있다. 방이 몇 개인지 알기가 힘들다. "사람들이 주말용으로 이런 집을 빌리지요. 이따금 가족끼리 와서 쉬곤 합니다. 파티를 열기도 하고요. 종교 경찰인 무타와muttawa의 번뜩이는 눈을 피해서 말이지요." 결혼하기 전에 남녀가 사귀는 게 금지되어 있고 가장 기본적인 형태의 오락도 없는(영화관이 없고 당연히 디스코텍도 없으며, 음료를 파는 매장이라곤 스타벅스나 상업 중심지에 있는 유사한 프랜차이즈뿐이다. 이런 매장에는 경비원이 있어서 남자 혼자 입장하는 걸 막는다. 블랙베리 전화로 여자를 만날 수도 있기 때문이다) 사회에서 모든 일은 집안에서 문을 걸어 잠근 채 벌어진다. 친구를 만나러 두 번째 집으로 가는 이도 있고, 성관계를 맺거나 암시장에서 비싼 값을 주고 산 술을 마시는 것 같은 불법적인 행동을 하러 가는 이도 있으며, 그냥 부인과 아이들과 주말에 쉬려고 가는 이도 있다.

파이살은 자기 소유의 두 번째 집이 있고, 내가 그 사실을 알아주길 바란다. 그는 사업가이며, 따라서 두 번째 집이란 일종의 신분을 나타내는 상징이다. "나는 거의 매일 오후에 일을 마치고 여기에 옵니다." 그는 사업 파트너와 오래된 학교 친구 세 명과 여기에 있다. 그들은 지금 보는 경기에 관해 활발한 토론을 벌이는 중이다. 방은 여느 사우디 가정이 그렇듯이 휑뎅그렁하다. 벽에 아무런 장식도 없고, 가구도 전혀 없다. 리야드 주거 지역의 대저택 정원에 있을지언정 사막에 치는 천막의 분위기를 고스란히 살리려는 의도다.

인터뷰를 시작하기에 앞서 파이살은 부인이 준비한 '간단한 식사'를 맛보아야 한다고 고집한다. 그가 음식이 넘쳐나는 접시 두 개를 내려놓는다. 하나에는 소규모 부대를 먹이기에 충분한 샌드위치와 카나페가 담겨 있고, 다른 접시에는 이상한 형광색에 묘한 모양인 패스트리가 가득하다. 샌드위치를 두어 개 집어먹으면서 그의 사업에 관해 묻는다. 그가 더 먹으라고 강권한다. 그러고는 커피를 따라 주면서 코카콜라와 스프라이트와 환타 병이 담긴 다른 접시를 가리킨다. 손님 접대 의무를 흡족하게 마친 뒤에야 그가 이야기를 시작한다. 파이살은 35세로 지난 8년 동안 수단에서 일을 했다. 그곳에 감자, 채소, 약초 등을 생산하는 사업체를 갖고 있다. 그의 말에 따르면, 친구의 조언을 듣고 거의 우연히 그곳에서 일을 시작했다고 한다. "집안에 투자할 밑천이 좀 있어서 모험적 사업에 뛰어들기로 결정했지요. 그때만 해도 농사에 관해서는 낫 놓고 기역 자도 몰랐습니다." 그는 나일 강 강둑에 15,000헥타르 정도 되는 토지를 양도받았다. 사우디아라비아로 수출하는 사료용 풀 말고는 전부 현지 시장에서 소화한다. 토지 이용료는 한 푼도 내지 않는다. "처음 시작할 때 에이커당 42달러를 냈습니다.<sup>●</sup> 하지만 3년의 시험 기간이 끝나고 계약을 갱신했는데 임대료가 없어졌어요. 그들은 우리가 일하는 방식과 지역에서 일자리를 창출한다는 점을 흡족해 했습니다." 그는 빈틈없는 사업가다. 그가 사용하는 땅은 수단 전역에서 가장 좋은 축에 속한다. "우리 주변에는 지금 사우디 회사들이 대부분의 땅을 차지하고 있습니다. 요즘은 땅을 임대하려면 연 임대료가 에이커당 1,000달러지요." 파이살은 국가로부터 아무런 도움도 받지 않았다. 사실 그는 리야드의 유명한 투자은행에서 위험 보험을 제안했는데 거절했다고 말한다. 그가 역설하는 것처럼, '사업은 낙하산 없이 견뎌야 하는 모험'이다. 그가 여러 차례 반복해서 말한 이런 생각은 사우디의 해외 투자 지원 정책에 대한 그의 입장에 영향을 미쳤다. 그가 무관심을 과장되게 드러내면서 말한다. "지원에 관해 듣기는 했어요. 하지만 별로 관심 없습니다. 사업을 하고 싶으면 위험을 받아들일 수 있어야 합니다." 이야기가 계속되면서 그는 점차 얼마나 많은 사람들이 국왕의 사업 계획에 편승하고 있는지에 관한 불만을 나타내기 시작한다. "이 사람들한테는 계약을 확보해 줄 사람이 있었던 겁니다. 이건 일종의 후견 관계지요. 마음에 들지 않아요."

파이살은 현실적이고 열정적인 사업가다. 그는 주로 수익에 관심이 있는 기업가다. 사업 진행 상황을 살펴보려고 정기적으로 수단에 가기는 하지만 특별히 땅에 애착이 있는 건 아니다. 재배하는 작물에 관해 이야기할 때면 초연한 어조로 말한다. "감자와 주키니 호박을 재배합니다. 수단에서 잘 팔리니까요. 우리는 시장의 흐름을 따릅니다." 동시에 그는 기생적인 방식으로 돈을 벌려고 하지 않는다. 그가 버는 돈은 본능적인 직관의 결실이자 사냥개 같은 사업 감각의 결실이지 이런저런 정부 부서의 '연줄' 덕으로 봐서는 안 된다. 그는 용감한 선장으로서 인상적인 기술로 배를 이끌어 왔으며, 덕분에 그의 사업체는 연간 100만 달러의 수익을 올린다. 기업가로서 그는 언제나 새로운 투자를 모색하고 있다. 그는 브라질 그룹과 수단 그룹으로부터 아프리카 국가에서 에탄올을 생산하기 위한 합작 투자 제안을 받은 사실을 털어놓는다. 나는 농산 연료에 관해 얼마나 아는지 그에게 묻는다. "거의, 아니 전혀 모릅니다. 나는 그냥 돈을 벌고 싶은 겁니다." 나는 사우디 사람이 석유

● 1에이커는 대략 0.4헥타르이다.

대안 연료에 투자하는 게 좀 이상하다고 말했다. 그의 대답에서 그의 정체가 여실히 드러나며, 어떤 면에서는 이 초보수적이면서도 초현대적인 나라의 분열된 성격과 모순까지 압축적으로 드러난다. "좋은 기회가 생기면 나는 이스라엘에도 가서 재배를 할 겁니다. 사업은 사업이지요, 친구."

## '해외 농업 투자를 위한 압둘라 국왕의 계획' 내의 비판론자들

압둘라 국왕이 착수한 계획에 의구심을 품는 건 파이살만이 아니다. 많은 농기업가들과 사우디의 영향력 있는 인사들이 여러 이유로 회의의 눈초리를 거두지 않는다. 그 중 한 명인 파와즈 알알라미 $^{Fawaz Al Alamy}$ 는 전 상무부 차관으로 사우디아라비아의 세계무역기구(WTO) 가입을 이끌었다. 사우디는 2005년에 세계무역기구 정식 회원국이 되었다. 사우디아라비아항공이나 사우디 산업개발기금 $^{Saudi Industrial}$ $^{Development Fund}$ 같은 여러 국가·준국가 기구의 이사인 그는 현재 사우디아라비아에 투자하기를 바라는 다국적기업들을 상대하는 컨설팅 회사 대표이다. 해외 투자에 관한 그의 논평을 몇 개 읽은 뒤 나는 그에게 전화를 했고, 그는 바로 오늘 아침에 리야드 북부에 있는 자기 사무실에서 만나자고 한다. 그는 이 지역의 관행대로 택시에 타자마자 자기한테 전화를 하라고 말한다. "운전사에게 길을 설명해 줘야 하니까요." 나는 곧바로 그의 말대로 한다. 호텔을 나와 택시를 잡고서 그에게 전화를 걸고 파키스탄인 운전사에게 전화를 건넨다. 운전사가 설명을 들으며 고개를 끄덕인다. "10분이요." 그가 아는 영어 표현을 한껏 동원해서 말한다. 그러고는 재빨리 기어를 넣고 자신 있게 출발한다. 도시의 풍경이 쏜살같이 지나간다. 모든 거리가 똑같아 보이지만 얼마 뒤 원을 그리면서 제자리를 돌고 있다는 막연한 느낌이 든다. 20분이 지났는데도 아직 차안이다. 전화가 울린다. 파와즈다. "어디십니까?" "잘 모르겠습니다." "운전사 좀 바꿔 주세요." 새로 방향을 알려 주고, 운전사는 또 고개를 끄덕이고, 마침내 "네, 문제없어요."라는 말을 하지만 나는 조금도 안심이 되지 않는다. 운전사가 차를 돌려 반대 방향으로 출발한다. 나는 의심스러운 눈으로 그를 쳐다본다. "어디로 가는지 아시는 거죠?" 그가 똑같은 말을 되풀이한다. "문제없어요." 이번에는 좀 자신 있는 표정이다. 조금도 주저함이 없이 빠르게 출발한다. 알알라미에게 물어볼 질문들로 생각이 옮겨간다. 창밖으로 도시가 지나쳐 간다. 한참 노트에 메모를 끼적이는데 운전사가 차를 세운다.

"무슨 일이죠?" 운전사가 의미심장한 어조로 대꾸한다. "그 사람한테 전화하세요." 파와즈에게 전화를 하니 처음으로 화난 티를 낸다. 그가 우리 약속을 취소할까 걱정이 된다. 적어도 40분 동안 나를 기다린 셈이다. 두 사람이 전화로 이야기를 하는데, 앞서 본 광경이 다시 펼쳐지고, 이번에도 "네, 문제없어요."라는 말로 끝난다. 운전사가 다시 출발한다. 무슨 생각을 해야 할지 모르겠다. 다시 옆으로 도시가 지나간다. 운전사는 운전을 한다. 미터기 요금이 엄청나다. 그냥 호텔로 돌아가자고 말하려는 참에 다시 전화가 울린다. 알알라미다. "운전사한테 세우라고 하세요. 창문 밖으로 보이네요. 방금 내 사무실을 지나쳤습니다."

사무실은 단층 건물이다. 모던하고 근사한데다 사방에 창문이 있다. 안내 데스크에 있는 두 남자가 옆에 있는 회의실에서 잠시 기다리라고 말한다. 널찍한 회의실에는 우아한 가죽 소파 두 개가 있고 끝에는 책상이 하나 있다. 벽은 깔끔한 흰색이다. 5분 뒤 파와즈가 와서 명함을 건네며 인사를 한다. 명함은 탁월한 절제미를 자랑하는 명품이다. '파와즈 알알라미-컨설턴트'라는 간단한 소개와 이메일 주소만 적힌 작은 흰색 명함이다. 나는 이런 작은 디테일에 넘어간다. 다들 명확한 역할을 갖고 특정 집단에 속하려고 애를 쓰는 세상에서 '컨설턴트'라는 모호한 직함만을 내세우는 사람에게는 반항적 인간이나 변명하지 않는 비순응주의자의 분위기가 풍긴다. 키는 크지 않고 갈라진 회색 콧수염에 날카로운 눈매가 인상적이다. 이따금 자기 앞에서 이야기하는 사람의 관심을 사로잡으려는 듯 눈을 크게 뜰 때면 눈길이 부드러워진다. 사업 활동에 관해 이야기할 때는 자주 눈동자가 커진다. "지금 대형 프로젝트를 진행 중인데, 몇 달 안에 마무리될 겁니다." 그러고는 커다란 스크린으로 프레젠테이션을 보여 주기 시작한다. 잇달아 등장하는 표마다 내가 며칠 동안 계속 들은 이야기를 입증한다. 사우디아라비아는 스스로 식량 안보를 확보할 필요성이 절실하며, 수자원이 부족한 상황에서 자체의 힘에만 의존할 수 없다는 등의 이야기 말이다. "우리는 우리 스스로 적절한 공급과 저장 시스템을 확보해야 합니다." 그는 회사의 사업 계획을 스크린으로 보여 주면서 이 정보가 '기밀'임을 강조한다. 그가 설립 중인 회사는 미국 카길<sup>Cargill</sup> 같은 대형 농기업들과 선별적인 협약을 맺어서 외국에서 생산되는 기초 식량 유통 업체로 우뚝 서겠다는 목표를 갖고 있다. 이런 방식은 압둘라 국왕이 착수한 계획보다 고전적인 전략이다. 하지만 알알라미의 말에 따르면, 더 안전하기도 하다. 그는 이 구상을 알기 쉽게 설명하기 위해 의학에 비유한다. "투석 환자는 치료를 받기 위해 언제든지 병원에 갈 수 있어야 합니다. 그렇지 않으면 죽을 테니까요." 알알라미는 국왕을 공공연하게 비판하지는 않지만 '해외 농업 투자를 위한 압둘라 국왕의 계획'이 만성적인 식량과 물 부족에 시달리는 환자, 곧 사우디아라비아에게 그릇된 치료가 될 위험이 있다는 점을 분명히 지적한다. "세계무역기구 규정에 따르면, 모든 나라는 필요하면 수출을 봉쇄

할 수 있습니다." 계속해서 그는 냉소적인 어조로 한 마디 덧붙인다. "따라서 농산물을 현지에서는 저가로 공급하면서 다른 곳에서 팔기 위해 비싼 값을 지불하는 일이 생길 수 있습니다." 경험에서 우러난 말이다. 몇 년 전에 그는 사우디와 쿠웨이트 기업가들이 수단에 제당 공장을 설립하는 일을 도왔다. "우리는 막대한 액수를 투자했는데, 설탕 1킬로도 보질 못했어요. 수단인들이 수출을 못하게 한 겁니다."

알알라미는 이런 점에 비춰볼 때 국왕의 계획은 "위험성이 너무 크다."고 꼬집는다. 그러면서 눈썹을 치켜세우고 눈매를 날카롭게 해 가며 힘주어 말한다. "개인적으로 나라면 한 푼도 투자하지 않을 겁니다." 그가 보기에 왕국은 세계 곳곳에서 토지에 투자할 게 아니라 일차 식량과 수자원을 저장하는 효율적인 시스템에 훨씬 더 많은 투자를 해야 한다. 염분 제거 기술에 대한 투자를 늘리면 수자원은 증대될 것이다. 그의 개인적인 전망에 따르면, 다른 걸프협력회의 국가들과 함께 이런 시스템을 발전시켜야 한다. 그런데 다들 사우디아라비아와 똑같은 문제를 안고 있으면서도 '놀랍게도 전혀 협력을 하지 않은 채' 각자 행동을 하고 있다.

1980년대 이래 농업에 전념하는 회사인 골든그래스<sup>Golden Grass</sup>의 대표 투르키 파이살 알라시드<sup>Turki Faisal Al Rasheed</sup>도 거의 똑같은 비판을 늘어놓는다. 알라시드는 사우디아라비아에서는 아주 보기 드문 인물이다. 그는 민주주의 발전을 위한 재단을 설립해서 적극적으로 활동한다. 소수 왕족이 이끄는 절대 왕정인 나라에서는 확실히 야심적인 목표다. 그는 왕국의 여러 신문에 부정기적으로 칼럼을 기고하면서 인권과 선거, 농업의 전망 등에 관해 발언을 한다. 내가 가장 관심이 있는 마지막 문제에 관해서 그가 쓴 흥미로운 글을 읽었다. 그는 글에서 농업 보조금을 옹호하면서 사실은 "농민이 국가를 보조한다."고 주장했다. "농민이 국가에 최저 수준의 식량 안보를 보장해 주기 때문이다."

내가 전화를 걸자 그는 적극적인데다 예의까지 차려서 개인 비서를 보내 호텔로 데리러 온다. 필리핀인 비서 로니가 사정을 설명한다. "우리를 찾아오려고 제자리를 빙글빙글 도는 어려운 경험을 하시지 않았으면 해서요." 통통한 얼굴에 자주색 셔츠와 파란색 넥타이가 심하게 눈에 거슬리는 로니는 '결국 익숙해지게 되는' 나라에서 30년째 살고 있다. 그는 내게 어디서 왔냐고 물은 뒤 가톨릭 신자인지 궁금해 한다. 사실 종교에는 관심이 없다고 대답하자 실망한 기색이 역력하다. 같은 신앙을 바탕으로 공감대를 형성하려고 했던 것 같다. 아니면 남녀 관계에서부터 상점 개점 시간—무에진이 기도 시간을 알릴 때마다 30분씩 가게 문을 닫는다—에 이르기까지 종교가 삶의 모든 측면을 모양 짓는 곳에서 종교에 관심이 없다고 솔직하게 말할 수 있는 사람이 있다는 사실에 당황했는지도 모른다.

골든그래스의 본사에 도착해서 알라시드를 만나러 가니 마침 매일 다섯 번 있는 기도를 하려고 사원을 향해 돌아서 있다. 날씬한 몸에 우아하게 차려입은 녹색 튜닉과 길쭉하면서도 부드러운 얼굴에 흠잡을 데 없이 다듬은 턱수염이 인상적인 그가 친절하게 대기실에서 잠시 기다려 달라고 말한다. 로니가 길을 안내한 뒤 커피를 가져다주고 텔레비전을 켜서 축구 경기로 채널을 돌려 준다. 주위를 둘러보면서 대표의 사진을 살펴본다. 바레인에서 선거 참관단을 이끄는 사진도 있고, 사우디 왕자가 참석한 리셉션 파티에서 찍은 사진, 졸업을 앞두고 찍은 사진도 있다. 20분쯤 지나 알라시드가 와서는 사무실로 안내한다. 소파에 자리를 잡고 앉는다. 그는 아주 세련된 영어를 구사한다. 리버풀에서 공부를 했다는데, 영국에서 체류하면서 영어를 완벽하게 정복했을 뿐만 아니라, 시간을 허비하지 않고 바로 요점을 말하는 유럽식 태도도 익힌 것 같다. 그래서 우리는 잡담은 건너뛰고 바로 인터뷰로 들어간다. 이야기를 하는 중에 직원들이 가끔 들어와서 수표나 서류에 서명을 받아간다. "양해해 주세요. 어제서야 유럽에서 돌아와서 많은 일을 처리해야 합니다."

해외 투자에 관해 알라시드는 알알라미와 마찬가지로 많이 당혹스러운 속내를 드러낸다. "해외 투자는 안전하지 않습니다. 계약이 재검토되는 일이 절대 없고 투자 대상국이 갑자기 수출을 금지하지 않을 것이라고 누가 보장합니까?" 그는 이제까지 참여한 이들은 왕가와 연결된 사람들이나 투자 대상국에 확실한 연줄이 있는 사람들이라고 꼬집는다. "알아무디를 예로 들어 봅시다. 그는 반은 에티오피아인이고, 알다시피 아디스아바바의 집권당과 총리하고 특별한 관계가 있습니다. 그가 한 투자는 비교적 안전하지요. 하지만 다른 사람들의 경우도 이렇다고 말할 수 있을까요? 이런 식의 사업은 땅을 매입할 때만 가능하다고 봅니다. 임대는 언제든지 철회될 수 있어요." 알라시드는 결국 압둘라 국왕의 계획에 참여하는 그룹이 많지 않을 것이라고 예상한다. "확고한 규칙이 없습니다. 이런 사업이 어떻게 제대로 운영될지 도무지 모르겠습니다."

내가 묻는다. "그러면 사우디아라비아는 어떻게 식량 안보를 보장할 수 있지요?"

"정부가 지역과 국제 두 차원에서 활동해야 한다고 봅니다. 자국민을 위해 공급 다변화를 확보해야 하지만 직접 임대하는 건 아니지요." 국제적인 차원에 관한 그의 견해는 알알라미의 생각과 거의 비슷하다. 농기업들과 협약을 맺어서 국제 소비에 필요한 밀, 옥수수, 보리, 쌀 등을 확보하자는 것이다. 하지만 이른바 '지역 차원'에 관한 그의 언급을 보면, 이 주제에 관해 경영자가 생각하는 가장 독창적인 측면이 엿보인다. 알라시드는 포괄적이고 다차원적인 농업 구상을 드러낸다. "정부가 농민들을 완전히 포기할 수는 없습니다. 농업은 사회적 기능이 있으니까요. 국가가 농촌에 투자하지 않으면 사람들이 도시로 이주하면서 농촌 인구가 줄어들 겁니다. 이런 상황 전개는 불가피하게 도시 빈곤과 범죄, 성매매 등의 증가로 이어질 겁니다."

알라시드는 계속해서 자신의 주장을 이해하기 위해 멀리 볼 필요도 없다고 말한다. "프랑스와 독일, 유럽연합 일반이 거금 수백만 유로를 들여서 농업을 보조하는 주된 이유가 이런 거니까요. 어느 나라도 자기네 농촌이 유령 마을투성이로 바뀌는 걸 바라지 않습니다. 사우디아라비아에서 우리는 바로 이런 위험을 무릅쓰는 겁니다. 텅 빈 농촌에는 군데군데 거대 사업체만 있고, 혼잡한 도시는 실업과 절망적인 빈곤으로 가득 차는 거지요."

## 사막 한가운데의 가축 떼

리야드에서 하르즈까지 가는 동안 차창 밖으로 보이는 시골은 주민이 거의 없을 뿐만 아니라 정착 생활에도 적합해 보이지 않는다. 끝없이 모래가 펼쳐져 있는 땅에 살고 싶은 사람은 많지 않을 것이다. 도시에 다가가면서 푸른 덤불과 대추야자 나무들로 초록색 풍경이 펼쳐지고 나서야 알라시드가 한 말이 이해가 된다. 이 도로에 늘어선 많은 사업체들은 애초에 보조금 때문에 세워져서 지금까지 살아남은 것이다. 그렇지만 나는 사우디 농촌에 있는 정착촌을 찾아온 게 아니라 알마라이<sup>Almarai</sup> 공장을 보려고 온 것이다. 어제 리야드 사무실에서 받은 브로슈어에 따르면 이 회사는 '세계 최대의 수직 통합 낙농업 기업'이다.

지루한 표정의 벵골인 운전사 아말이 사우디아라비아에서 가장 유행하는 주제인 성<sup>性</sup>에 관해 말하던 도중에 말을 돌린다. "20킬로미터만 가면 됩니다." 공공 사회가 완전히 억압되고, 혼외 관계가 법으로 금지된 상황에서 사람들이 다른 이야기를 거의 하지 않는 것도 놀랄 일은 아니다. 아말은 은밀한 대저택에서 열리는 비공개 파티에서는 모든 게 허용된다고 이야기한다. 그야말로 온갖 걸 다 볼 수 있다는 말이다. 술이 있고, '모든 것에 개방적인' 여자들이 있고, '당신이 원하는 어떤 약물이든' 다 있단다. 그러면서 하는 말이 초대 받을 수 있는 사람들도 안다고 한다('적정한 가격에'라는데 알고 보니 터무니없이 비싸다). 이 인간이 병적인 거짓말쟁이인지 아니면 사우디아라비아에서 자기만의 틈새시장을 찾아낸 일종의 포주인지 분간이 가지 않는다. 우리가 타고 가는 최신식 메르세데스 검정색 차는 그의 소유인데, 이 차 덕분에 그는 동포 운전사들보다 사회 계층에서 몇 계단 위에 자리하고 있다. 임대 택시를 모는 동료들은 평균 50리얄(14,500원)의 일당을 받는다. 더 캐묻지 않기로 마음을 먹는다. 앞에 놓인 길에 시선을 고정시킨다. 끝없이 뻗은 길이다. 파란 표지판에 흰색 글씨로 알마라이가 20킬로미터 남았다고 알려 준다.

이 회사는 우유와 치즈, 요구르트를 생산한다. 방목 소부터 포장 제품에 이르기까지 일관 생산 방침을 추구한다. 1976년에 술탄 빈 모함메드 빈 사우드 알카비르 Sultan bin Mohammed bin Saud Al Kabeer 왕자가 주도해서 설립한 회사다. 당시 왕가는 우유와 유제품 수입을 중단하기로 결정했고, 따라서 이 공백을 메우기 위해 필요한 모든 지원을 해 주었다. 국가가 보유한 오일 달러를 투자해서 설립한 회사는 몇 년 안에 알사피<sup>Al Safi</sup>와 나란히 중동에서 양대 유제품 기업으로 손꼽히게 되었다. 죽을 때까지 알사피를 경영한 모함메드 빈 압둘라 알파이살<sup>Mohammed bin Abdullah Al Faysal</sup> 왕자는 워낙 야심적인 사고방식을 지닌 인물이라 창의력이 최고조에 달했을 때에는 북극에서 빙산을 끌고 와서 국가의 물 공급을 확보할 구상도 했다. 알사피와 알마라이는 둘 다 무에서부터 생겨났다. 가축도 없었고, 물은 지하 깊숙한 곳에 묻혀 있었으며, 땅은 모래뿐이었다. 사우디인들만이 휘두를 수 있는 자금 동원력을 가지고 미국과 라틴아메리카에서 소 수천 마리를 운송해 왔다. 초현대식 기술을 사용해서 지하 깊숙이 땅을 파고 물을 끌어 올렸다. 오늘날 회사 농장 주변의 시골 풍경은 녹색과 노란색이 넘쳐 난다. 사막이 농경지에 자리를 내주었고, 번쩍거리는 농기업들이 생겨나서 지하 깊숙한 물까지 개발하고 있다.

알마라이 농장은 도시의 대기업만큼 규모가 크다. 눈이 닿는 곳까지 농장이 펼쳐져 있고, 소를 넣어 두는 우리들이 대규모 단지를 이루고 있다. 입구에서 아일랜드 출신의 관리자 존이 나를 맞는다. 싸움꾼 몸집에서 이제 막 완강한 티가 나기 시작하는 붉은색 얼굴의 남자다. 그는 우선 나를 차에 태우고 한 바퀴 둘러보면서 시작하는데, 질문을 할 때마다 거리를 두는 게 점점 드러난다. 같은 유럽인이라는 점에 기대어 사우디아라비아에서 생활하는 게 어떠냐고 묻자, 그는 나쁘지 않고 일이 재미있다고 대답한다. 나는 다시 한 번 시도한다. "여기는 당신이 살던 초록색 섬과 약간 다른데요." 그가 고개를 끄덕인다. 그래서 나는 방침을 바꿔서 그의 직업에 초점을 맞춘다. "아일랜드에 비하면 여기서 소를 키우는 게 훨씬 힘들겠지요?" 그가 시인처럼 간결하게 대꾸한다. "만만치 않지요." 나는 게임이 끝났음을 깨닫고 회사에 관한 질문만 한다. 그는 이런 질문에는 놀라울 만치 자세하게 대답을 한다.

젖소는 진정한 산업 시스템의 일부분이다. 냉방 장치가 된 축사에 젖소를 수용하고 하루에 세 번, 8시간마다 젖을 짠다. 젖 짜기는 한 번에 5분에서 7분이 걸리는데 우유의 질에 따라 달라진다. 젖소는 엄격한 의미의 진정한 2두 1조로 편제되며, 유사시에 계속해서 같은 조의 소와 대체된다. 젖통에서 우유를 짜는 순간 초현대식 기계가 품질을 평가하고, 산도를 측정하고, 불순물을 탐지한다. 농장의 다른 구역에서는 또 다른 기계로 건초 사료의 영양 성분을 측정한다. 모든 게 전산화되어 있다. 사료는 생산성을 극대화하기 위해 알팔파alfalfa, 보리, 옥수수, 밀을 정확한 비율로 섞어서 쓴다. 아일랜드 사람이 말한다. "우리는 사료 20,000톤을 저장해 두고 있습니다. 일부는 자체 생산하고 나머지는 매입하지요."

바깥은 덥지만 찌는 듯한 더위는 아니다. 지금은 한겨울이고 온도계는 25도를 가리킨다. "하지만 여름에는 약간 힘들지요." 존도 더위는 인정한다. "50도가 넘기도 해요. 소들도 힘들어 해서 생산량이 떨어집니다." 한 해 평균으로 젖소마다 하루에 약 40리터의 우유를 생산한다. 이 농장과 더불어 알마라이 생산 공장을 이루는 주변 농장들을 모두 합쳐 젖소가 80,000마리 있으니까 평균적인 총생산량은 하루에 약 300만 리터이다.

우유와 치즈, 요구르트가 생산되는 단지는 몇 킬로미터 떨어진 곳에 있다. 이곳에서는 엄청나게 강력한 기계 필터로 액체를 걸러 내고 정제해서 곧바로 마실 수 있게 만든다. 생산 공장이 워낙 커서 어디를 가더라도 차로 움직여야 한다. 바깥에는 트럭들이 완제품을 싣기 위해 줄지어 대기하고 있다. 사우디아라비아의 식탁만이 아니라 페르시아 만 국가 전역에 운송된다. "우리는 12,000명의 종업원을 거느리는, 이 지역에서 으뜸가는 낙농 기업입니다." 홍보 이사 마제드 알도이히Majed Al Doyhi가 자랑스럽게 말한다. 길쭉한 얼굴에 깔끔한 염소수염, 약간 아시아 사람 같은 눈동자가 인상적인 30세 정도의 남자다.

그가 머리가 빙글빙글 도는 수치를 거론하며 늘어놓는 설명을 들으면서 온갖 기계와 트럭, 우리에서 헐떡이는 젖소들을 둘러본다. 그리고 있자니 사우디인들이 큰 사업을 벌여야 하는 사정이 전보다 훨씬 더 납득이 간다. 이런 식의 사업에 전혀 적합하지 않은, 거칠고 적대적인 환경에 젖소 수만 마리를 수입하는 일을 달리 어떻게 설명할 수 있겠는가? 그리고 사우디인들은 단순히 큰 사업만을 원하는 게 아니다. 그들은 최고가 되고 싶어 한다. 여기서 20킬로미터 범위 안에 기네스북에 오를 만한 단지가 세 군데 있다. 세계 최대의 낙농장이라는 이름을 걸고 결판이 날 때까지 싸우는 알마라이와 알사피 사이에 프린스 술탄 공군기지도 있다. 100평방킬로미터 넓이의 이 기지는 지구 최대 규모이다. 나는 이것이야말로 사우디아라비아의 진짜 정수라고 생각한다. 모든 것이 가능한 과잉의 나라. 이 나라에서는 사막 한가운데서도 소떼가 풀을 뜯는다.

## 물 1평방미터에서 작물 1톤을 생산하다

알마라이 초대형 농장에서 몇 십 킬로미터 떨어진 곳에 아무 표시도 없는 비포장도로변으로 작은 땅이 펼쳐진다. 좁은 길을 따라가니 조립식 오두막 두 채가 있는 개간지가 나온다. 개간지 주변은 채소밭이다. 양이 가득한 우리가 하나 있고, 20미터쯤 떨어진 곳에 컨테이너가 몇 개 있다. "이게 미래의 모습입니다. 해외의 모든 땅이 무의미한 건 아니지만요." 기술자 모파레 알자블리Mofareh Aljahbli가 금속 구조물을 가리키며 말한다. 이 남자는 자기 사무실로 쓰는 오두막 안에서 나를 맞이한다. 나무 테이블 위에는 구형 컴퓨터가 먼지를 뒤집어쓰고 있고, 너덜너덜해진 소파와 안락의자 두 개가 있다. 그가 차를 권하면서 이집트인 프로젝트 관리자와 함께 수경 재배 기술에 관해 말해 준다. "수확량이 놀랄 정도입니다. 불과 1주일 만에 물

1평방미터에서 사료용 작물 1톤을 생산할 수 있지요. 지난 1월에야 시작했는데 이미 수익을 거둬들이고 있습니다." 그의 땅 한쪽 옆에 있는 컨테이너들은 황금알을 낳는 거위들이다. "처음에는 두 개였다가 금세 네 개로 늘렸지요. 지금은 여덟 개인데 더 확장하려고 합니다."

그는 기술 관련 정보를 한껏 늘어놓더니 컨테이너를 구경시켜 주겠다고 데리고 간다. 안에는 종자가 가득 깔린 플라스틱 모판이 잔뜩 쌓여 있다. 물을 순환시키고 습도를 조절해서 종자가 놀라운 속도로 싹을 틔운다. "1주일이면 생산물이 나옵니다." 모판은 생산을 시작한 날짜에 따라 각기 다른 선반 위에 놓여 있다. 정말로 7단계의 선반이 있다. 모판은 매일 한 단계씩 올라간다. 꼭대기에 올라가면 출하 준비가 끝난 셈이다. 이때가 되면 내용물을 옮긴다. 빽빽하게 자란 사료용 풀 덩어리다. 기술자가 축사로 가져가서 양 여물통에 놓아두면 양들이 순식간에 먹어 치운다. "이거 영양 덩어립니다." 남자가 흡족한 표정으로 말하면서 자기 짐승들이 '매에' 하며 우는 모습을 즐겁게 지켜본다.

수경 재배는 흙 없이 종자를 재배하는 방식이다. 영양이 풍부한 소금 용액을 사용하면 식물이 빠른 속도로 자란다. 이런 재배 방식에 필요한 물의 양이 밭에서 같은 규모의 식물을 생산하는 데 필요한 양의 20분의 1이라는 점을 감안하면, 이 기술은 사우디아라비아처럼 물이 부족한 나라에 탁월한 해결책임이 입증되었다고 보아도 무방하다. 하지만 이 기술은 아직 인기를 얻지 못하고 있다. 알자블리의 말에 따르면, 왕국 전체에서 자기 회사가 유일하게 이 기술을 활용하고 있다고 한다. 회사는 비교적 많지 않은 양을 생산해서 하르즈 주변의 가축 농장에만 판매한다. 정부는 지금까지 이 벤처 사업에 큰 관심을 보이지 않고 있다. "농업 장관이 여기 와서 이 프로젝트에 관심이 많다고 말했지요. 하지만 그 다음에 아무 소식도 듣지 못했습니다."

그렇다면 사우디아라비아는 왜 이 기술을 대규모로 채택하지 않는 걸까? 부족하고 소중한 물을 낭비하지 않고 생산을 증가시킬 수 있는데 말이다. 왜 비용도 많이 들고 위험도 수반되는 해외 토지 취득에만 모든 노력을 집중하고 있는 걸까? 알자블리는 왕가가 관심을 보이지 않는 이유를 나름대로 설명한다. 그가 보기에는 모든 게 '일부 정부 관리들과 주요 비료 생산 업체 사이의 연계가 너무나도 확고해서' 이해가 충돌하기 때문이다. "수경 재배가 확대되면 비료 업체의 수익이 떨어질 테니까요." 어쩌면 알자블리의 말이 맞을지도 모른다. 이는 권력자들이 갚아야 하는 봉투나 호의가 오가는 흔한 부패 관행에 불과할지 모른다. 그렇지만 그의 녹슨 컨테이너를 보면서 또 다른 가능성이 뇌리에 스친다. 수경 재배에는 한 가지 약점이 있다. 사람들의 눈길을 끌지 못하는 것이다. 그것은 리야드 정부를 흥분시킬 만한 특징이 전혀 없다. 사람들을 놀라게 하지도 않는다. 그렇다고 세계에 어떤 메시지를 전하는 것도 아니다. 수경 재배는 사막에서 빛나는 밀밭이나 알사피나 알마라이의 초대형 단지, 리야드의 킹덤타워, 또는 사우디인들이 아프리카에 설립하는 거대한 초현대식 재배 단지처럼 웅장하지 않다. 빈 공간과 초대형에 대한 열광. 내가 보기에는 이런 점이야말로 사우디아라비아의 본질인 것 같다. 하나 덧붙이자면 거의 무한한 자금 공급도 이 나라의 본질이다. 수경 재배 따위는 신경 쓰지 말자. 만약 리야드 당국이 '해외 농업 투자를 위한 압둘라 국왕의 계획'에 거대한 신드롬과 지출력을 적용한다면, 결국 아프리카에서 수백만 헥타르의 농경지를 빨아들이게 될 거라는 생각이 불현듯 들었다.

# 제네바
## 농경지의 금융업자들

GENEVA

# 제네바:
# 농경지의 금융업자들

2010년 10월 13일 로마에 있는 유엔 식량농업기구 본부. 초가을 비 오는 날 오전 11시다. 식량농업기구가 있는 건물 중앙 홀에 자리한 작은 바의 테이블은 반이 비어 있다. 몇 미터 떨어진 곳에 세워진 여러 기구의 광고판은 모두 방치 상태다. 대표단이 사용할 수 있게 일렬로 설치해 둔 온라인 컴퓨터가 있는 곳에는 주인 없는 의자와 빈 모니터 화면만이 늘어서 있다. 내가 지켜보러 온 식량 안보에 관한 중요한 정상회담은 사람들의 마음을 사로잡지 못한 것 같다. 정상회담이 시작된 다음 날 언론인 배지를 받았는데도 배지 번호가 6번이다. 바로 가서 커피를 주문한다. 바텐더가 커피를 내린다. "한산한 날이죠?" 내가 주변의 활기 없는 분위기에 실망한 걸 눈치채고 바텐더가 묻는다. 미소로 답한다. 그나 나나 5분 안에 뭔가 이상한 일이 벌어지리라는 걸 짐작조차 하지 못했다.

시간을 좀 보내려고 커피를 홀짝이는데, 정장에 넥타이 차림으로 복도를 왔다 갔다 하는 관리들과는 많이 달라 보이는 일군의 사람들이 도착한다. 스무 명 정도

돼 보인다. 전통적인 셔츠에 목에는 반다나를 둘렀다. 빨간색과 녹색 티셔츠다. 그들이 일을 시작하는 모습을 보자니 약간 흥분이 인다. 그들이 가방에서 플래카드를 두 개 꺼낸다. 그러고는 홀 양쪽으로 늘어서서 플래카드를 펼친다. 녹색 천에 흰색으로 글을 썼는데, 하나는 이탈리아어고 하나는 영어다. '땅뺏기는 기아를 유발한다. 소농들이 세계를 먹여 살리게 하라.' 남자 둘과 여자 둘이 무리에서 떨어져 나오고 연단이 네 개 만들어진다. 하나에는 아프리카가 그려지고, 라틴아메리카에 이어 유럽과 아시아도 그려진다. 네 사람이 각각 자신이 대표하는 대륙 앞에 선다. 그러고는 자신을 소개한다. 인도네시아의 헨리 사라기<sup>Henry Saragih</sup>, 콩고의 오르탕스 킨코딜라<sup>Hortense Kinkodila</sup>, 브라질의 콘세이상 무오라<sup>Conceiçaõ Muora</sup>, 이탈리아의 안토니오 포치<sup>Antonio Pozzi</sup> 등이다. 네 사람은 지구 절반, 곧 남반구의 농민 조직을 대표한다. 그들이 발언을 하는 중에 검은색 정장에 시가를 입에 문 남자 하나가 홀 끝에서 다가온다. 그의 재킷에는 손으로 글자를 쓴 종잇조각들이 테이프로 붙어 있다. 대우, 도이체방크, 모건스탠리, 골드만삭스 등이 눈에 들어온다. 잘 차려입은 남자가 종이 한 장을 손에 들고 그들에게 다가가서 종이를 건넨다. 토지 임대 제안서다. 네 사람이 더럽다는 표정을 짓는다. 그러고는 한 사람씩 소리 높여 발언한다.

헨리는 이렇게 말한다. "인도네시아에서는 땅뺏기가 전혀 새로운 현상이 아닙니다. 식민지 시기에 이미 벌어진 일이니까요. 그렇지만 세계은행과 국제통화기금 같은 새로운 기관들은 우리네 정부들에게 민영화와 시장 개방을 강요하고 있습니다. 이건 새로운 식민주의입니다." 오르탕스가 어조를 더욱 높인다. "콩고에서는 정부가 우리와 상의도 하지 않은 채 외국 대기업들과 협약을 맺습니다. 가장 비옥한 땅이 농기업들 손에 넘어가고 있습니다. 농기업들은 이 땅을 유럽에 수출하기 위한 자트로파와 팜유 단일 작물 재배지로 바꾸고 있습니다." 오르탕스의 말에 브라질의 콘세이상 무오라가 맞장구를 친다. "농민들의 생활 방식은 원시적인 것으로 여겨집니다. 반면 단일 작물 재배가 도입되면서 현대화와 발전이 도래한다고 말들을 합니다. 하지만 현실은 이런 단일 작물 재배 때문에 농민들이 땅을 빼앗기고, 생물 다양성이 줄어들고, 지역 전체가 바뀐다는 겁니다." 안토니오 포치가 약간 다른 어조로 한 마디 덧붙인다. "이탈리아에서는 농지가 산업 지역과 주거 지역으로 바뀌고 있습니다. 고급 올리브유 산지로 유명한 농업 지역인 로마 근교의 사비나<sup>Sabina</sup>는 급속도로 수도의 변두리로 변하고 있습니다. 올리브 나무를 베어 내고 수백만 입방미터의 콘크리트를 쏟아 붓고 있는 겁니다. 나이든 농부들은 이렇게 자문합니다. '이제 콘크리트 더미에서 뭘 먹고 살지?'" 그의 말이 끝남과 동시에 네 사람이 교만한 남자의 면전에서 종이를 찢고, 다른 참가자들이 박수갈채를 보낸다.

이 광경이 10분 동안 펼쳐지는데, 그 사이에 홀에는 점점 사람들이 들어찬다. 예상치 못한 퍼포먼스에 대표단이 선잠에서 깨어난 것 같다. 바에 있는 테이블은 이제 빈자리가 없다. 수많은 관리들이 놀라움 반, 호기심 반으로 이 광경을 지켜보고 있다. 휴대품 보관소 직원들이 홀 끝 구석자리에서 더 잘 보이는 곳으로 나왔다. 중요한 고위 관리들이 도착할 것을 예상하고 조용히 바닥에 레드 카펫을 붙이던 노동자들도 작업을 중단하고 상당히 공감하는 표정으로 이 낯설고 유쾌한 집단을 지켜보고 있다. 이윽고 시위대가 또 다른 플래카드를 펼친다. '땅은 농민들의 것입니다.' 누군가 박수를 치기 시작한다.

세계식량안보위원회(Committee on World Food Security(CFS)● 회의장에 활기를 불어넣은 이 짧은 연극 작품은 땅뺏기 현상에 관한 빈약하나마 소중하고 인상적인 설명을 보여 주었다. 에티오피아에서 중요성과 함의가 드러난 거대한 전 지구적 경쟁은 실제로 아프리카의 뿔 지역에 있는 이 나라를 훨씬 넘어서 확대된다. 이 현상은 지구 전체 차원에서 퍼져 나가면서 각기 다른 파생 효과와 연결 고리를 수반하고 있다. 이 움직임에 관여하는 집단과 기관들은 최근까지만 해도 농업과 토지 개발에 몰두한다는 생각 자체를 전혀 한 적이 없었다. 이 현상의 주역들은 앞 장에서 논의한 사우디인들처럼 기초 식량 가격의 인상을 걱정하는 현금이 풍부한 각국 정부만이 아니다. 다른 집단들도 땅을 둘러싼 경쟁에서 주요 참가자로 부상하고 있다. 투기 펀드, 대규모 다국적기업, 연기금 등이 그 주인공이다. 식량농업기구 홀에서 본 투기꾼의 재킷에 붙어 있던 종이에 쓰인 모든 기관들이 이 경쟁에 뛰어들고 있다. 토지는, 이 새로운 투자자들이 구사하는 언어로 하자면, 투자 포트폴리오를 다변화하고 높은 수익을 보장하는 새로운 **자산**이다.

도대체 어떻게 해서 이런 확실하고 구체적인 재화가 하나의 금융 상품으로 전환되고, 그 결과로 실체를 잃고 심한 변동성을 가지게 되었을까? 이 모든 변화는 2007년 여름 서브프라임 모기지가 붕괴하면서 일어난 주식시장 위기와 함께 시작되었다. 붕괴 직후에 금융시장의 많은 행위자들이 수익을 창출할 수 있는 새로운 기회를 모색하기 시작했다. 그들은 금에서 원유, 그리고 옥수수와 밀 같은 기초 식량에 이르는 이른바 '안전 상품'에 투자하기 시작했다. 그들의 논리는 간단했다. 세계는 계속 먹을 테고, 세계 인구도 계속 늘어나리라는 것이었다. 식량이 점차 부족해질 것이고, 따라서 식량 가격은 끊임없이 오를 것이다. 식량농업기구의 예상에 따르면, '향후 40년 동안 세계 인구는 34퍼센트 증가할 것이다. 이 인구를 먹여 살리려면 농업 생산이 70퍼센트 늘어나야 한다.'••

상품 투자에서 토지 투자로 옮겨 가는 과정도 거의 자동적으로 이루어졌다. 주요 식량 농산물에 대한 투기─단기적인 이득만을 보장하며 여전히 주식시장의 등락에 취약하다─의 논리적 결과물은 토지에 투자하는 것이다. 철면피한 집단들이 이 부문을 침략하기 시작했다. 그들은 브라질과 아르헨티나, 인도네시아에서 농지 개발 관련 주식을 사들였다. 더 큰 리스크를 감수하는 이들은 앞뒤 가리지 않고 아프리카 시장으로 뛰어들었다. 이 시장은 안전은 보장하지 않지만 천문학적인 수익의 가능성을 제공하기 때문이다. 이 자금들은 때로 직접 현지에서 움직인다. 수출용 농산물이나 바이오 연료를 대규모로 재배해서 토지에서 높은 수익을 끌어내는 방법을 아는 숙련된 자금 관리자들을 찾는 것이다. 다른 경우에는 특별히 설립된 펀드(이른바 '사모펀드private equity fund') 지분을 사는 것으로 만족한다. 이 부문을 전문으로 하는 회사들이 운영하는 농업 사업에 투자하는 펀드가 주 대상이다. 이런 현상은 지난 5년 동안 놀랄 만한 성장을 기록했다. 전 세계에 걸친 토지 취득 프로젝트를 모니터하는 웹사이트•••를 운영하는 스페인의 비정부기구 그레인에 따르면, 2007년부터 현재까지 외국인 그룹이 최소한 4,500만 헥타르의 토지를 취득했다고 한다. 스페인 국토 면적보다 약간 작은 규모이다. 남한 전체 면적의 4.5배를 웃도는 넓이 _편집자 하지만 이 데이터가

---

● 세계식량안보위원회는 1970년대에 세계 식량 안보를 확보하는 데 초점을 맞춘 정책을 마련하기 위해 창설된 유엔 자문 기구이다. 로마에 있는 식량농업기구 본부에서 매년 회의를 연다. fao.org/cfs를 보라.

●● FAO, 'How to Feed the World in 2050', Rome, 2009(fao.org에서 열람 가능).

●●● farmlandgrab.org를 보라. 이 사이트는 몇 개 언어로 된 여러 문서를 자세하게 검토하며, 이제까지 알려진 토지 취득 계약이나 프로젝트를 분석한다.

불완전하다는 것은 거의 확실하다. 각국 정부 사이에, 또는 정부와 기업 사이에 비밀리에 협약 교섭이 이루어지는 경우가 다반사이기 때문이다. 임대료, 임대 기간, 기타 여러 조항이 들어 있는 협약 조건이 공개되는 일도 드물다. 관련된 나라의 국민들은 흔히 가령 해외 언론 보도 같은 통로를 통해 간접적으로 이 사실을 알게 된다. 2008년에 마다가스카르 정부가 대우와 조인한 천문학적인 협약이 대표적인 사례이다. 이 협약으로 한국의 다국적기업 대우는 99년 동안 마다가스카르 전체 농경지의 절반을 양도받아 옥수수와 팜유를 생산하게 되었다. 이 계약에 따르면, 고용을 창출하고 사회 기반 시설을 건설한다는 약속을 대가로 토지를 무상 임대한다고 한다. 『파이낸셜타임스』가 이 거래를 폭로하면서[*] 거리 시위가 일어났고, 불과 몇 주일 만에 마르크 라발로마나나Marc Ravalomanana의 인기 없는 정부가 무너졌다.[**]

마다가스카르의 사례는 협약의 규모나 협약이 야기한 정치적 결과라는 면에서 볼 때 예외적인 경우이다. 다른 많은 나라에서는 토지 임대나 양도가 조용하게 이뤄진다. 안정 통화를 찾는 정부와 큰 수익을 얻거나 필요로 하는 식량의 수입 통로 확보를 원하는 투자자가 밀실에서 거래를 하는 것이다.

## 그다지 세계적이지 않은 세계은행

이런 변화의 바람은 처음에는 개발도상국 농업 부문에 찾아온 은총으로 여겨졌지만-개도국들은 지난 20년 동안 거의 투자를 끌어들이지 못했다-이제는 해당 국가의 시민사회나 국제조직들 사이에서 커다란 우려를 불러일으키고 있다. 바로 이런 이유 때문에 10월의 비 오는 날에 로마에서 열리는 세계식량안보위원회 회의가 특별한 의미를 갖는다. 농업 부문 투자와 '토지 취득'-땅뺏기를 가리키는 다소 외교적인 표현—이라는 주제가 토론의 중심을 차지한다. 각국 정부에서 관리들이 와 있다. 식량농업기구와 세계은행의 전문가들도 있다. 그리고 세계 각지에서 온 농민 조직 대표들도 있다. 그들은 발언 기회가 별로 없지만 이 주제에 관해 분명하게 입장을 정한 상태다.

네 명의 성난 농민 중 하나인 헨리 사라기가 내게 자신들의 입장을 자세하게 설명해 준다. 나는 퍼포먼스가 끝난 뒤 그들에게 다가가서 내 소개를 했다. 그는 자신들이 벌인 퍼포먼스가 비교적 좋은 반응을 얻어서 흡족한 표정이다. 칭찬과 포옹을 받는 동안 만면에 미소를 짓는다. 그가 다른 활동가들 사이에서 지도자 역할을 하는 것처럼 보인다. 『가디언』이 선정한 '지구를 구할 수 있는 50인'[***]에 꼽힌 이 45세의 인도네시아인은 지난 몇 년 동안 비아캄페시나(Via Campesina. 농민의 길)의 사무총장을 맡았다. 비아캄페시나는 세계 각지의 다양한 농민 운동을 아우르는 협회이다. 이제까지 헨리는 힘든 싸움을 많이 치렀다. 그의 나라는 15년이 넘도록 다국적기업들의 공략 대상이었다. 다국적기업들은 특히 수마트라와 칼리만탄 지역에서 바이오디젤용 야자나무를 재배하기 위해 엄청난 규모의 땅을 사들였다.[****]

---

● 'Daewoo to Cultivate Madagascar Land for Free', *Financial Times*, 19 November 2008.

●● 라발로마나나의 뒤를 이은 안드리 라조엘리나[Andry Rajoelina] 대통령은 이 협약이 무효라고 선언했지만, 토지 임대 유예 선언까지 하지는 않았다. 실제로 2010년 11월 국민투표로 승인된 헌법은 '법률로 정한 방식에 따라' 외국인에게 토지를 임대하고 판매할 수 있는 가능성을 열어 두었다. 현재는 불안한 정치 상황 때문에 많은 토지 이전 프로젝트가 중단된 상태다. 해외 투자자들이 머뭇거리고 있기 때문이다. '마다가스카르의 토지를 지키기 위한 연합[Collectif pour la Déffense des Terres Malgaches]'의 사이트(terresmalgaches.info)를 보라.

●●● '50 People Who Could Save the Planet', *Guardian*, 5 January 2008.

●●●● 대규모 팜유 플랜테이션이 인도네시아와 말레이시아의 환경과 생물 다양성에 어떤 영향을 미치는지에 관해서는 Ian MacKinnon, 'Palm Oil: the Biofuel of the Future Driving an Ecological Disaster Now', *Guardian*, 4 April 2007을 보라.

3헥타르 넓이의 가족 농장을 가진 사람으로서 그는 여러 해 동안 농민들의 토지 이용권을 확보하려고 시도하면서 초국적기업들과 맞서 싸웠다. 그는 인도네시아 농민연합Indonesia Peasant Union의 동료들과 함께 행진과 시위를 조직했고, 토지 점거를 실행했다. 그가 전 세계 투사들의 최고천最高天, empyrean에서 대단한 명성을 쌓게 되자 『가디언』은 그가 벌이는 운동의 결과에 따라 '향후 20년 안에 동남아시아의 열대우림 지역이 50년 뒤에도 보존될지 여부가 결정될 테고, 또 많은 개도국의 정치적 미래가 좌우될 것'이라고 주장했다. *

헨리는 자신의 상징물인 검정색 전통 모자에 면 셔츠와 녹색 반다나 차림으로 전 세계를 팽이처럼 돌아다닌다. 대규모 국제 정상회담에서 농민들의 입장을 표명하고, 사회 포럼에 참여하고, 비아캄페시나의 사무총장으로서 자신이 대변하는 각각의 현실을 배우기 위해서다. 그의 침착한 말투는 대중 앞에서 발언할 때 빛이 난다. 언뜻 보면 말끔하게 다듬은 콧수염 때문에 무척 친절한 사람 같은데, 일대일로 이야기를 나눠 보면 상당히 거칠고 심지어 퉁명스러울 수도 있다는 걸 깨닫게 된다. 그는 질문을 받으면 솔직하고 기본적인 답변만 할 뿐 그 주제에 관해 더 설명해 주지 않는다. 언제든지 곧장 요점을 말한다. 그런데 오늘 그의 요점은 이런 것이다. 거대 국제기구들이 랜드 러시를 부추기고 있다는 것이다. "이 땅뺏기 현상은 세계은행이나 국제통화기금, 국제농업개발기금International Fund for Agricultural Development(IFAD), 식량농업기구, 유럽연합 같은 기관들이 장려하는 농업 관련 산업 모델에서 필수적인 일부분입니다. 이 기관들은 세계은행이 제안한 '책임 있는 농업 투자' 같은 수많은 모호한 원칙들을 만들어 냄으로써 농민들의 권리를 무도하게 침해하는 행위를 분명하게 정당화합니다." 사라기는 곧바로 문제의 핵심으로 나아간다. 거대 국제

기관들은 이 현상이 어마어마한 규모로 진행되고 있음을 깨닫고, 또 많은 경우에 농민들이 자신들의 땅에서 쫓겨난 사실을 인정하면서 토지 취득을 '도덕적으로 교화하는' 과제에 착수했다는 것이다. 국제기관들은 행동 규범을 작성하고, 가이드라인을 정했으며, 원칙을 정리했다. 하지만 이 모든 규칙은 본성상 구속력이 없다. 이 규칙들은 일종의 의지 표명으로서 개별 투자자나 정부가 따를지 말지를 결정할 수 있다. "이건 겉치레에 불과하다."고 헨리는 호되게 몰아붙인다.

사라기가 보기에 거대 국제기구들의 의지 표명은 속임수일 뿐이다. 세계은행이 어떤 역할을 하는지에 관한 그의 분석은 무자비하고, 그의 비난은 단호하다. "세계은행은 이 체제의 필수적인 일부분입니다. 세계은행의 금융 부문인 국제금융공사International Finance Corporation(IFC)는 토지 임대 협약을 장려합니다. 세계은행은 토지를 소유한 정부에 유리한 투자 환경을 조성하라고 필연적으로 압력을 가하지요. 그리고 안전성이 부족하다고 여겨지는 투자에 대해서는 보험의 형태로 보증을 제공하는 일도 많습니다."** 국제금융공사는 특히 여러 나라 정부에 의지해서 각종 제한을 폐지하고 재정 지원을 비롯한 여러 특권을 제공함으로써 투자자들에게 더욱 유리한 조건을 조성하게 만든다. 이 기관의 전문가들은 투자 대행 팀과 동반해서 여러 나라를 방문하고 있다. 한편 세계은행의 또 다른 부문인 다자간투자보증기구Multilateral Investment Guarantee Agency(MIGA)는 리스크가 점점 커진 투자에 보증을 제공하느라 분주하

---

● '50 People Who Could Save the Planet', *Guardian*, 5 January 2008.
●● 특히 아프리카에서 토지 취득을 장려하는 과정에서 국제금융공사가 어떤 역할을 하는지에 관해서는 다음의 보고서를 보라. Oakland Institute, '(Mis)Investment in Agriculture: The Role of the International Finance Corporation in Global Land Grabs', April 2010(oaklandinstitute.org에서 열람 가능).

다. 이 과정에서 사용되는 모델은 새로운 게 아니다. 세계은행은 이미 특히 아프리카에서 레소토나 우간다에 지은 댐처럼 대형 사회 기반 시설 프로젝트를 건설하거나 계획하면서 이 모델을 활용한 바 있다. 참조 모델은 공공-민간 파트너십이다. 이 모델에서는 대형 프로젝트 건설이나 물, 에너지, 토지 등 이미 공공이 맡고 있는 재화의 관리를 민간 사업체에 위탁한다.*

이런 접근법에서는 시장의 힘이 발전을 가져온다고 가정한다. 따라서 시장은 가능한 한 여러 압박으로부터 자유로워야 한다고 본다. 사라기는 힘주어 말한다. "바보같이 이 점을 착각하지 맙시다. 세계은행은 북반구가 남반구 민중을 상대로 벌이는 행동을 거울처럼 반영합니다." 여기서 이 농민 지도자는 커다란 모순을 부각시킨다. 세계은행은 이름과는 달리 국제기관 중에서 가장 대표성이 적다는 것이다. 세계은행 본부는 워싱턴에 있고, 미국 시민만이 총재가 될 수 있다. 결정은 표결로 이뤄지지만, 각 회원국은 세계은행 예치금 액수에 따라 투표권을 차등적으로 부여받는다. 그러므로 세계은행은 진정한 다자간 기구라기보다는 종종 부자 나라들이 가난한 나라에서 자신들의 정책을 실행하기 위해 휘두르는 공성 망치 노릇을 한다.

세계은행은 지금까지 오랫동안 이른바 구조조정 정책을 장려하면서 남반구 정부들이 상품과 서비스를 민영화하고 세계 시장에 문호를 개방하게 만들었는데, 이제는 빈곤 감축 전략 보고서Poverty Reduction Strategy Papers(PRSP)-국제 전문가들과 해당 국가 정부들이 빈곤을 감축하는 데 필요한 개혁 방안을 확정한 정책 문서를 가리키는 표현-를 내놓으면서 '빈곤 감축 전략' 실행에 초점을 맞추었다. 빈곤 감축 전략 보고서는 원래 협의 과정에서 시민사회를 참여시킴으로써 과거와 분명하게 단절하는 모습을 보여 주기로 되어 있었다. 그렇지만 세계은행이 모든 대출과 활동에 일련의 조건을 붙이는 점을 감안하면 이 접근법도 크게 다르지 않다. 이 조건들은 불가피하게 과거에 원성이 자자했던 구조조정 계획과 유사한 해법으로 이어진다. 물론 이제는 공공연하게 일방적인 방식으로 진행되지는 않지만 말이다. 세계은행의 임무는 빈곤을 줄이는 것이지만, 이 임무를 수행하는 방식은 아무리 좋게 말하더라도 종종 재앙을 가져왔다. 비아캄페시나를 비롯한 농민 협회들이 이 기구에 지독하게 반감을 품는 것도 바로 이런 이유 때문이다. 농민 단체들은 일반적으로 모든 국제기관에 반감이 있다. 대기업의 앞잡이에 불과하다고 보기 때문이다. "세계은행은 우리의 자원을 파괴하는 이 체제의 일부분입니다." 사라기가 열을 내며 말한다. "세계은행이 내세우는 책임 있는 투자라는 원칙도 힘 있는 자들이 위에서 내려보내는 거지요. 가난한 나라의 정부나 이런 투자로 고통 받는 사람들, 그러니까 농민이나 원주민, 어민, 양치는 사람들이 참여하지 않은 채 작성되는 거고요."

## 재주넘기의 걸작

세계식량안보위원회 회의의 논쟁 지점도 바로 이 부분이다. 거대 국제기관들은 당황한 듯 보인다. 그들은 개도국에 대한 농업 투자를 지지하지만, 이런 투자가 토지나 수자원 이용권, 지역사회의 해체, 생물 다양성 감소 등의 측면에서 미칠 수 있는 부정적인 결과를 무시하지 못한다. 대규모 투자는 주로 수출용 단일 작물 재배를 위한 산업형 단지를 세우는 방식으로 이루어지기 때문이다. 그러므로 역설적으

● 이런 프로젝트에서 세계은행이 어떤 역할을 하며 일반적으로 어떤 방식으로 움직이는지에 관한 분석으로는 이탈리아의 비정부기구인 세계은행개혁캠페인(crbm.org)'이 펴낸 각종 보고서와 이 단체의 두 성원이 쓴 다음의 책을 보라. Luca Manes and Antonio Tricarico, *La banca dei Ricchi. Perché la World Bank non ha sconfitto la povertà*, Rome: Terre di Mezzo 2008.

로 많은 경우에 대규모 투자는 결국 땅을 내준 나라의 식량 주권을 한층 더 해치는 결과로 이어진다.

이런 모순의 함정에 빠진 국제기구들은 조건부 승인 전략을 채택하는데, 그 결과 이 기구들은 종종 검은 걸 희다고 고집한다는 인상을 풍긴다. 손꼽히는 사례 하나가 세계은행이 이 주제에 관해 작성한 보고서이다. 이건 정말 재주넘기의 걸작이다.* 장황한 논의와 몇 차례의 언론 유출을 거친 뒤 발표된 보고서는 모순투성이어서 각기 다른 수많은 방식으로 해석되었다. 이런 해석 중에는 서로 완전히 대립되는 경우도 있다. 처음 보고서가 발표되었을 때 일부 언론에서는 '세계은행이 농업 협약에 찬성한다.'고 주장한 반면, 다른 언론에서는 세계은행이 '소농들의 토지 이용권을 위험에 빠뜨린다는 점을 들어 이런 협약을 비난한다.'고 단언했다.** 언론인들이 갑자기 정신을 잃은 게 아니었다. 이런 두 주장 모두 보고서에 등장한다. 한편으로 보고서는 '관련된 지역이 워낙 넓고 국가기관이 허약한 비교적 소수의 나라들에 집중되기 때문에 이런 투자는 위험할 수밖에 없다.'고 주장한다. 다른 한편, 보고서는 투자자들이 자본이 부족한 나라의 농업 발전을 새롭게 개시하고 소농들을 위해 생산성을 크게 높일 수 있다는 점을 감안하면, '이런 위험은 기회로 바뀔 수 있다.'고 말한다.*** 세계은행은 이런 가정에 입각해서 '책임 있는 농업 투자 responsible investment in agriculture(RAI)'를 위한 몇 가지 원칙을 작성해서 발표했다. 이 나라들의 식량 주권을 해치지 않아야 한다는 점과 함께, 지역사회가 참여하는 투명한 협약에 대한 요구, 토지 이용권과 관련된 기존 권리-이런 권리는 서류상으로, 법적으로 정해진 게 아니라 관습인 경우가 많다-의 존중 등이 대표적인 원칙이다.**** '책임 있는 농업 투자' 원칙은 세계은행 관리들이 자신들의 입장을 방어하고 연속성의 분위기를 풍기기 위해 던지는 일종의 농담이다. 투자에는 찬성하지만 책임 있는 방식으로 해야 한다. 발전은 해야 하지만 공익을 위해 해야 한다. 대규모로 생산을 하면서도 토지나 물 이용권, 또는 생명 다양성을 방해하지 말라. 모두 무척 매력적이고 칭찬할 만한 원칙이지만 실제로는 일반적으로 적용되지 않는다. 세계은행에서 식량 안보 문제에 관해 오랫동안 일한 어느 관리는 다른 국제회의의 구석 자리에서 '비공개를 전제로' 걱정스럽게 내게 말한다. "말은 참 좋지요. 하지만 사실을 말하자면, 우리는 빵을 주지만 같이 먹을 건 아무것도 주지 않는다는 겁니다."[•••••]

## 귀머거리들의 대화

식량농업기구 건물 3층에서는 정상회담 중에서 가장 북적북적한 총회가 진행 중이다. 총회 주제는 '국제적인 농업 투자'다. 거대한 회의실에 대표단이 모여 있다. 존경 받는 대사들, 농업 장관 몇 명, 식량농업기구 관리들과 농민 조직 성원들이

---

[•] World Bank, 'Rising Global Interest in Farmland: Can it Yield Sustainable and Equitable Benefits?', Washington DC, September 2010(www.donorplatform.org에서 열람 가능). 세계은행 보고서에서 사용한 방법론에 대한 비판으로는 'World Bank Report on Land Grabbing: Beyond the Smoke and Mirrors', Grain, September 2010(grain.org에서 열람 가능)을 보라.

[••] 보고서가 발표된 뒤 『파이낸셜타임스』는 '세계은행이 농업에 대한 투자를 지지한다'고 주장했다(Javier Bias, 'World Bank Backs Investments in Global Farmland', *Financial Times*, 7 December 2010). 한편 블룸버그 통신은 이런 협약 때문에 토지 이용권에 대한 지역의 통제가 위험에 처한다고 말하는 선에서 그쳤다. Sandrine Rastello, 'Large Land Deals Threaten Farmers', Bloomberg, 8 September 2010(bloomberg.com에서 열람 가능).

[•••] World Bank, 'Rising Global Interest in Farmland: Can it Yield Sustainable and Equitable Benefits?', 102~3쪽.

[••••] '책임 있는 농업 투자' 원칙의 자세한 목록에 관해서는 responsibleagroinvestment.org를 보라.

[•••••] 남반구에서 가장 활동적인 농민 조직들이 '책임 있는 농업 투자' 원칙에 관해 분명하게 제기하는 비판에 관해서는 viacampesina.org를 보라.

다. 총회는 유엔의 여러 기관, 세계은행, 몇몇 연구소의 대표자들이 수많은 짧은 발표를 하는 것으로 시작된다. 몇 사람은 파워포인트를 이용해서 발표한다. 다른 이들은 미리 준비한 연설문을 읽는다. 또 다른 이들은 기계적으로 암기해서 발언한다. 모두들 자기가 하고 싶은 말을 하고, 앞선 발표자의 견해에 많은 시간을 할애하지 않는다. 식량농업기구와 국제농업개발기금, 세계은행의 대표자들은 몇 가지 사소한 차이가 있긴 하지만 각 기구의 입장을 제출한다. 투자가 필요하지만 책임 있는 방식으로 이루어져야 한다는 것이다. 다들 공공 기관들에서 반복적으로 사용하는 똑같은 언어를 구사한다. **상생하는** 결과를 만들기 위한 조건을 창출해야 한다는 것이다.

식량농업기구의 고위 관리는 이렇게 말한다. "공공 기관은 국민들에게 가장 큰 잠재적인 이익을 거둬들이기 위해 어느 지역에 우선적으로 농업 투자를 끌어들여야 하는지를 확인해야 합니다." 뒤이어 동아프리카 농민연맹Eastern African Farmers Federation 의 대표자가 힘찬 목소리로 '민간 사업체의 토지 매점을 조장하는 각국 정부'를 비난한다. "민간 회사들이 들어와서 우리 땅을 약탈할 수 있는 상황을 조성한 게 바로 각국 정부이기 때문입니다." 회의장에 있는 에티오피아 정부 같은 당사국 정부는 대꾸도 하지 않는다. 계속해서 회의장이 일반에 공개된다. 회의 자체는 똑같은 구성으로 진행된다. 신중하게 계획된 것처럼 보이는 교차 순서에 따라 기관의 논의에 뒤이어 시민사회의 논의가 이어지는 식으로 계속된다. 정중한 결투를 보는 것 같다. 워낙 예의를 차리느라 결투자들끼리 상대방을 건드리지도 않는다. 어느 누구도 다른 사람의 말을 들먹이지 않는다. 눈을 마주치는 일도 거의 없다. 모두들 각자의 입장을 굳건히 고수한다. 농민 조직의 대표자들은 토지를 헐값에 팔아 치운다고 이야기하는 반면, 국제기관과 정부 관계자들은 농업 투자에 관해 이야기한다. 농민 조직 사람들은 '도둑질', '신식민주의', '권리 침해' 같은 표현을 사용한다. 반면 국제기관과 정부 사람들은 '기회', '발전', '생산성'을 거론한다. 상충하는 두 모델이 대치하는 중이다. 거대 기관들이 지지하는 모델은 대형 민간 사업체들에 의지하고 있다. 이 사업체들이 생계 수준을 겨우 면하는 농업 부문에서 대규모 생산을 새롭게 개시할 수 있다고 믿기 때문이다. 반면 농민 조직들이 주장하는 모델은 토지에 대한 권리 존중을 요구하며 공적 투자를 호소한다.

이 둘은 단순히 서로 다른 발전 모델일 뿐만 아니라 서로 다른 문화 모델이기도 하다. 첫 번째 모델은 지구를 단순하게 점점 늘어나는 세계 인구를 먹여 살리기 위해 산업 차원의 생산을 하는 장소라고 본다. 두 번째 모델은 들판의 생활 전통, 대지와 인간의 관계, 몇 백 년에 걸쳐 전해 내려온 전문적 농사 기술 등을 옹호하며, 땅을 개발해서 이용하는 데만 관심이 있는 거대한 단일 작물 재배 개념을 거부한다. 첫 번째 모델은 도시 세계와 급증하는 도시 인구를 먹여 살릴 필요성을 판단 기준으로 삼는다. 반면 두 번째 모델은 농촌에 굳게 뿌리를 둔다. 첫 번째 모델을 신봉하는 이들이 보기에 나머지 사람들은 근대화에 완강하게 반항하면서 이제는 존재하지 않는 세계를 옹호하는 시대착오적인 야만인 종자들이다. 두 번째 집단의 시각에서 보면, 상대방은 대화가 무의미하며 그저 전력을 다해 저항해야 할 괴물일 뿐이다. 이 두 집단의 판단 기준은 서로 다를 뿐만 아니라 정반대이고 화해가 불가능하다. 어떤 대가를 치르더라도 투자를 해야 한다고 주장하는 이들은 '녹색혁명'을 자랑스럽게 내세운다. 1960년대와 1970년대에 신기술(잡종 종자에서부터 비료와 살충제에 이르기까지)이 도입되면서 아시아에서 생산이 비약적으로 늘어난 녹색혁명

말이다. 농민 조직들은 이 혁명으로 인도 농촌에서 전례 없는 규모의 자살 파동이

인 것은 말할 것도 없고 결국 거대 농산업 그룹들이 막대한 권력의 지위에 올라서

는 결과만 생겼다고 대꾸한다. 투자를 지지하는 쪽은 유전자 변형 농산물(GMO)에

적극적으로 찬성한다. 농민 대표들이 보기에 유전자 변형 농산물은 그들의 들판을

감염시키는 종양일 뿐이다.

## 아주 특별한 보고관

도저히 양립할 수 없는 이 두 입장을 중재하는 대단히 어려운 역할을 맡은 주인공

은 샌님 같은 분위기를 풍기는 벨기에 법학 교수이다. 작은 키에 숱이 빠지는 머리

카락, 둥근 안경이 인상적인 얼굴의 올리비에 드 슈터Olivier De Schutter는 어딘가 모르

게 벨기에 만화 주인공 탱탱Tintin을 닮았다. 그는 확실히 두려움을 모르고 지구를

누비는 탱탱 기자와 체격이 똑같을 뿐만 아니라 신중한 태도와 재치도 똑같다. 그

는 멍한 척, 조용하면서도 설득력 있게 자신의 주장을 제시하며, 주변의 모든 사람

이 소리를 지를 때도 자신의 주장을 이해시킬 수 있다. 유엔 식량권 특별 보고관인

드 슈터는 식량 위기가 최고조에 달한 2008년에 이 역할을 맡았다. 사람들이 온통

곡물 가격 급등과 식량 폭동에 관해 이야기하던 때에 세계 무대에 등장한 그는 굉

장한 능력을 보였으며, 이 재앙을 일으킨 주된 원인이라고 보는 현상에 대해 기회

가 될 때마다 비난을 퍼부었다. 바이오 연료 개발 및 그와 관련된 금융 투기가 비난

의 주요 대상이었다. 토지 취득에 관해서는 몇 차례 대단히 유보적인 태도를 나타

냈다. 그런 까닭에 농민 조직들 사이에서 상당한 존경을 누리고 있다. 세계식량안

보위원회 정상회담이 열릴 때면 갑자기 곳곳에서 그에게 참석해 줄 것을 요청하는

것 같다. 대화와 회의의 확고한 옹호자이며, 따라서 그는 엄청나게 혹사당하고 있다. 식량농업기구 건물 홀에서 그를 인터뷰하고 있는데, 두 차례나 대화가 중단됐다. 동료들이 식량 투기에 관해 논의 중인 회의에 빨리 참석하라고 애원했기 때문이다. "아주 민감한 회의거든요." 그는 자리를 뜨면서 변명처럼 이야기하고는 나중에 문서를 보내 주겠다고 약속한다. 그러면서 다른 질문이 또 있으면 언제든 이메일을 보내라고 당부한다.

드 슈터는 자신이 국제법을 강의하는 벨기에의 작은 대학 도시인 로바니오<sup>Lovanio</sup>에는 거의 들르지 않는다. 대개 전 세계를 돌아다니면서 자기 분야의 일을 하거나 평가 회의에 참석한다. 그가 맡은 역할을 독특하다. 그는 유엔 관리들에 비해 상당히 많은 표현의 자유를 누린다. 그의 견해는 특수한 기능을 수행하도록 요청받은 독립적 전문가의 견해이다. 그는 정말로 '특별한 보고관'이다. 그의 전임자로 스위스의 연방의원이자 저술가인 장 지글러<sup>Jean Ziegler</sup>는 농산 연료를 '대량 살상 무기'에 비유하는 등 수많은 독설로 이름을 떨쳤다. 드 슈터의 스타일은 확실히 한결 침착하다. 그는 어떤 효과를 노린 표현을 사용하지는 않지만, 그렇다고 해서 통렬함이 줄어드는 것은 아니다. 그는 좀 더 학문적으로 접근하면서 유엔의 다른 기구들이 기아와 영양실조 문제를 다루는 방식을 비판한다. "국제기구들은 흔히 기아를 생산이나 접근성의 문제로 봅니다. 이런 이유 때문에 식량농업기구는 생산 증대를 장려하고, 세계식량계획<sup>World Food Programme</sup>은 기근이나 흉작, 기타 위기 상황 때문에 특별히 필요할 때 식량을 배급합니다. 다른 한편, 제가 보기에 기아가 발생하는 주된 이유는 차별과 주변화입니다. 그리고 각국 정부가 국민들의 요구에 충분히 관심을 기울이지 않고 기아를 누그러뜨리기는커녕 오히려 늘리는 정책을 채택한다는 사실도 한몫을 하지요." 드 슈터는 국제 투자자들에게 토지를 무차별적으로 임대하는 것도 이런 정책 가운데 하나라고 공공연하게 단언한다. 이 투자자들은 투자 대상국의 식량 안보 따위에 거의 관심이 없기 때문이다. 몇 번 중단된 인터뷰를 하는 동안 그는 최근 상황을 종합적으로 자세히 그려 주면서 논의를 어지럽게 만드는 많은 모순들을 강조한다. "식량농업기구의 추산에 따르면, 활용 가능한 토지가 4억 헥타르 존재하는데, 그 중 2억200만 헥타르는 사하라 사막 이남 아프리카에서 찾을 수 있습니다. 문제는 '활용 가능한 토지'로 간주되는 땅이 평방킬로미터당 주민이 25명 이하인 땅이라는 겁니다. 이 땅은 대개 유목을 하는 소농들이 사용하고 있습니다. 이 유목민들은 자신들이 생존을 의지하는 땅에 대한 법적 권리증서가 없기 때문에 쫓겨난다 하더라도 법에 호소할 수 없어요. 이 '활용 가능한 토지' 개념은 사실 조작하기 쉽습니다." "그러면 실제로 지금 양도되는 땅이 현재 사용 중인 땅이라는 겁니까?" "사례별로 각각의 상황을 검토해야 합니다. 제가 보기에는 대체로 우리가 아주 역설적인 상황에 직면해 있다는 사실을 강조할 필요가 있습니다. 한편에서는 계속해서 인구가 증가하고 농촌 지역에서 농민들이 경작하는 땅이 점점 작아지고 있으며, 다른 한편으로는 2억 헥타르의 활용 가능한 토지가 있다고 말들을 합니다. 이 모든 활용 가능한 토지가 정말로 존재한다면, 우선 과제는 이 땅을 누구에게 주어야 하는지를 결정하는 일입니다. 하지만 이런 질문은 금기가 됐습니다. 대규모 투자 때문에 말입니다. 적절한 토지개혁을 해서 소농들에게 땅을 분배하고 체계적인 융자로 소농들의 생산성을 높이는 대신 거대 투자자들에게 땅을 넘겨줍니다. 이 투자자들은 토지 이용권만이 아니라 물 이용권도 위협합니다. 그리고 소농들을 일용직 노동자나 계절노동자로 전락시켜서 결국 도시 빈민의 대열만 늘어나게 되지요." 이런 접근법을 감안할 때, 드 슈터가 세계은행이 장려하는 '책임 있는 농업 투、자' 원칙에 극도로 비판적인 것도 놀랄 일은 아니다. "이 원칙에 따르면 모든 정부는 두 가지 선택지 중에서 하나를 골라야만 합니다. 투자자를 환영하거나, 환영하지 말거나 하는 거지요. 그런데 사실 진짜 문제, 진짜 선택은 이런 겁니다. 우리는 소규모 가족농에 투자하고 토지를 분배하고 사회 기반 시설을 건설하고 저장 시설을 제공해야 하는가, 아니면 대규모 플랜테이션에 의지해야 하는가? 이 질문이 중요한데 아무도 답하지 않습니다. 이 질문을 던지는 순간 토지개혁 문제가 떠오르고, 또 거대 투자자들에게 시장을 개방해서 정부가 얻는 이득이 사라지기 때문입니다. 단기적으로는 당장 손에 쥐지만 장기적으로 생산성을 해칠 수 있는 이득 말입니다."

드 슈터는 자신이 직접 원칙 목록을 작성해서 유엔 인권이사회에 제출했다.[*] 그가 만든 목록은 세계은행의 것과는 사뭇 다르다. 그는 대규모 농업 투자가 반드시 유익한 것이라는 전제에서 출발하지 않는다. 사실 그는 매우 엄격한 일련의 조건을 정한다. 해당 지역에 있는 지역사회의 동의 없이는 토지를 양도하지 못한다, 투자는 현지 주민들에게 이익이 되어야 한다, 투자를 통해 고용이 창출되어야 한다, 투자 때문에 해당 국가의 토지 이용권이나 식량 주권이 방해받아서는 안 된다, 등이 그것이다. 또한 농산물의 일정 비율은 지역 시장에 판매해야 하며, 농산물의 국제시장 가격이 일정 수준을 넘어서면 미리 합의한 증가율에 따라 이 비율을 늘릴 수 있어야 한다.

드 슈터는 대규모 단일 작물 재배나 산업형 플랜테이션만을 판단 기준으로 삼

● srfood.org/images/stories/pdf/otherdocuments/20090611_large-scale-land-acquisitions-en.pdf를 보라.

지 않는 특별한 농촌 발전 개념을 장려하기 위해 분투하는 중이다. 그는 자신이 작성한 각종 보고서를 유엔 총회에 제출하고, 식량 안보에 관한 모든 정상회담을 도우며, 각국 정부와 관리들에게 조언을 해 준다. 하지만 그가 작성한 목록은 의지의 선언일 뿐이며, 어느 누구도 제약하지 않는다. 자신에게 이 특별보고관은 국제 투자에 관한 식량농업기구 총회의 회의장에서 정상회담 자체에 본질적인 약점이라고 보일 만한 사실을 폭로한다. "이 자리에는 각국 정부와 농민 조직, 국제기관들이 모여 있습니다. 혹시라도 이 회의실에 민간 부문의 대표자들이 계십니까? 여기 민간 투자자가 계시다면 손을 들어 주십시오." 아무도 손을 들지 않는다. 회의실이 침묵에 휩싸인다. 토지에 투자하기로 결정한 사람들은 다른 곳에 있다.

## 월스트리트와 농장을 잇는 길

한 달 뒤 제네바에서 이런 민간 투자자 몇 명을 겨우 만나게 된다. '글로벌애그인베스팅 유럽Global AgInvesting Europe'이라는 명칭이 붙은 으리으리한 회의장이다. 식량 산업에 정보 및 통신 서비스를 공급하는 일을 전문으로 하는 미국 기관인 소이어테크Soyatech와 컨설팅 기업인 하이퀘스트 파트너스HighQuest Partners가 이 2일짜리 회의를 조직했다. 기업가, 식량 산업 거래상, 농업 부문 진출에 관심이 있는 금융 지주회사 경영자 등이 주요 참석자다. 회의는 최고급 행사다. 이틀 입장료가 1,995달러인데, 비영리 기관에서 온 사람들은 995달러로 할인해 준다.

소이어테크의 홍보 담당자와 지루하게 교섭을 한 끝에 나는 겨우 언론인 출입증을 손에 쥐었다. 전화 통화와 이메일을 주고받고, 예전에 쓴 기사와 경력 소개를 보내 주고서야, 내 성격과 전문성까지 만족스럽게 보장을 받았다. 나는 출입증 덕분에 회의뿐만 아니라 칵테일 모임, 오찬, 만찬 등 각종 부대 행사에도 공짜로 참석할 수 있었다. 첫날 아침 이른 시간에 인터콘티넨탈로 내려갔다. 행사가 열리는 도시 외곽의 고급 호텔이다. 안내 이메일에는 참석자들에게 **비즈니스 캐주얼** 차림을 하라는 조언이 있었는데, 약간 모순적이라는 생각이 들었다. 나는 미국 드레스 코드 체계의 미묘한 점들에 능숙하지 않기 때문에 실패의 확률을 줄이기 위해 캐주얼보다는 비즈니스에 중점을 두기로 했다. 우아한 화이트셔츠에 검은색 모직 바지와 넥타이 차림이다. 그런데 막상 회의장에 도착해 보니 미국에서 비즈니스 캐주얼이란 기본적으로 '내키는 대로 입으시오.'라는 의미이다. 넥타이를 한 사람도 있고, 나비넥타이를 과시하는 사람도 있다. 어떤 사람들은 간단한 셔츠 차림이다. 반바지에 긴팔과 운동화를 걸친 사람도 있다. 나와 비슷한 옷차림이 제일 많아서 자연스럽게 섞여 들어갈 것으로 기대됐다. 하지만 얼마 지나지 않아 이런 기대가 실망으로 바뀐다. 주변 사람들이 전부 목에 커다란 직사각형 플라스틱을 달고 있어서 곧바로 신원이 드러난다. 나도 접수처로 가서 내 이름표를 받는다. 미국식으로 성이 아니라 이름이 적혀 있는데, 잘못된 대문자로 되어 있다. 'STEPHANO'. 이름 밑에는 작은 글씨로 성과 직책이 적혀 있다. 이내 이름표 색깔로 사람들이 구분된다는 생각이 머리에 떠오른다. 파란색은 발표자고, 녹색은 후원자, 자주색은 돈을 내고 입장권을 산 사람, 검은색은 주최 측, 나를 비롯한 몇 안 되는 동료들이 차고 있는 빨간색은 언론인이다. 이름표는 중요하다. 자기 신분을 표시하는 것이기 때문에 항상 착용하고 있어야 한다. 누구든 말을 걸기 전에 상대방 이름표부터 본다. 어떤 사람을 상대하는지, 그리고 만약 대화를 한다면 얼마나 많은 시간을 할애할 만한 사람인지를 알기 위해서다. 그리고 여기서는 모든 사람이 서로 대화를 한다.

이 이틀은 특히 사람들을 만나기 위해 열린 연줄 만들기 행사다. 누구도 낯을 가리거나 마지못해 하는 기색이 없다. 참석자들은 물론 연설을 들으려고 이 자리에 왔지만, 대부분 연줄을 만들고, 사업상의 연계를 맺고, 서로 편안한 관계를 형성하기 위해 온 것이다. 모두들 친절한 악수로 서로를 맞으며, 곧바로 자동적으로 명함을 교환한다. 참석자들은 폐쇄 회로에 속해 있다는 인상을 풍기며, 마치 함께 모험을 떠나는 동료들처럼 행동한다. 목에 두른 이름표는 한 집단에 속해 있다는 표시이자, 옆에 있는 낯선 사람과 말문을 트는 데 필요한 일종의 여행 준비물이다. 옆 사람은 사실 낯선 사람이 아니라 당신이 속한 공동체의 성원이며 단지 아직 서로 인사를 하지 않았을 뿐이다.

회의장에 들어선다. 가득 차 있다. 전부 합쳐 300명 정도 돼 보인다. 회의장 반대편에 있는 장막에 붙은 회의 상징물이 눈에 들어온다. 방금 추수를 마친 탁 트인 들판에 밀을 베어 묶은 단 대신 100달러 지폐 묶음이 놓여 있다. 전달하려는 메시지가 분명하고 직설적이다. 이 회의 덕분에 당신들은 손쉽게 농산물을 현금으로 바꿀 수 있다는 말이다. 분위기는 무척 화기애애하다. 10분 만에 이미 근처에 있는 모든 사람과 인사를 나누었다. 미국인인 드루는 뉴욕에 있는 헤지펀드에서 일하지만, 지난 몇 년 동안은 아일랜드에서 살았다. 그는 자세히 얘기하지는 않지만, '향후 몇 달 동안 추진할 거래에 필요한 정보를 얻으려고' 왔다. 브라질인인 카를로스는 자기 나라에서 투자 펀드를 운용하는데, 무엇보다도 '파트너를 찾기 위해서' 여기 왔다. 프랑스인 피에르는 아랍에미리트연합의 금융 그룹 대표다. 그의 회사는 '아직 토지에는 투자하지 않았다. 그 때문에 이 자리에 왔다.' 회의장 끝에는 다른 참석자들과 좀 떨어져서 러시아 사업가들이 모여 있다. 눈에 띄는 두 가지 단서로 그들의 국적을 알아볼 수 있다. 이른 아침인데도 술을 많이 마시고, 여자들이 줄줄이 늘어서서 말하는 모든 내용을 통역한다. 러시아인들이 개방적이지 않은 것은 언어 장벽 때문만은 아니다. 그들은 자기들끼리 있는 것을 좋아하며, 필요한 정보만 기록하고 몇 군데 회의만 선별해서 참석한다.

행사 주최 측에서 짧게 소개하면서 모든 사람을 환영한다. 목소리에 힘이 없고 키가 작은 대머리 남자가 발언권을 얻어서 억지웃음을 지으며 양해를 구한다. "유럽 친구 여러분, 우리는 미국식으로 아침 8시 30분에 일을 시작합니다." 하이퀘스트파트너스 대표인 헌트 스투키Hunt Stookey가 앞으로 48시간 동안 논의할 내용을 2분 만에 요약 설명한다. "친구와 동료 여러분, 제네바에 오신 걸, 그리고 유럽에서 처음 열리는 농업 투자 회의에 오신 걸 환영합니다. 북미 바깥에서 처음 여는 회의에 이렇게 많은 분이 참석하신 걸 보니 기쁘기 그지없습니다. 2년 동안 헤드라인에서 눈에 보이지 않다가 이제 다시 식량과 농업이 뉴스에 등장했습니다. 러시아의 밀 흉년 효과가, 줄잡아 말해도 실망스럽다고 할 수밖에 없는 미국의 옥수수 흉년 효과와 겹쳤습니다. 이 부문에서 매일 일하는 우리들이 보기에 이런 사실은 전혀 놀랄 일이 아닙니다. 우리는 이런 결과를 예상하고 있었고, 단지 시간의 문제였을 뿐입니다. 기본 식량 생산물의 세계 시장은 가까운 장래에 공급 부족 사태에 직면할 수밖에 없습니다. 인구 증가, 개도국의 동물 단백질 수요(사료 수요 포함), 바이오 연료 등의 요인이 결합해서 거침없는 수요 증가를 낳고 있습니다. 한 번의 흉작이면 전 지구적 위기를 초래하기에 충분합니다. 이 모든 이유 때문에 농업 부문은 여러분이 투자할 만한 무척 전도유망한 부문입니다. 우리가 확신하는 것처럼 최근의 추세가 계속된다면, 앞으로 수천억은 아닐지라도 수백억 달러가 토지로 몰릴 게 뻔하다고 말씀드릴 수 있습니다. 우리 프로그램을 통해 여러분은 어떤 선택이 최선인지를 이해하는 데 도움을 받으실 겁니다. 이미 이 부문에 투자한 경험이 있는 사람들과 펀드 매니저들, 오랫동안 농업 시장의 추세를 연구해 온 저명한 연구자들과 경영자들이 길잡이가 되어 줄 겁니다."

이 프로그램에는 여러 부류의 이야기가 포함된다. 대학교수들은 왜 세계가 기아 때문에 붕괴하기 직전인지, 그리고 왜 토지가 새로운 투자 대상인지를 설명할 것이다. 투자 펀드 매니저들은 펀드 가입자들에게 열려 있는 막대한 수익을 자랑할 것이다. 나라별 위험도, 소유권 제도, 노동 비용 등 세계 여러 지역의 토지 투자가 갖는 장점과 단점도 자세하게 분석해 줄 것이다. 다소 초현실적인 분위기다. 발표자들은 거의 전부가 월스트리트의 거장이나 총아로서 골드만삭스나 모건스탠리 같은 곳에서 일하다가 지금은 독립해서 농업 투자 부문에 도전하는 사람들이다. 이 금융업자들은 수확, 밭 갈기 및 씨 뿌리기 방식, 관개 시스템 등의 생산성을 분석한다. 미국 대형 헤지펀드 관리자는 이렇게 말한다. "우리는 월스트리트와 농장을 잇는 길 사이의 간극을 메우고자 합니다. 월스트리트나 런던의 시티 City. 런던의 금융 중심지 _옮긴이 에서 밀을 기를 수는 없는 노릇이니까요." 그는 이런 생각을 한층 분명히 설명하기 위해 파워포인트 프레젠테이션을 활용한다. 화면에서는 우선 뉴욕 증권거래소의 객장이 보이고, 다음에는 세계 어딘가의 농장이 나왔다가 마지막으로 이제까지 서로 너무 멀었던 이 두 우주를 연결하는 비포장도로가 나타난다. "이 길에 나서는 사람은 누구든지 엄청난 도전과 현저한 수익이라는 이득을 거둬들일 겁니다." 관리자의 호언장담에 운집한 사람들은 박수갈채로 화답하면서 예정된 휴식 시간으로 생각을 돌린다.

## '물은 새로운 개척지입니다'

한편 호텔 앞에서는 지구를 주무르는 '기아의 상인들hunger merchants'에 항의하기 위해 소수의 시위대가 모여들었다. 대단히 스위스다운 방식이다. 참가자들은 인도에 거의 일렬로 질서정연하게 줄을 서 있다. 미리 정한 순서에 따라 한 번에 한 사람씩 확성기로 발언을 한다. 경찰이 호텔 입구 쪽에 차단선을 친 상태다. 굳이 그럴 필요가 없어 보이는데도 말이다. 시위대는 전혀 호전적이지 않다. 소이어테크의 이사 중 한 명이 밖에서 담배를 피우면서 시위대를 구경하고 있다. 혐오와 동정이 뒤섞인 표정이다. 이윽고 그가 내게로 오더니 슬쩍 내 이름표를 본다. "언론인이군요? 이 시위에 대해 어떻게 생각하십니까?" "모르겠네요. 어떤 사람들이죠?" 나는 인터넷에서 시위 동원령, 아니 연좌 농성 소식을 들었지만 시치미를 뗀다. "팜랜드그랩Farmlandgrab에서 온 친구들입니다. 항상 우리를 공격하는 활동가 웹사이트죠. 그들은 우리를 '토지 매점꾼'이나 '자본주의의 종복'이라고 부르지만, 자기들이 진보를 거스르는 세력이라는 건 이해하지 못합니다. 그들은 우리가 사람들의 땅을 훔친다고 말하는데, 사실 우리가 하는 일은 기술을 도입하고, 아무도 투자하지 않는 부문에 투자하고, 생산성을 높이는 겁니다. 그들은 이 점을 이해하지 못하지요. 그들은 모든 걸 지금 그대로 놔두고 싶어 해요. 사람들이 굶어죽고 있는데 말입니다." 제네바 회의에서도 **상생하는 결과**라는 미사여구가 주문처럼 울려 퍼진다. 이 자리에 모인 경영자들이 전염병처럼 피하려는 게 하나 있다면, 그것은 바로 그들이 빈곤을 투기의 대상으로 삼는다고 비난하는 신문 헤드라인이다. 이 때문에 그들은 자신들의 투자가 '세계를 먹여 살리기 위해' 대단히 중요하다고 역설한다. 이 때문에 그들은, 대개 두 자리 숫자의 수익을 거둬들일 수 있다고 자세히 나열한 뒤, 툭하면 '사회적·환경적 책임'을 입에 올린다. 또 이 때문에 그들은 '어떻게 하면 책임 있게 농업에 투자할 수 있을까'라는 주제 아래 토론회를 조직했다. 이 토론회에는 무차별적으로 뻗어나가는 농업 투자의 현재 추세에 비판적인 많은 학자들이 초청받았다. "이걸 맨 마지막에 배치한 건 우연의 일치가 아니지요." 옆에 있던 드루가 입을 연다. "이건 해야만 했어요. 하지만 사실 나를 포함해서 모든 참석자가 여기 온 건 한 가지 이유 때문입니다. 쉽게 돈을 벌 방법을 알려는 거지요."

그런데 쉽게 돈을 벌려면 식량 부족 사태에 내기 돈을 걸어야 하고, 시스템의 오류를 교묘하게 활용해야 한다. 이른 오후에 우리 친구인 스투키가 단상 위로 올라가서 미국 옥수수 수확 추정치를 발표한다. 미국 농무부에서 방금 전에 공개한 수치이다. "친구와 동료 여러분, 올해 수확은 좋지 못할 겁니다." 그가 흡족한 표정으로 말하자 진심에서 우러난 박수갈채가 쏟아진다. 흉작 때문에 옥수수 가격이 올라갈 테고, 도미노 효과로 다른 모든 식량 상품의 가격도 올라가면 회의장 안에 있는 여러 집단에 수익이 발생할 것이다. 이 투자자들은 세계를 먹여 살리고 싶다고 주장하면서도 식량 부족 사태에 기뻐한다. 식량 부족 덕분에 더 많은 돈을 벌 것이기 때문이다.

연설은 계속된다. 발표자들마다 남아메리카에서 동유럽까지, 러시아에서 아프리카까지 세계 여러 지역에 대한 농업 투자 가능성을 검토한다. 그리고 전체 생산 연쇄에 대한 다양한 투자 가능성을 자세히 설명한다. 토지 개발에 직접 참여할 수도 있고, 부문 회사나 상품 하나에 투자를 할 수도 있다. 투자하기 쉽고 비교적 안전한 나라들의 명단과 위험도가 높은 국가들(여기에는 베네수엘라나 볼리비아, 에콰도르 같이 정부가 사회주의 성향인 국가들이 포함된다)의 명단도 발표한다. 이윽고 50대

초반의 남자가 단상 위에 올라간다. 파란 재킷에 줄무늬 셔츠, 굵은 회색 머리와 음흉한 얼굴이 돋보인다. 그는 엄숙한 어조로 단언하면서 발표를 시작한다. "물은 새로운 개척지입니다." 저드슨 힐<sup>Judson Hill</sup>은 NGP-글로벌어댑테이션 파트너스<sup>NGP-Global Adaptation Partners</sup>의 전무이사다. 이 투자 그룹은 최근 몇 년 동안 블루골드<sup>blue gold</sup>로 부상한 물에 전부를 투자했다.<sup>•</sup> "물은 점점 더 희소성이 커질 겁니다. 농업 개발을 하려면 점점 더 물이 필요해집니다. 이 부문에 투자를 해야 할 겁니다." 그렇지만 힐은 어떤 투자든지 직면할 수 있는 많은 난관을 인정한다. 물은 운송하기 힘들다는 점에서 **지역적인 상품**이며, '지역사회에 대단히 강한 정서적 가치'를 갖는다.

청중 중 누군가가 손을 치켜든다. "그러면 물을 가지고 어떻게 돈을 벌 수 있는지 설명해 주십시오!" "물은 세계 많은 지역에서 공공재입니다." 힐이 설명을 계속한다. "하지만 현재는 사유화를 향해 가는 추세입니다. 각국이 서비스와 유통을 민간 회사에 위임하는 추세에 편승해서 수자원을 손에 넣는 데 성공하면 누구든 간에 그 사람은 어마어마한 현금을 손에 넣을 겁니다."

## 땅뺏기 연금 생활자들

지난 5년 동안 수백억 달러가 순수 금융 부문에서 농업으로 옮겨갔다. 상품 시장(밀, 옥수수, 쌀, 콩)에서만이 아니라 농업 생산과 연결된 다양한 종류의 투자 펀드에 직접 참여하는 식으로 말이다. 많은 세력들이 그린골드<sup>green gold</sup> 쟁탈전에 합류하고 있다. 제이콥 로스차일드 경<sup>Lord Jacob Rothschild</sup> 같은 거물 금융가들,<sup>••</sup> 카길이나 루이

<sup>•</sup> ngpgap.com을 보라.
<sup>••</sup> Brian O'Keefe, 'Betting the Farm', *Fortune Magazine*, 8 June 2009.

드레퓌스<sup>Louis Dreyfus</sup> 같은 전통적인 농산 복합기업,* 투자은행, 심지어 가입자들에게 안정성을 제공하는 데 몰두하는 부유한 나라들의 연기금도 한몫 낀다. 어쩌면 노동자나 농민이었다가 은퇴한 사람들이 자신도 모르는 사이에 현재 가입한 연기금이 땅뺏기에 투자하면서 이 과정에 연루되고 있을 수도 있다.

연기금은 직접 투자하지는 않지만, 이 부문의 중개인이나 직접적인 관리자 역할을 하는 회사들이 특별히 조성한 펀드에 자본을 맡긴다. 이 회사들은 회계 법률이 전혀 엄격하지 않은 카리브 해나 영국해협에 있는 섬에 본사를 두고서 세계 각지의 땅에 투자한다. 이 회사들이 투자에서 활용하는 도구는 다양하다.** 우선 **헤지펀드**가 있다. 차입 비율 제한, 다른 말로 하면 실제로 조달 가능한 자금과 관련된 공매수 short buying. 신용 거래에서 자금이 없거나 주권 인수 의사 없이 매수를 하는 행위 _옮긴이 에 대한 제한이 없이 움직이는 투기 펀드다. 그리고 **사모펀드**가 있다. 주식시장에서 시세가 매겨지지 않는 이 펀드는 개인 투자자와 연결되며 3~4년 기간의 중기 투자에 관여하다가 매도해서 수익을 챙긴다. 마지막으로 좀 더 고전적인 **뮤추얼펀드**가 있다. 소액 저축자들이 자본을 모아서 공동 투자하는 이 펀드는 자본을 주식시장에 투자하거나 기업 주식을 매입하는 데 사용한다.

투자한 돈은 기하급수적으로 늘어나게 되어 있다. 인터콘티넨탈호텔의 회의장이 이렇게 북적이고, 상당히 많은 연기금 대표자들이 이 자리에 참석하는 기쁨을 누리기 위해 2,000달러를 지불한 것도 다 이런 이유 때문이다. 스투키가 여지없이 강조한다. "우리는 조언을 해달라고 찾아온 여러 기관 조직들이 재촉하는 바람에 이 행사를 열기로 결정했습니다." 농산업에 진출한 이 수많은 중개 회사들은 세계은행 같은 대형 기관의 지원을 받는다. 세계은행의 국제금융공사와 직접 협력해서 케이맨 제도Cayman Islands에 등록된 농업 펀드를 설립한 알티마파트너스Altima Partners 의 경우도 마찬가지이다. 국제금융공사의 민간 부문은 이 프로젝트에 7,500만 달 러를 투자했다. 펀드 전체 자본의 약 12퍼센트에 해당하는 금액이다.••• 잠비아의 농업에 투자하는 런던 기업 체이턴캐피털Chayton Capital도 비슷한 경우이다. 골드만 삭스에서 오랫동안 일하다가 독립한, 이 회사의 대표이자 설립자인 닐 크라우더Neil Crowder는 제네바의 단상에서 잠비아 및 세계은행과 직접 계약을 체결했다고 자랑스 럽게 이야기한다. 그의 연설이 끝나고 좀 더 물어보려고 그에게 다가가자 그는 세 계은행이 '투자에 따른 정치적 위험을 일정하게 책임지려고' 보험 부문인 다자간 투 자보증기구(MIGA)를 통해 참여한다고 말해 준다.

닐은 영국 귀족을 쏙 빼닮은 모습이다. 우아하고 친절하고 아주 싹싹하다. 그 는 확실히 다른 대부분의 참석자들과 견줘 볼 때 유별난 데가 있다. 한결 노골적이 어서 상대가 다가가자마자 이름표를 낚아채는 미국인들과 달리 닐은 신중하게 이 름표에 눈길을 줄 뿐이다. 그는 모든 질문에 잠시 생각을 한 뒤 단어 하나까지 골라 가며 대답을 한다. 휴식 시간에 테이블에서 비공식적인 잡담을 하는데도 말이다. 갑작스럽게 돌아가는 그의 눈동자와 천천히 이야기하는 말투가 묘한 부조화를 이

---

● 카길은 자회사인 블랙리버애셋매니지먼트Black River Asset Management를 통해 토지 취득에 투자한다. 루이 드레퓌스는 전 문 펀드인 캘릭스애그로Calyx Agro를 통해 남아메리카에서 토지 취득에 참여한다. 그레인이 웹사이트(grain.org)에서 발 표한 토지 취득 투자 관련 회사들의 명단을 보라.

●● 토지 취득에 관여하는 금융 상품, 회사, 펀드 등을 자세히 분석한 목록으로는 컨설팅 기업인 메리안리서치Merian Research와 CRBM의 보고서를 보라. Merian Research and CRBM, 'The Vultures of Land Grabbing. The Involve-ment of European Financial Companies in Large-Scale Land Acquisition Abroad'(rinoceros.org에서 열람 가능).

●●● 'IFC Provides $75 mn Support for Altima Agri Fund', *Commodity Online*, 16 February 2009(com-modityonline.com에서 열람 가능).

룬다. 이야기를 나누는 동안 내가 눈치채지 못하게 하면서도 나를 평가하려고 애를 쓴다는 느낌이 뚜렷하다. 이번에도 역시 영국인 특유의 악명 높은 냉정한 태도에 불과한 것일지 모른다. 전반적으로 유쾌한 분위기에서 진행되는 회의와는 크게 다르다는 점을 감안하면 이 자리에서 더 두드러져 보인다. 닐은 친절하면서도 냉담하고, 상냥하면서도 결코 마음을 터놓지는 않는다. 어떤 목표를 추구하느냐고 묻자 그는 자신은 '특별히 공격적인 투자자가 아니라'고 규정하고는 자기 그룹은 세계은행이 지원하는 걸 보고 잠비아에 투자를 결정하는 데 결정적인 확신을 얻었다고 털어놓는다. "이런 식의 보장이 없었다면 과연 이 거래에 손을 댔을지 전혀 확신하지 못하겠습니다. 그렇지만 우리는 중기적으로 좋은 수익을 거둘 거라고 봅니다." 그가 자세한 내용은 밝히지 않으면서 이야기한다.*

## 3P: Profit수익, Planet지구, People민중

하지만 천문학적인 수익의 가능성에 조금도 주저함이 없는 사람이 있다면 그것은 바로 이머전트애셋매니지먼트Emergent Asset Management의 설립자이자 대표인 수전 페인Susan Payne이다. 런던에 본부를 둔 이 회사는 다양한 사모펀드를 통해 아프리카 남부 5개국에서 토지 취득과 개발에 투자했으며 투자를 한층 확대할 계획이다.** 수전은 매력적인 사람이다. 키는 별로 크지 않고, 50세 정도의 나이에 머리카락이 구릿빛인 그녀는 상대방을 사로잡고 감싸며 자기의 말에 귀를 기울이게 만드는 외모의 소유자다. 그녀가 연설을 시작하자마자 회의실이 침묵에 휩싸인다. 모두들 그녀를 응시한다. 내 옆자리에 앉은 남자처럼 딴생각하며 펜으로 낙서를 하던 이들도 갑자기 손길을 멈춘다. 희희낙락하며 휴대폰으로 문자를 보내던 이들도 전화를 내려놓는다. 회의장 끝에 있는 러시아인들조차 통역자의 말에 귀를 기울이며 듣기 시작한다. 페인은 자기 직업을 설명하고, 토지에 대한 투자를 '아프리카에서 가장 짜릿한 투자 기회 중 하나'로 규정한다. 그녀는 25퍼센트의 수익에 관해 이야기하면서 설득력 있고 정확하며 약간 큰 목소리로 그 이유를 설명한다. "아프리카는 새로운 개척지입니다. 땅이 저렴하고, 기술에 제대로 투자를 하면 생산성을 높이는 게 충분히 가능하니까요. 그러면 많은 돈을 벌 수 있고 현지 주민들에게도 이득이 됩니다." 그녀는 자기 그룹이 잠비아에 설립한 산업형 농장의 사진을 보여 주면서 수치와 확실한 사실을 술술 털어놓는다. "전 세계 미경작지의 60퍼센트가 아프리카에 있습니다. 아프리카는 성장할 수밖에 없어요. 그리고 우리는 이 성장에 참여해야 합니다."

수전은 자신을 개척자로 여긴다. 자신의 사명을 완전히 확신하며, 자신이 얼마나 강한 설득력을 발휘할 수 있는지를 잘 안다. 오스트리아 라디오Austrian Radio에서 일하는 동료 기자인 크리스티안 브뤼저Christian Brueser와 내가 언론용으로 지정된 작은 방에서 그녀와 간단한 인터뷰를 하던 중에 그녀가 말한다. "금융 분야에서 일한 24년 동안 이번 일만큼 짜릿하고 쓸모 있고 매혹적인 일은 없었어요." 이 여자는 자기가 하는 일에 관해 이야기하는 걸 즐긴다. 우리의 대화는 "10분 이상은 안 됩

● 국제금융공사를 통해서든 다자간투자보증기구를 통해서든 세계은행이 직접 관여하는 농업 투자 프로젝트의 목록으로는 다음의 보고서를 보라. 'World Bank Report on Land Grabbing: Beyond the Smoke and Mirrors'(www.grain.org에서 열람 가능).

●● emergentasset.com을 보라. 이 회사는 남아프리카공화국, 잠비아, 짐바브웨, 스와질란드, 모잠비크에 진출해 있으며, 앙골라, 나미비아, 탄자니아로도 투자를 확대할 작정이다. 수전 페인은 최근에 이머전트애셋매니지먼트의 주식을 팔고 유사한 투자펀드인 엠베스트EmVest를 설립했다(emvest.com을 보라).

니다. 다른 사람들 연설을 듣고 싶거든요."라는 수전의 말로 시작됐지만, 거의 한 시간 동안 이어진다. 그녀는 계속해서 마치 폭포수처럼 말을 쏟아 낸다. 여러 차례 잠비아를 찾은 일, 그 지역에서 관리자들과 사람들을 만난 일, 자기 펀드에 관심 있는 투자자들을 위해 조직하는 답사 여행("자신들이 투자하는 생산물을 파악하고 실제로 만져 볼 필요가 있지요.") 등을 거침없이 설명한다. 그리고 규모의 경제, 통합된 시스템의 경제, 수입 기술의 경제 등에 관해 이야기한다. 그녀는 **상생하는 결과**라는 표현을 거듭해서 사용한다. 그녀는 한층 높은 사명감을 느낀다. 투자를 통해 녹색혁명을 일으키면 농지의 생산성이 높아지고 자신이 투자하는 나라들이 다시 힘을 얻을 것이라는 이야기다. 그녀는 자신이 하는 일을 굳게 믿는다. 금융 관리자라는 역할 말고도 그녀는 아프리카에 초점을 맞춘 다양한 미소금융 프로젝트에 참여하며, 멀티미디어 도구를 활용해서 아프리카에서 의학 지식을 발전시키려고 노력하는 비정부기구의 설립자 중 한 명이기도 하다. 그녀의 말은 공허한 이야기가 아니다. 자신이 투자하는 지역들에 관해 말할 때면 정말로 감회를 느끼는 표정이다. "극도로 가난한 지역들에 가는 건 쉽지 않아요. 직접 두 눈으로 보지 않고는 얼마나 가난한지 가늠하기 힘들지요." 나는 바로 그 가난 덕분에 그녀가 턱없이 싼 값에 땅을 손에 넣을 수 있다는 점을 상기시킨다. "땅이 싸긴 하지만 우리가 체결한 협약은 불공정한 게 아니에요. 잠비아에서 우리는 헥타르당 800에서 1,000달러를 지불하는데, 아르헨티나에서는 5,000달러, 독일에서는 24,000달러를 지불했거든요. 많이 지불하는 건 아니지만 충분히 지불합니다. 게다가 우리는 어디서 활동하든 간에 투자를 하고, 고용을 창출하고, 식량 안보를 증대하지요." 수전은 미동도 하지 않는다. 아무리 도발적인 질문을 해도 조금도 화난 표정을 짓는 법이 없다. 마치 소총 조준경으로 사냥감을 노려보는 사냥꾼처럼 상대의 눈을 똑바로 쳐다보면서 조목조목 대답을 한다.

그녀가 이야기하면서 거듭해서 되풀이하는 요지는 이머전트애셋매니지먼트의 농업 펀드는 단순한 금융 도구가 아니라는 것이다. 처음부터 끝까지 일관되게 이런 방침을 따른다. 이 회사는 토지를 선별하고, 각국 정부와 협약을 체결하고, 수확을 조직한다. "우리는 통합 시스템을 만들었습니다. 우리가 직접 업무를 맡고 있어요." 농장에서 나오는 생산물의 85퍼센트는 국내 시장으로 나간다. 이런 이유 때문에 이 회사는 직접 자원을 수탈한다는 비난에서 벗어난다. 그녀는 각국 정부와 원만한 관계를 유지한다고 장담한다. 짐바브웨(2000년 이래 로버트 무가베<sup></sup>Robert Mugabe 가 백인 소유 토지를 몰수하고 있는 현실을 감안하면, 영국인은 말할 것도 없고 백인이라면 사업을 벌일 만한 나라가 아니다)에서 약 9,000헥타르를 취득한 사실에 관해 말하면서 그녀는 솔직하게 대답한다. "정부와 관계가 아주 좋은 무척 유능한 관리자가 현지에 있거든요."

골드만삭스 인터내셔널의 이사 출신인 수전 페인은 책임 있는 투자의 옹호자이며, 세계은행에서 '책임 있는 농업 투자' 원칙을 작성하기 위해 선정한 그룹에도 뽑힌 인물이다. 금융 중개인다운 실용주의로 잠시 돌아온 그녀는 책임 있는 투자는 도덕적인 관점에서뿐만 아니라 경제적인 관점에서도 바람직하다고 강조한다. "적대적인 환경에서는 활동을 할 수 없습니다. 조만간 사람들이 반기를 들 테니까요." 그녀의 철학은 **수익**Profit, **지구**Planet, **민중**People이라는 3P로 요약할 수 있다. 수익을 거둬들이고, 지구에 도움이 되고, 민중의 편에 서라. 따라서 그녀는 누구와 대화를 하든 이 세 가지가 서로 모순되지 않는다는 점을 설득하려고 노력한다. 환경을 돌보고 현지 주민들을 도우면서도 막대한 수익을 얻는 게 가능하다는 것이다.

수전은 진지한 표정이다. 이야기를 할 때면 커다란 갈색 눈동자가 밝아진다. 그녀의 이야기는 미래에 대한 언급으로 가득하고, 입만 열면 '우리의 모험'이나 '새로운 개척지', '우리 앞에 놓인 거대한 허허벌판' 같은 단어들을 빼먹지 않는다. 그녀는 어쩌면 기회가 넘쳐나는 미개척지를 탐험하는 21세기의 카우걸이 된 느낌일 것이다. 하지만 19세기 미국 서부의 개척자들과 그녀 사이에는 한 가지 차이점이 있다. 그녀는 자신과 동료 모험가들에게 세계의 이목이 쏠려 있음을 안다. 미개척지인 땅일지라도 사람이 살지 않는 땅은 아니라는 것도 안다. 그리고 오늘날 이런 식의 프로젝트를 진척시키려면 절대적으로 투명한 인상을 주어야 한다는 점도 안다. 따라서 그녀는 말을 아끼는 기색이 전혀 없이 모든 질문에 대답을 한다. 회사의 사업이 해당 지역에 어떤 영향을 미치는지, 부정적인 부수 효과가 생길 가능성은 없는지, 그리고 이 새로운 농업 투자 물결과 관련해 비정부기구들이 제기하는 각종 의혹이 사실인지에 대해서 일일이 답을 한다. "사례별로 검토해야 합니다. 우리는 대부분 국내 시장을 위해 생산을 하고 회사의 사회적 책임에 대해 많은 관심을 기울입니다." 나는 헥타르당 1달러에 토지를 사들여서 수출용 생산만 하는 회사들에 관해 어떻게 생각하는지 묻는다. 그녀는 다른 회사는 모르겠고 자기 그룹이 하는 일에 관해서만 말할 수 있다고 대답한다. 그러고는 자기 그룹이 남부 아프리카에서 직접 운영하는 농장들을 한 번 와서 보라고 권유한다. "우리가 세운 농장들을 두 눈으로 직접 보시면 돼요." 대화를 마무리할 즈음 그녀는 미소를 지으며 말하고는 악수를 하고 회의장으로 들어간다.

## '우리가 쫓겨나지 않기를 바랍시다'

수전 페인은 새로운 농산업 부문에 투신하는 전형적인 금융 관리자이다. 현대적이고 설득력이 있으며 무엇보다도 선의로 무장한 인물이다. 회의장의 다른 많은 참가자들도 그녀와 똑같은 언어를 구사한다. 회의장에서 사람들이 가장 흔히 들먹이는 문구는 '우리는 비정부기구가 아니지만 지구의 미래에 기여하고 싶다.'는 말이다. 모두들 자신들이 추구하는 목표는 인류의 전반적인 복지이고 그와 더불어 자신들의 주머니를 채우고자 한다고 공언한다. 연설이 계속됨에 따라 갑자기 의표를 찔린 것 같은 느낌이 든다. 나는 환경 따윈 전혀 관심이 없고, 땅 없는 농민들의 곤경에 무관심하며, 하루 두 끼를 먹지 못하는 가족의 가난에 무감한 탐욕스러운 금융가를 만날 생각이었다. 그런데 이 모임에서는 돈 얘기가 나올 때마다 곧바로 '더 나은 세계'나 '사회적 책임', '식량 주권' 등등의 문구가 단서처럼 따라붙는다. 모든 게 정치적·생태적으로 올바른 방향으로 맞춰진 것 같다. 홍보부장은 나를 비롯해 취재 허가가 난 언론인들에게 이메일을 보내 주었는데, 참가자들의 경력 사항과 함께 다음과 같은 설명이 담겨 있었다. '이 자료는 환경을 고려해서 따로 보도자료 문서 형태로 배포하지 않습니다.'

선의가 넘쳐나는 이런 겉치레에 오점이 묻는 건 연설이 끝나고 쉬는 시간에 복도에서 즉흥적으로 비공식적인 토론이 벌어지는 잠깐의 순간뿐이다. 취리히에서 온 미카엘 폰 오이브Mikael Von Euw와 나누는 대화가 그런 경우다. 첫날 막바지에 열린 칵테일파티에서 만난 자리다. 이 땅딸막한 35세의 남자는 새우와 연어 전채 요리와 가벼운 음식들이 차려진 작은 테이블에 둘러싸인 채 다른 사람들과 떨어져 앉아 맥주를 들이켜고 있다. 그에게 다가가서 서로 인사를 한다. 그는 '가족 사무실'의 관리자라고 자신을 소개한다. 형제와 함께 부유한 집안의 자금을 돌보고 있다는 말이다. "우리는 모잠비크의 회사에 많은 돈을 넣어 두었습니다. 현지 시장에서 판매할 상품을 생산할 예정이지만, 주로 바이오 연료에 집중할 겁니다. 25년 기간으로 임대 협약도 맺었지요." 미카엘은 상징적인 임대료를 내고 땅을 얻었다고 주장하는데, 구체적인 수치는 밝히지 않고 '정말 상징적인 액수'라는 말만 덧붙인다. 둘이서서 새우 크래커를 우적우적 씹고 고급 화이트와인을 쭉 들이켜면서 그는 남아공의 파트너와 함께 사업성 검토를 한 이야기를 풀어놓는다. 그러면서 자신들이 도입한 기술을 설명하고 마푸투 정부와 주고받은 거래에 관해 자세히 이야기한다. "그들은 세금을 감면해 주고, 사업을 수월하게 하기 위해 정말 모든 걸 다 해 줬어요." 네 번째 잔을 내려놓을 때쯤이면 미카엘은 입이 한결 가벼워졌다. 이번에는 이 지역을 여행한 이야기를 풀어 놓는다. "화려하고 편안한 게 지상 낙원 같은 곳이죠." 그가 잠시 '현지 여자들이 얼마나 아름다운지'에 관해 딴 얘기를 늘어놓는다. 그러고는 내 눈을 바라보며 말한다. "너무 빨라서 지나치다고 느낄 정도더라고요. 솔직히 말해서 나는 그들이 이 사업에서 뭘 얻는지 모르겠습니다. 정말 사기 같은 게 없었으면 좋겠어요. 일단 투자가 되고 나서 우리를 쫓아내는 일이 없기를 바랍니다." 그러고는 미소를 지으며 새우를 또 꿀꺽 삼키고 입을 연다. 나도 머리가 핑핑 돌기 시작하는데 계속 술을 들이켠다. "지금까지는 좋아요. 사업은 모험이기도 하죠. 우리가 쫓겨나지 않기를 바랍시다."

## 상생하는 상황의 패자들

미카엘의 이야기를 듣다 보니 참가자들의 의도와 이 회의에 참가 신청을 한 사람들에게 공통된 정서를 읽을 수 있다. 하지만 회의가 이어지는 내내 나 자신에게 질문을 던졌던 명백한 모순에 대해서는 아무도 적절한 대답을 해 주지 않는다. 이를테면 이런 질문 말이다. 누군가 대가를 치르지 않고서도 당신이 큰돈을 벌 수 있다고 주장하는 게 어떻게 가능한가? 모노폴리 게임의 농업판이라 할 수 있는 이 게임에서 어떻게 모두가 승자가 되고 패자는 하나도 없을 수 있나? 연 25퍼센트의 수익을 올리고, 현지 시장을 위해 생산하고, 고용을 창출하면서도 다른 누군가 그 대가를 지불하지 않는 게 어떻게 가능한가? 나는 연사들이 만장일치로 하는 말에 거의 넘어갈 지경이다. 선의를 거듭 표명하는데 단순히 위선적인 행동으로만 보이지는 않는다. 이 자리에 모인 사람들은 하나같이 돈을 벌기를 원하지만, 또한 돈을 벌면서도 불균형을 야기하거나 다른 사람의 권리를 짓밟지 않기를 바란다. 미카엘은 모잠비크 정부에게 어떤 실질적인 이득이 있는지를 물으면서 자신은 "현지인들의 노동 조건이 걱정된다."고 말한다. 그는 현지인들에게 '평균 이상의 급여에다가 의료보험까지' 제공한다. 알코올 섭취가 도를 넘어서 경계심을 내려놓는 지경에 이르러서도 그는 여전히 수익뿐만 아니라 발전에 관해서도 이야기를 한다. 남반구의 양질의 땅을 갈라 먹는 파렴치한 신식민주의자들의 소굴에 앉아 있다는 느낌은 전혀 없다.

물론 사실 거대 땅뺏기꾼land grabber들은 이 자리에 없다. 제네바에는 각자 몇천 헥타르를 차지한 비교적 소규모 그룹들만 모여 있다. 에티오피아와 마다가스카르에 투자한 인도나 한국의 거대 다국적기업의 모습은 보이지 않으며, 한 번에 100,000헥타르의 땅을 임대하는 아랍 나라들의 국부 펀드 관리자들도 없다. 이 자리에 있는 중소 규모 투자자들은 자신들의 경험에 관해 이야기하면서 동료인 청중들에게 자신들의 상품을 홍보한다. 농업 투자를 고려하고 있거나 이미 소규모로 투자를 한 중소 규모 그룹들이 그 상품이다.

그렇다 하더라도 왠지 모를 박탈감에 관해 생각하다 보니 문득 문제가 되는 지점은 다른 곳에 있다는 생각이 든다. 여기에는 땅을 가로채고 농민들을 소총으로 쫓아내는 벌처 자본가 vulture capitalist. 벤처 자본가venture capitalist에 빗대어 만들어진 표현. 파산한 기업이나 경영이 부실한 회사 등을 저가에 인수해 경영을 정상화시킨 뒤 매각해 단기간에 고수익을 올리는 벌처 캐피탈 운영자를 사체만 먹는 독수리에 빗대는 부정적인 표현 _옮긴이 들은 없다. 투자자들은 선의로 뭉친 사람들이며, 거의 전부가 자신의 돈이 선순환의 출발점이 되고 이 선순환에서는 모든 사람이 결국 상생한다고 정말로 믿는다. 질문하는 말투 자체가 다르다. 어느 누구도 다른 사람에게 자신의 생각을 강요하려고 하지 않기 때문이다. 그건 단지 서로 다른 영토와 발전 개념이 충돌하는 문제이다. 중소 규모 그룹들조차 정확한 모델을 염두에 두고 있는데, 이것은 식량농업기구 정상회담에서 헨리 사라기가 명쾌하게 분석한 것과 똑같은 모델이다. 이 대규모 경작 모델에서 농업은 토지를 최대한 많이 활용해서 생산을 극대화하는 것을 목표로 삼는다. 세계은행과 대규모 국제기구들이 장려하는 모델이다. 이 모델과 소규모로 생산하는 소농들의 모델은 양립할 수 없다. 두 모델은 실용적 관점에서나 존재론적 관점에서나 서로 대립된다. 이것이야말로 제네바 회의와 식량농업기구 회의 둘 다에 활기를 불어 넣고 땅뺏기를 둘러싸고 현재 벌어지는 논쟁 전체를 관통하는 실질적인 모순이다. '소규모 농업이냐 산업형 농장이냐'의 딜레마 때문에 책임 있는 투자라는 원칙은 산산조각이 나며 의미를 잃는다. 이 딜레마는 진정한 토론 지점을 규정하면서 잔인하지만 분명한 선택을 제시한다. 우리와 그들 사이에서 선택을 해야 하는 것이다. 남아메리카에 투자하는 어느 펀드 매니저는 명료한 연설에서 이 점을 지적한다. "우리 자신을 속이려고 해봐야 아무 소용도 없습니다. 대규모 농산업은 소농들로부터 땅과 물과 시장을 앗아갑니다. 우리는 최저 가격에 생산물을 판매할 테고 소규모 가족농들과 경쟁할 겁니다. 정치적 선택을 포함해서 선택을 내려야 합니다. 저는 세계가 가장 필요로 하는 것은 생산성이 높은 대규모 농업 부문이라고 믿습니다. 하지만 누군가 대가를 치르게 하지 않고서 이 모델을 실행하는 건 불가능합니다." 바야흐로 정치적인 선택이 내려지고 있으며, 대규모 민간 그룹들의 투자가 선호되는 반면 소규모 농업 생산자들은 뒤에 처지고 있다. 올리비에 드 슈터가 기회가 날 때마다 비난하는 현실이다. 이런 사실을 이해하게 된 나는 이제 제네바 회의를 더 넓은 구조 안에 자리매김할 수 있다. 제네바 회의는 농업의 균형이 전 지구적으로 크게 기우는 과정의 한 일화이다. 장기적인 관점에서 보면, 이 회의는 도시와 시골 사이에 벌어진 전통적인 갈등의 반복이다. 빈민을 포함한 도시민들은 대체로 대규모 투자를 선호한다. 대규모 투자를 하면 지역 시장에서 농산물 가격이 내려가고 따라서 자신들의 구매력이 커질 수 있기 때문이다. 하지만 이런 단기적으로 유리한 효과의 논리적 결과는 모든 사람에게 파괴적인 영향을 미칠 수 있다. 이 정책으로 인해 땅을 빼앗긴 농민들이 도시로 밀려들어서 값싼 노동력을 제공하고 기존 도시 빈민들과 일자리를 놓고 경쟁할 것이기 때문이다.

아프리카를 비롯한 지역에 제안된 '녹색혁명'은 **상생하는 상황**과는 무관하며 수많은 부류의 패자들을 만들어 낸다. 인터콘티넨탈호텔에 모여 자신들의 일을 하던 투자자들뿐만 아니라 '빈곤 감축'을 공식적인 과제로 삼는 국제기구들의 사무실에서 일하는 이들도 이 패자들의 사정은 충분히 고려하지 않고 있다.

# 시카고

## 기아 시장

CHICAGO

# 시카고: 기아 시장

외벽은 매끄러운 흰색으로 직각을 이루고 있다. 입구 회전문으로 들어서면 반쯤 불이 켜진 동굴 같은 공간이 나온다. 따뜻한 분위기를 연출하려고 하지만 오히려 부자연스러운 효과를 내는 조명 때문에 어두운 복도가 더 흐릿해 보인다. 위압적이고 당당하며, 오랫동안 시카고 최고층 빌딩 기록을 보유했을 만큼 높다란 시카고 거래소<sup>Chicago Board of Trade</sup> 건물은 난공불락의 요새 같은 모양새다. 도시의 분주한 상업 지구인 루프<sup>Loop</sup>의 중심부에 우뚝 서 있긴 하지만, 지나가는 행인에게 존재를 각인시키는 표시는 전혀 보이지 않는다. 월스트리트의 뉴욕 증권거래소 입구에 거대한 성조기가 걸려 있는 것과 달리 미국식 자화자찬의 상징이 전혀 없다. 건물 꼭대기에 서 있는 농업의 신 케레스의 동상조차도 얼굴이 없다. 마치 거래소 외에는 볼 게 아무것도 없다고 말하는 것 같다. 건물은 홀로 서 있는 듯 보인다. 지은 사람이 누구인지 외부 세계에 의해 오염되는 걸 피하고, 안에서 진행되는 거래의 은밀하고 거의 비교秘教적인 성격을 본보기로 보여 주려고 한 것 같다.

그렇지만 거대한 미시간 호숫가를 따라 이어진 스카이라인과 더불어 이 엄격한 거대 건축물은 갱스터와 투기꾼, 대상인과 사기꾼의 고향인 이 매력적인 백색 도시 white city. 원래는 1893년 시카고 세계박람회에 세워진 주요 행사장의 이름이다. 이후 신고전파 양식의 흰색 건물들로 이루어진 행사장은 밝게 빛나는 시카고와 미국을 상징하는 도시의 모습이 되었다 _옮긴이 를 가장 구체적으로 보여 주는 상징이다. 이 거래소의 역사는 시카고의 역사, 그리고 어느 정도는 미국 전체의 역사를 압축해서 보여 준다. 시카고가 아직 호숫가에 층층이 세워진 판잣집의 집합체에 불과하던 1848년에 세워진 거래소는 이 **바람의 도시** windy city. 바람이 많이 분다고 해서 시카고에 붙여진 별칭 _옮긴이 가 중서부의 중심지로 부상한 여러 단계마다 흔적을 남겼다. 당시는 광활한 개척지의 시대, 서부로 나아가는 발전의 시대였다. 남북전쟁 직전에 하나의 국가로 새롭게 발명되던 미국의 시대였다. 그러나 당시는 또한 철로와 강을 따라 전진하고, 상품과 인간을 실어 나르며, 미래 국가의 성격을 만들어 내던 상업자본주의의 시대이기도 했다.

1848년은 시카고에게 결정적인 해이다. 그해에 미시시피 강의 지류인 일리노이 강과 미시간 호를 연결하는 운하가 개통됐다. 이미 미시간 호는 뉴욕과 대서양으로 통하는 이리 운하 및 이리 호와 연결되어 있었다. 또 이 결정적인 해에 걸리나–시카고 유니언Galena and Chicago Union 철도도 개통됐다. 이 철도는 겨우 16킬로미터였지만 12년 뒤에는 9,656킬로미터로 늘어나게 된다. 시카고는 내륙의 거대한 초원과 동부 연안의 도시 중심지들을 잇는 수로와 철로가 만나는 전략적인 중심지가 된다. *

그리하여 순식간에 일리노이의 작은 도시는 어울리지 않게도 서부 초원에서 생산되는 곡물과 고기의 주요 거래 중심지가 된다. 아이오와에서 옥수수가 들어오고,

캔자스와 네브래스카에서는 밀이, 위스콘신에서는 소가 들어온다. 어마어마한 양의 농산물이 넘쳐나고, 소농들이 떼를 지어 몰려들고, 도살될 운명인 짐승들이 북적이는 모습을 보면서 일군의 사업가들은 바람이 어느 방향으로 부는지를 깨닫는다. 그들은 어느 지하실에 모여서 훗날 시카고 거래소가 되는 거래 센터를 설립한다. 이들 전부가 농산물 거래업자는 아니다. 사서, 약사, 식료품상, 가죽 장인 등 여러 유형의 사람들이다. 설립자들은 시장이 너무 불안정하다는 걸 깨닫는다. 겨울에는 가격이 천정부지로 치솟는 반면, 수확 철에는 농민들이 잉여 농산물을 처리하기 위해 생산비 이하의 가격으로 팔아 치운다. 일부 농민들은 판매 가격과 저장 비용을 견줘 보고는 확신이 전혀 들지 않자 결국 남아도는 밀과 옥수수를 호수에 쏟아 버린다. 거래소는 이런 과정을 바로잡기 위한 시도로 설립된다. 그들은 매수인과 매도인을 위한 중립적인 회합 장소를 만들어 냄으로써 들불처럼 퍼지게 될 개념을 고안한다. '선물futures', 곧 미래 가치에 대한 계약이 그것이다. 이 메커니즘의 기초는 매수인과 매도인이 미래의 날짜에 물건을 인도하기로 계약서에 서명하는 것이다. 그러므로 양쪽은 상품이 인도되는 시점의 가치에 내기를 거는 셈이다. 이 내기에 따라 생산자는 해당 날짜에 정해진 가격으로 물건을 팔 수 있고, 매수자는 그 날짜에 일정한 비용으로 구매할 수 있다. 다시 말해, 이런 내기 덕분에 사람들은 자신의 투자를 계획하고, 전문 용어로 헤지 거래hedging라고 하는 거래 방식을 제시할 수 있다. 헤지 거래는 선물 시장에서 실물경제에서 차지하는 위치와 정반대 위치를 차지하는 게 관건이다. 가령 밀이나 옥수수를 경작하는 농업 생산자는 파종하

● 시카고가 발전하는 과정에서 철로가 얼마나 중요한 구실을 했는지에 관해서는 Marco D'Eramo, *The Pig and the Skyscraper: Chicago, A History of our Future*, London: Verso 2003을 보라.

는 시점에서 현재로부터 6개월 뒤에 인도받기로 하고 많은 밀과 옥수수 선물을 사기로 한다. 그는 정해진 가격에 가상의 밀과 옥수수를 사는 셈이다. 수확이 흉작이면 선물의 가치가 오를 테고, 그는 농사에서 본 손실을 늘어난 소득—곧 선물을 사면서 치른 가격과 이 선물이 지금 오른 가치 사이의 차액—으로 벌충할 수 있을 것이다. 반대의 상황도 마찬가지이다. 수확이 좋아서 선물 가치가 떨어지면, 그는 거래소에서 손실을 보지만 자기가 실제로 생산한 농산물의 가치는 올라가서 이득을 볼 것이다. 매수자들—농산물을 가공하는 부문에서 일하는 시장 중매인들—에게도 똑같은 원리가 역으로 적용된다. 그들은 시장에 선물을 내놓는다. 일정한 미래의 날짜에 사고자 하는 가상의 상품을 판매한다는 말이다. 수확이 나쁘면 그들은 실제로 지불해야 하는 것보다 농산물 값을 더 많이 내야 하지만, 이런 지출 증가는 선물의 가치가 오른 것으로 상쇄될 것이다. 반대로 수확이 좋으면 금융 시장에서는 손실을 보지만 실제 농산물에 대해서는 값을 덜 치러도 된다.

하지만 농민과 매수자들만 선물을 거래하는 건 아니다. 초창기부터 여러 다양한 사람들이 거래 센터에 드나들면서 이곳을 일종의 거대한 카지노로 뒤바꾸기 시작했다. 미래가 어떻게 될지 예상한다는 점에서 선물 계약은 본성상 일종의 노름이다. 그리고 일종의 투기이다. 계약 만기가 되기 전에 선물 증권을 팔 수 있는 상황에서 시카고 거래소는 점차 다른 이들보다 더 비정한 노름꾼들의 전장이 된다. 그렇지만 카지노와는 실질적인 차이점이 하나 있다. 룰렛 테이블의 빨간색과 검은색의 조합이 확률 법칙에 의해 특유하게 정해지는 반면, 원료 시장에서 선물의 가치는 적어도 처음에는 실물 재화와 연결된다는 점이 그것이다. 흉년을 예상하는 사람이라면 누구나 매입을 하려고 한다. 장래에 가격이 올라가서 기존의 계약을 더 높은 가격에 팔 수 있을 것이라고 믿기 때문이다. 반대로 풍년을 예상하는 사람이라면 계약 가치의 하락을 벌충하기 위해 매도를 하려고 한다. 하지만 실물경제와의 연결이 항상 이렇게 정확하지는 않다. 모든 사람이 매도를 하면 가격이 떨어지기 때문이다. 모든 사람이 매입을 하면, 또는 소수가 모든 상품을 매입하면 가격은 치솟을 것이다. 다시 말해, 특정 상품의 선물에 내기를 하면 그 상품의 가치가 바뀔 수 있다. 특히 재정적으로 상당한 영향력을 지닌 개인들이 매매 참가 의사를 밝히면 더욱 그러하다. 이제까지 여러 차례 대형 투기업자가 시카고 증권시장의 특정 농산물 시장을 독점하려고 시도한 바 있다. 수많은 선물을 매입해서 가격을 천정부지로 올려놓고 시장을 장악한 다음에 터무니없는 가격으로 매도해서 막대한 개인적 이득을 올리는 방식이다.

일찍이 1897년에 이미 조지프 라이터<sup>Joseph Leiter</sup>라는 사람이 이런 시도를 했다. 28세의 엉뚱한 인물인 라이터는 아버지의 재산을 이용해서 1년 만에 밀 가격을 부셸당 67센트에서 1.85달러로 부풀렸다.* 그러다가 결국 비참하게 실패를 해서 100만 달러를 잃었다. 당시로서는 어마어마한 액수였다.** '상품을 매점하다<sup>to corner the market</sup>'라는 표현의 바탕이 된 이런 방식은 이론상 금지되어 있지만 실제로는 확인하기 힘들다. 시카고 거래소의 역사를 통틀어 상품을 매점하려는 시도가 여러

---

● 부셸은 미국에서 기초 식량 농산물을 계량하는 단위이다. 1부셸은 지름 18.5인치(46.99센티미터), 높이 8인치(20.32센티미터)의 원통을 채우는 양의 부피 단위이기 때문에 농산물에 따라 무게가 다르다. 관습적으로 1부셸은 밀 27.216킬로그램, 보리 21.772킬로그램, 호밀 25.301킬로그램, 귀리 14.515킬로그램에 해당된다.
●● 라이터의 이야기는 프랭크 노리스<sup>Frank Norris</sup>가 소설 『곡물 거래소 매장<sup>The Pit</sup>』(New York: Doubleday, Page & Co 1903)을 쓰게 된 영감의 원천이었다. 소설에서 노리스는 거래소가 움직이는 방식을 완벽하게 설명할 뿐만 아니라 지난 세기 초에 거대 투기업자들이 활약한 환경을 탁월하게 묘사한다.

차례 있었다. 어떤 이들은 성공을 거두었다. 다른 이들은 라이터의 경우처럼 실패해서 같이 손을 댄 무모한 노름꾼들에게 천문학적인 손실을 안겨 주었다. 이탈리아에서 가장 유명한 사례는 라울 가르디니Raul Gardini의 페루치Ferruzzi 그룹의 시도이다. 1989년 페루치는 콩 3,300만 부셸의 선물 계약을 사들였다. 번기Bunge나 콘티넨털Continental, 카길 같이 시장에 선물을 내놓은 미국의 대형 농산업체들이 입수 가능한 양의 두 배에 달하는 규모였다. 이 회사들이 약속을 지킬 수 있는 유일한 방법은 페루치로부터 콩을 사들이는 것이었다. 그렇게 되면 가르디니의 회사는 막대한 수익을 올릴 터였다. 하지만 시카고 거래소 위원회는 투기매매를 금지하고 '시장을 왜곡했다.'는 이유로 계약을 즉각 청산하도록 지시했다. 결국 페루치는 4,350억 리라의 손실을 보았다. 가르디니는 투기 의도가 전혀 없었다고 일관되게 부인하면서 그룹의 공장들에서 그 정도 양의 콩이 필요했다고 주장했다. 중국과 러시아에 사료 공급을 계약했다는 것이었다. 페루치 그룹의 의도가 시장을 약탈하려는 것이었는지 여부와 무관하게, 1989년의 콩 전쟁은, 거래소가 출범한 이래 벌어진 다른 매점 사건들과 더불어, 안정성을 확보하기 위해 창설된 선물 증권시장이 어떻게 종종 정반대의 효과를 낳는지를 여실히 보여 준다.

　시카고 거래소는 이런 판돈 올리기 게임 속에서 세계적으로 선물 증권 거래의 으뜸가는 중심지로 우뚝 섰으며, 2007년에 단기 금리, 주가 지수, 외환, 상품 거래 등을 다루는 시카고 상품거래소Chicago Mercantile Exchange로 흡수되었다. 시카고 상품거래소는 웹사이트에서 다음과 같이 표방한다. '우리는 다른 어떤 거래소보다도 더 광범위한 선물 상품과 옵션을 공급하며, 가장 중요한 부문들을 모두 포괄합니다.'● 오늘날 시카고 상품거래소는 하루에 1,000만 건이 넘는 계약이 이루어지는 장소이다.** 거래소는 농산물 선물로 시작해서 석유 제품, 미국 재무부가 발행한 정부 채권, 그리고 이른바 옵션, 곧 미래에 대한 일종의 보험이나 선물에 대한 선물까지 아우르게 되었다. 사실상 끝없는 산술 제곱 게임을 통해서 실물경제와의 연결 고리는 점차 약해지고, 교섭의 결과는 점점 객관적 평가와는 정반대되는 '거래인trader'들의 급박한 기분 변화나 투기 책략과 연결된다.

2007년과 2008년에 식량 상품의 가격이 오르기 시작하고 세계 여러 지역에서 항의 시위가 발발했을 때, 시카고 잭슨 불러바드Jackson Boulevard의 은밀한 마천루가 집중 조명을 받은 것도 이 때문이다. 사람들은 시카고 증권시장을 범죄의 주범으로 여긴다. 이 시장의 투기업자들이 범죄적인 가격 인상의 주요 책임자로 지목되며, 세계 곳곳에서 수많은 언론인들이 지구를 굶주리게 만드는 이들이 정확히 누구인지를 찾아내려고 이곳으로 몰려든다.

## 독거미에 물린 사람들이 벌이는 권투 시합

나도 특종을 찾아다니는 이 언론인 무리 중 하나다. 몇 주 동안 시카고 증권시장 홍보실과 짜증나는 이메일을 몇 차례 주고받은 끝에 나는 건물에 들어갈 수 있는 승인을 받는다. 이제 거래소 칸막이 매장을 촬영하고 전문 거래인들에게 주요 식량 농산물의 가격과 선물의 변동 배후에 있는 메커니즘에 관해 설명을 들을 수 있다. 하루 방문하는 동안 일어날지 모르는 사고에 대비해 보험을 드는 등의 몇 가지

● www.cmegroup.com을 보라.
●● 이 계약의 대부분—2010년 7월 현재 1,080만 건 중 83퍼센트—이 전자 거래로 성사된다(www.cmegroup.com을 보라).

관료적 요구를 다 고분고분 따른 뒤 마침내 잭슨 불러바드와 라살 스트리트La Salle Street가 만나는 모퉁이로 일찌감치 간다. 개장 1시간 전인 8시 30분으로 약속을 해 놓았다. 건물 바깥에는 수십 명의 거래인들이 하나같이 서서 커피를 마시면서 일과 가 시작되기를 기다리고 있다. 힘든 것처럼 보이지만 믿을 만하고, 월스트리트 금 융 신전에 거주하는 정장과 넥타이 차림의 동료들에 비해 인위적인 면이 한결 덜하 다. 그들은 대부분 중서부 출신의 거들먹거리는 미국인 남성이다. 중간계급 노동 자인 그들은 흔히 생각하듯 대단한 열정을 가지거나 부자가 되려는 마음으로 이 일 을 하는 게 아니라 그럭저럭 살려고 한다. 내가 방금 발견한 것처럼, 그들은 거래 를 하는 **매장** 곡물거래소의 매장을 뜻하는 'pit'라는 단어는 원래 '구덩이'를 의미한다. _옮긴이 에서 매일 전 쟁을 치르는 병사들에 불과하다. 장군들은 더 높은 층에 있는 안락의자에 앉아서 수화기를 통해 군대에 명령을 내린다. 또는 더 먼 곳에서 수학 모델에 입각해서 매 수와 매도 전략을 세운다.

홍보부장이 나를 만나러 안내소로 나온다. 날카로운 얼굴과 실쭉한 미소를 지 닌 차가운 여자다. 서로 소개한 뒤 그녀는 잠깐 동안 내가 어떻게 행동해야 하는지 를 효율적으로 설명한다. 9시 30분부터 10시까지 30분 동안 촬영을 할 수 있다, 거래인들과 어울려 대화를 나눠도 되지만 교섭 과정에 간섭해서는 안 된다, 질문 이 있으면 빅 레스피나스Vic Lespinasse에게 해야 한다, 전문 딜러인 빅은 9시 45분에 홀로 내려올 것이다, 찾아와 줘서 고맙다는 말을 하고는 콜로라도 출신 인턴의 손 에 나를 맡긴다. 인턴은 약간 서툰 동작으로 사무실 사이를 움직인다. 인턴이 웃 으며 말한다. "여기 온 지 2주밖에 안 됐는데, 벌써 세계 각지에서 온 방송사 직원 을 일곱 명이나 봤습니다." 여기서 벌어지는 일은 뉴스에 나온다. 시카고 증권시장은 태풍의 눈이다. 언론인들이 시도 때도 없이 떼거리로 범죄 현장에 몰려온다.

중심 무대로 들어선다. 기본 식량 농산물, 옥수수, 콩, 밀, 쌀 등을 거래하는 곡물 거래장은 3,000평방미터 규모이다. 거래장 한가운데에서는 수백 명의 딜러들이 서로 다정하게 잡담을 나누고 있다. 어떤 이들은 녹색 작업복 차림이고, 다른 이들은 파란색, 빨간색, 자주색 셔츠를 입었다. 앞주머니 자리에 작은 노란색 명찰을 달고 있는데, 어떤 그룹에 속해 있는지를 보여 주는 표시이다. 기초 식량 농산물의 가치가 정해지고 지구 전체의 식량 가격이 결정되는 증권시장 내부라기보다는 카니발 쇼의 광경에 더 가깝다.

9시 30분 정각에 벨이 울린다. 힘찬 포효 같은 외침 소리가 객장을 가로지른다. 불과 몇 분 전만 해도 고요한 풍경이었는데, 이제 거래인들이 격렬하게 움직인다. 매장을 향해 앞다퉈 달려간다. 소리를 지른다. 거칠게 손짓을 하면서 미친 듯이 팔을 휘두른다. 종이를 집어서 찢어 버리고는 공중에 종잇조각을 던진다. 교섭에 사용되는 규칙을 알지 못한 채 멀리서 그들의 모습을 보면 다들 독거미에 물려서 경련을 일으키고 있다는 생각이 들 법하다. 사실 그들의 손동작은 정확한 규칙을 따른다. 손바닥을 몸으로 향하는 표시는 거래인이 매수를 원한다는 뜻이다. 반대로 손바닥을 바깥쪽으로 향하면 매도를 원한다는 뜻이다. 손가락을 얼굴 쪽으로 향하면 손가락 개수에 따라 원하는 매수나 매도의 양을 의미하며, 거래소 거래라기보다는 샤먼의 주문과 더 흡사한 몸짓에 따라 정해진 다른 많은 규칙이 있다.

머리 위에는 일종의 디지털 천장처럼 객장 4면에서 보이는 게시판이 있는데, 실시간으로 상품 가치 변동을 볼 수 있다. 중앙에는 대형 스크린에서 전 세계 일기예보를 보여 준다. 우크라이나에 홍수가 나면 밀 가격이 크게 오르기 전에 곧바로 밀 선물을 사야 하는 이유가 생긴다. 브라질 마투그로수<sup>Mato Grosso</sup> 주에서 화창한 날씨가 계속되면 콩 수확에 좋은 징조가 될 수 있으며, 중매인들에게는 매도 신호로 작용할 것이다.

거래는 멈추지 않고 계속된다. 한 남자가 뭔가 소리를 지르며 한 손을 비틀어 돌린다. 아마 팔아야 하는지 사야 하는지 확신이 없는 것 같다. 그가 종이에 뭔가를 쓴다. 그리고는 다시 생각을 한 후에 과장된 몸짓으로 종이를 조각조각 찢고서 주먹으로 자기 관자놀이를 때린다. 옆에 있던 다른 남자가 웃는다. 또 다른 이는 자포자기 표정으로 얼굴을 찡그린다. 칸막이 매장마다 사실상 똑같은 광경이 되풀이된다. 거대한 객장은 작은 권투 링을 여럿 모아 놓은 모습이다. 9시 30분에 공이 울리면 수백 개의 시합이 동시에 시작된다. 딜러들은 서로에게 눈길을 주지 않은 채 시합을 한다. 각자 다른 모든 사람을 상대로 싸움을 하는 것이기 때문이다. 딜러의 승패 여부를 결정하는 건 심판이나 옆에 있는 딜러가 아니라 밀이나 옥수수 1부셀 가격의 진행 방향을 가리키는 게시판의 숫자들이다. 거래가 계속됨에 따라 시세가 끊임없이 변하며, 위를 올려나보는 딜러들의 표정이 당혹감에서 행복감에 이르기까지 다양하게 바뀐다. 대부분의 딜러는 하루에도 여러 차례 같은 상품을 사고, 팔고, 되산다. 거래가 진행되는 동안 벌어지는 가격 변동에서 이익을 보기 위해서다. 어느 누구도 사실 콩이나 밀, 옥수수 구매에는 관심이 없다. 딜러들 대다수가 이 농산물을 실제로 본 적조차 없을 게 분명하다. 그들은 수치와 자신의 본능을 가지고 시합을 한다. 하루의 싸움을 마치고 나갈 때 패자가 될 것인가, 승자가 될 것인가를 결정하는 건 바로 이러한 본능이다. 물론 위층에 있는 동료들로부터 받는 갖가지 징후들도 중요한 역할을 한다. 이런 최후의 싸움에서 13시 30분이 되면 타월이 던져진다. 양손을 벌리거나 팔짱을 끼고, 종이를 찢고, 이해할 수 없는 소리를 지르면서 네 시간을 보낸 뒤, 딜러들은 승패를 계산하고는 카페테리아로 간다. 마천루 아래 식당에서 딜러들은 패배감을 달래거나 손에 넣은 전리품을 자랑한다.

## '우리는 온도계입니다'

칸막이 매장에서는 서로 다른 두 종류의 짐승이 초조하게 결과를 기다린다. 한편에는 대형 중개업체의 직원들이 있다. 거대 농산업 그룹과 생산자 협동조합뿐만 아니라 연기금, 투기성 자금, 그밖에도 포트폴리오를 다변화하는 데 열심인 투자자들같이 다른 이를 위해 사고파는 중개업체들이다. 이 봉급쟁이 거래인들 가운데 일부는 열성이 대단하다. 다른 이들은 반복 노동을 하는 사람들에게 전형적인 일종의 소외감에 이미 시달리는 것처럼 보인다. 그들은 지시에 따라 사고파는 일을 하는데, 때로는 자신이 어떤 상품을 다루는지도 알지 못한다. 하루 일과를 마친 어느 거래인과 우연히 마주치면서 이런 사실을 문득 깨닫는다. 이 남자가 거래소에서 나온 뒤 겨우 두 시가 지난 시간이다. 지친 표정이다. 집까지 가는 동안도 참지 못할 것 같다. 내가 묻는다. "오늘 뭘 사셨습니까?" "콩이요." 그가 대답한다. "파신 거는요?" "콩이요." "왜죠?" "나도 모르겠습니다."

봉급쟁이 노동자들 말고 독립 딜러들도 있다. 이 사람들은 스트레스와 아드레날린에 의지해 살아가는 진짜 노름꾼들이다. 매일 같이 파산과 낙원 사이에서 아슬아슬한 줄타기를 한다. 하지만 이 부류의 딜러들은 거의 매장을 포기한 상태다. 그들은 집에서 컴퓨터를 이용해서 밤이든 낮이든 아무 때나 상품을 사고판다. 손짓으로 하는 거래나 종잇조각, 작업복 등으로 대표되는 시카고 거래소의 거대한 객장은 이제 구시대의 유물이다. 이제 거래의 대부분이 여기서 이뤄지지 않으며 하루 24시간 동안 전자 시스템으로 진행된다. 9시 30분부터 13시 30분까지 진행되는 거래는 일종의 연출이다. 실제 실체는 다른 곳, 즉 끝없이 펼쳐진 사이버 공간에 있는 현상을 가시적으로 보여 주는 표시이다.

기본 식량 선물이나 식량 상품이 증가하는 원인은 매장에서 물리적인 노력을 기울이는 모험가들이 아니라 이 사이버 공간에서 찾을 수 있다. 앞 장에서 언급한 것처럼, 이 모든 현상은 2007년 여름에 시작되었고, 가속화되었다. 서브프라임 모기지 사태가 미국 경제를 눈사태처럼 덮치면서 영광스러운 과거를 자랑하는 여러 기업 집단을 무너뜨렸다. 불과 몇 달 만에 일련의 반半정부 기관들이 파산한다 서브 프라임 모기지 사태의 주역이자 처음 직격탄을 맞은 프레디맥과 패니메이는 정부 지원 기관이다. _옮긴이 . 프레디 맥Freddie Mac과 패니메이Fanny Mae, 거대 보험사 AIG와 금융 재벌 리먼브라더스Lehman Brothers, 메릴린치Merrill Lynch, 워싱턴뮤추얼Washington Mutual, 와코비아Wachovia, 시티그 룹Citygroup 등이 그 주인공이다. 자산 거품이 터지면서 많은 유독성 파생 상품이 표면에 드러난다. 바이러스처럼 전 세계 주식시장을 감염시킨 주역이다. 주식시장이 위축됐다. 투자자들은 손해를 막기 위해 주식시장에서 손을 떼고 그 대신 금, 은, 기본 식량 상품 등 이른바 '안전 상품'으로 돌아선다. 밀 선물의 가격이 천정부지로 치솟으면서 전체 생산 라인에 걸쳐 가격 인상을 유발한다. 2006년에서 2008년 사이에 세계 시장에서 밀과 쌀의 가격이 각각 136퍼센트와 217퍼센트 오른다. 불과 몇 주 만에 가격이 150퍼센트 오르는 일시적인 급등도 나타난다.* 가난한 사람들이 먹는, 쌀과 빵 같은 기본 식량 상품의 가격이 세계 많은 지역에서 올라간다. 이집트에서 코트디부아르, 아이티에서 필리핀에 이르기까지 곳곳에서 '기아 폭동'이 발발한다. 바로 이 시점에서 시카고 거래소가 결국 비판의 도마에 오른다. 기본 식량 상품을 사거나 팔려는 전 세계의 모든 사람에게 기준 가격을 정해 주는 것은 다른 어디가 아니라 바로 이곳이기 때문이다. 전 세계를 뒤흔든 비정상적인 파동이 시작된 곳도 바로 이곳이다. 그런데 오로지 투기업자들에게만 비난의 화살을 돌려야 할까?

내게 시장의 작동 방식을 설명해 주는 과제를 받은 전문 거래인인 빅 레스피나스는 확실히 그렇게 생각하지 않는다. 레스피나스는 시카고 거래소의 베테랑이다. 1970년대에 경제학 학위와 딜러로 성공하겠다는 불타는 열망만 가지고 신입으로 들어왔다. 밀 거래 구역에서 그는 거물로 통한다. 젊은 동료들이 끊임없이 정중한 인사를 하는 걸 보면 알 수 있다.

마른 체격에 처진 콧수염과 맑은 파란 눈이 인상적인 그는 자세한 이야기를 듣기 위해 거래소에 몰려드는 언론인들의 질문 공세를 담당하는, 거래인들의 대변인으로 선택되었고, 그 역할에 아주 제격이다. 레스피나스는 자기 일을 잘 안다. 그는 언제나 생각하고 나서 대답한다. 지나치게 말을 많이 하는 법도 없다. 그리고 그의 말에서 불확실한 부분은 털끝만큼도 없다. "투기 거품 같은 건 전혀 없습니다." 그가 이야기를 시작한다. "기본 식량 상품의 가격이 오르는 건 일련의 경제적 요소들 때문이에요. 흉작, 중국과 인도 같은 신흥 국가들의 소비 증가, 바이오 연료 생산 증가 등 여러 요인이 있지요. 특히 바이오 연료 생산이 증가하면 소비용이 아닌 옥수수를 경작하는 용도의 땅이 늘어납니다. 이 모든 요인들 때문에 거래인들은 가격 인상에 돈을 걸고 시장이 동요하는 거지요. 가격 인상을 유발하는 주범이 거래인들

● Beat Balzli and Frank Hornig, 'The Role of Speculators in the Global Food Crisis', *Der Spiegel*, 23 April 2008.

이라는 건 말도 안 돼요. 우리한텐 그럴 만한 힘이 없어요. 우리는 일종의 온도계 같은 존재입니다. 시장의 온도를 측정하는 거지요. 수요가 공급보다 커질 것 같으면 매입을 하지요. 가격이 오를 거라고 생각하니까요. 반대의 경우면 매도를 하고요."

이건 집중포화를 받는 집단의 대표가 내놓는 공식적인 변명에 불과한 걸까, 아니면 기본 식량 상품을 거래하면서 평생을 보낸 사람의 침착한 설명일까? 뭐라고 말하기 힘들다. 아마 진실은 그 사이 어딘가에 있을 것이다. 나는 만약 시카고가 온도계라면 아마 자유낙하하는 주식시장에서 막대한 자본이 유입되면서 과열된 환경의 온도를 측정하는 중일 거라고 꼬집는다. 내가 말을 하는 중에 외침 소리가 객장을 울린다. 옥수수 가격이 방금 1부셸에 7.2달러로 새로운 기록을 세웠다고 한다. 여기저기서 손이 올라간다. 휘파람 소리도 들린다. 종이들이 산산이 찢어진다. 레스피나스는 눈 하나 깜박이지 않는다. "최근에 많이 생기는 일이지요." 그가 희미한 미소를 지으며 이야기한다. 그러고는 곧바로 이야기를 이어 간다. "맞아요. 최근에 시카고에 투기성 자금이 대대적으로 유입되긴 했습니다. 주식시장이 제대로 돌아가지 않는 데 반해 상품 시장은 괜찮으니까요. 그래서 투기업자의 자금이 상품 시장으로 유입되는 중입니다. 하지만 제가 보기에는 투기업자들은 이미 확립된 추세를 따르는 것이고, 이 추세는 어쨌든 존재할 겁니다. 투기업자들이 가격 인상을 유발한다고 생각하지 않아요. 그들이 일부분 이바지할 수도 있지만, 그들의 전반적인 투입량은 미미한 수준입니다."

현재 뉴스를 지배하는 이 문제의 핵심에 놓인 질문은 이런 것이다. 투기업자들은 추세를 따르는 건가, 아니면 추세를 만들어 내는 건가? 질문을 바꿔 보자. 기본 식량 상품의 가격 인상은 시장의 요인들 때문인가, 아니면 무모한 투자자들이 자신들이나 고객의 엄청난 수익을 얻기 위해 도박을 하면서 생겨난 새로운 투기 거품 때문인가? 시카고 거래소에서 일하는 모든 사람들은 회장에서부터 수위와 그 중간에 있는 레스피나스까지 다들 자신들은 책임이 없다고 서슴없이 말한다. 그들은 자신들의 권한이 그 정도까지 미치지는 못한다고 말한다. 거래소는 열풍을 일으키는 게 아니라 측정한다는 것이다.

다들 '온도계'라는 비유를 입에 올린다. 개장 막바지에 만난 몇몇 거래인들은 마치 주문처럼 이 말을 되풀이한다. '시카고 거래소의 황제, 교섭의 대가, 곡물의 마술사.' 언론이 오래 전부터 패트릭 아버Patrick Arbor에게 붙여 준 여러 가지 별명 중 일부다. 아버도 내게 이 말을 되풀이한다. 아버는 시카고 거래소의 역사를 오롯이 상징하는 인물이다. 최근에 세 번 연속 회장으로 선출되어 총 6년을 일했다. 일찍이 1965년부터 이 분야에서 활동한 그는 현재 투자회사 아버 인베스트먼트Arbor Investments Inc.를 운영하는데, 이 회사는 거래소와 같은 마천루에 본사가 있다. 아버 사무실의 전면은 거리가 내려다보이는, 바닥부터 천장까지 통유리로 된 거대한 입구이다. 사무실은 밝고 널찍하고 안락해 보인다. 아버와 그의 이름을 딴 그룹은 높은 곳에서 세상을 내려다보며 자신들이 거둔 성공을 자랑할 게 분명하다.

몇 분 기다린 끝에 회장실로 안내를 받는다. 비좁은 작은 방에는 책상이 하나 있는데 한쪽 위에 책과 서류철이 약간 무질서하게 쌓여 있다. 책상 뒤에 있는 화면은 항상 경제 전문 케이블 방송인 CNBC 채널에 맞춰져 있다. 어지러운 느낌에다가 부조화가 무척 인상적이다. 대기실의 시원하고 밝은 분위기와 네온 조명에 흔해빠진 의자 두 개가 있는 8평방미터 넓이의 회장실은 서로 어울리지 않는다. 마치 복도 하나를 사이에 두고 억만장자 그룹의 본사에서 시골 회계사 사무실로 옮겨 간

것 같은 느낌이다. 그런데 곰곰이 생각해 보니 특별히 이렇게 설계해 놓은 것 같다. 공간의 구획이 아주 정확한 논리를 따르는 것처럼 보인다. 사무실들은 하나같이 비좁다. 빈둥거리며 시간을 보내는 곳이 아니라 순전히 일터이기 때문이다. 반대로 응접실은 널찍하고 안락하다. 여기는 고객이 오는 곳이고, 고객은 자신이 돈을 투자하는 회사에서 편안하게 머물면서 안심해야 하기 때문이다. 이곳을 찾는 사람이면 누구나 우선 이 그룹이 어디에 이르렀는지를 눈치채고, 계속해서 어떻게 그 자리에 올랐는지를 이해해야 한다. 아버 본인의 말마따나 고객이 거래인의 궁극적인 목표를 이해해야 한다. '탐욕에 굴복하지 않으면서 매일 무언가를 축적' 하고 '이런 높은 고지에 오르면서도 현기증을 느끼지 않는 것'이 그것이다.

아버는 문자 그대로나 비유적인 의미에서나 등산가이다. 그는 거래소에서 일반 거래인으로 출발해서 결국 높은 자리에 올랐다. 워낙 높은 자리에 올라서 다음과 같은 철학을 채택할 수 있다. 다음은 그가 그룹 웹사이트에 쓴 말이다. '우리는 아주 높은 고지에 올라서 더 멀리 내다볼 수 있다고 믿습니다.'* 하지만 아버는 또한 열정적인 등반가이기도 하다. 그는 세계 각지에서 5,000미터가 넘는 산을 여럿 올랐다. 그의 사무실 벽은 이런 영광스러운 위업의 증거로 도배되어 있다. 한 사진에서 그는 킬리만자로 산 정상에서 V자를 그려 보이고 있으며, 몽블랑 꼭대기에 서서 찍은 다른 사진에서는 다소 피곤한 표정이다. 나는 호기심에서 사진을 샅샅이 훑어보면서 아버에게 언제 어디서 찍은 거냐고 자세히 물어본다.

그런데 특히 관심을 사로잡는 사진이 하나 있다. 짙은 색 정장 차림의 패트릭이 음악가이자 쇼 진행자인 렌초 아르보레Renzo Arbore와 같이 찍은 사진이다. "내 사촌입니다." 나는 어리둥절해서 그를 쳐다본다. 그가 설명을 시작한다. "내 할아버지가 이탈리아 사람인데, 부자가 되려는 꿈을 품고 미국 중서부로 왔습니다. 할아버지 이름이 사비노 아르보레<sup>Savino Arbore</sup>지요. 시카고에 도착한 직후 할아버지는 꼴사나운 사람들과 말다툼을 벌이다가 살해됐습니다. 그러자 가족들이 이제 성을 바꿔야겠다고, 좀 더 미국적인 걸로 바꾸자고 결심했지요. 그래서 'e'를 뺀 겁니다. 그로부터 오랜 시간이 흘러서 피렌체에 가서 당신 나라의 아름다운 언어를 배웠지요. 그런데 거기서 누군가 내가 렌초 아르보레와 묘하게 닮았다고 말하더군요. 내 할아버지처럼 렌초도 풀리아<sup>Puglia</sup> 출신이거든요. 나는 렌초한테 연락을 했고, 만나서 같이 뿌리를 더듬어 보았지요. 그 뒤로 자주 만납니다." 내 눈길을 끈 사진을 가리키면서 그가 말한다. "그 사진은 여기 시카고에서 찍은 겁니다."

패트릭의 역삼각형 얼굴은 무척 깔끔한 흰 염소수염으로 마무리되는데, 이 수염은 관자놀이에 조금 남아 있는 부드러운 머리카락과 잘 어울린다. 날렵한 마른 체격이다. 목소리는 멀리 퍼지지 않는 저음이고, 상대의 눈을 똑바로 보면서 조용히 말을 한다. 내가 회장실로 들어가자 위아래로 훑어보면서 앉으라고 말한다. 그러면서 '우리 아름다운 나라<sup>bel paese</sup>'의 어느 도시에서 왔냐고 묻는다. 인터뷰를 시작하기에 앞서 그는 내게 보여 줄 게 있다고 권한다. 그러더니 유튜브에 접속해서 동영상을 고른다. 〈그라비나의 시간<sup>Gravina Hours</sup>〉이라는 제목이 붙은 다큐멘터리다. 아마추어 동영상이다. 카메라는 흔들리고, 화면은 초점이 약간 빗나갔다. 영화는 복식을 차려 입은 말과 깃발을 든 기수, 갑옷 차림의 기사 등이 등장하는 중세의 행렬을 보여 준다. 이윽고 도시 광장으로 장면이 넘어가는데, 카메라가 오래된 시계

---

● patrickarbor.com을 보라.

에 초점을 맞춘다. 여기서 현대 의복을 잘 차려입은 남자가 보인다. 화질이 형편없기 때문에 겨우 알아볼 수 있다고 말하는 게 맞겠다. 막을 걷어 내는 패트릭의 모습이다. 50년 동안 작동하지 않았던 시계는 그의 재정 지원 덕분에 복구되었다. 아버가 할머니가 그라비나 시에서 미국으로 이주했다는 사실을 알아낸 그 전 해에 도시의 명예 시민증을 받으면서 한 약속을 지킨 것이다. 그는 이탈리아어로 이렇게 말한다. "이 시계가 다시 움직일 때가 된 거였지요."

이 이야기가 그다지 중요해 보이지 않을지도 모르지만, 이 남자의 정체를 잘 보여 준다. 아버는 전통을 존중한다. 시카고에서 나고 자란, 가난한 이탈리아 이민자 가정의 일원인 그는 거래인들의 지독한 세계에서 출세했다. 그는 멀리까지, 아니 '높이까지' 나아갔고, 이런 사실을 굳이 숨기지 않는다. 성공한 남자인 그는 머나먼 고향의 전통을 다시 살리려고 한다. 하지만 그는 자신에게 영광을 안겨 준 장소에 애정이 훨씬 더 많다. 그가 태어나고 자라고 재산을 모은 도시 말이다. 이야기를 나누는 동안 그는 자기 생애의 대부분을 바친 시카고 거래소의 이름이 더럽혀지는 걸 참지 못했다. "오늘날 사람들은 투기업자들이 지구를 굶주리게 만들고 있다고 말합니다." 그가 신중한 어조로 말한다. "하지만 이건 말도 안 돼요. 우리는 거래소일 뿐입니다. 우리는 가격을 정하지 않아요. 가격을 정하는 건 매도자와 매수자이지요. 더군다나 우리에게는 규칙이 지켜지지 않을 때마다 시장을 보호하기 위한 정확한 법률이 있습니다. 누군가 몰래 어떤 일을 하면, 우리는 거래를 중단시키고 그 사람을 쫓아낼 수도 있습니다." 그러고는 잠시 숨을 고른 뒤 암호 같은 말을 펼쳐 보인다. 지난 며칠 동안 이미 백 번은 들은, 누구나 입에 올리는 설명 말이다. "시장이 변동하는 건 실물경제에서 일어나는 변화 때문입니다. 우리는 이런 변동을 측정하는 온도계에 불과하지요."

내가 의견을 말한다. "네, 그렇지만 최근에 상품 시장에 막대한 돈이 유입되었고, 이 돈 때문에 확실히 가격이 왜곡되고 있는데요."

"어느 정도는 그 말이 맞아요. 이 상품들은 사실 새로운 금융 상품들입니다. 미국과 세계 다른 나라의 연기금들이 위험에서 자신을 보호하기 위해 의존하는 상품들이지요. 이 연기금 자본의 1~3퍼센트 정도는 상품 시장에 투자됩니다. 이 연기금들은 시장에서 몇 달이고 계속 머무릅니다. 의무 기한이 있으니까요. 연기금은 가입자들에게 수익을 제공하고 인플레이션으로부터 가입자를 보호해야 합니다. 그래서 석유나 옥수수, 콩 같은 안전 상품에 의존하는 겁니다. 그렇긴 해도 유럽이나 미국의 연금 생활자들이 시카고에 투자를 해서 빵 가격이 올랐다고 주장하는 건 억지 주장일 뿐이지요."

"그렇지만 새로운 돈이 유입되면서 시장이 마비될 수 있는 것 아닌가요?"

"선물에 투자를 하는 사람이라면 누구나 실제 데이터에 입각해서 투자를 하는 겁니다." 아버지가 주장한다. "가격을 급등하게 만들려고 특정 상품의 선물을 전부 긁어모으는 꼭두각시 조종자 같은 사람은 없어요. 곡물을 대상으로 한 투기 거품은 전혀 없습니다. 그런 게 있다면 지금쯤 이미 터졌겠지요."

"거래소가 매수자와 매도자가 만나는 장소라면, 실제로 얼마나 많은 계약이 상품 인도로 이어집니까?"

"아주 적지요. 아마 1퍼센트 정도일 겁니다." 아버지가 대답한다. "하지만 언제나 그런 식이었지요. 투기업자들이 하는 역할은 유동성을 순환시키고 우리가 전문 용어로 **위험 회피**hedging라고 부르는 방식을 허용하는 겁니다. 실물경제에서 하는 역할과는 정반대의 역할을 금융시장에서 떠맡는 중매인들이 이 부문을 보호하게 해 주는 거지요. 시장에는 투기가 필요합니다. 투기는 나쁜 말이 아니에요. 위험을 떠 맡는 투기업자들이 없으면 위험 회피가 불가능하고 시장이 작동하지 않을 겁니다."

문외한의 언어로 하면, 투기업자들은 미래의 가격 변동에 내기 돈을 걸고, 중 매인(농업 소매인, 식량 상품 도매업자, 1차 가공업자)들은 여기서 정해진 선에 따라 위 험을 회피한다. 투기업자들은 가격을 정확하게 예측하는지 여부에 따라 돈을 벌거 나 잃을 수 있다. 반면 위험 회피를 하는 사람들은 돈을 잃지 않을 것이라고 확신할 수 있다. 거래소에서 그들이 어떤 손해를 보든 간에 실물경제에서 벌충을 할 것이 고, 반대의 경우도 마찬가지이기 때문이다. 투기업자들이 없다면, 따라서 선물의 가치가 변하지 않는다면, 시장은 더욱 불안정해질 것이다.

그런데 만약 투기가 존재하고 증가한다는 사실이 이 부문의 중매인들에게 더 큰 안정성을 보장해 준다면, 가격 인상은 지구 전체 차원에 영향을 미친다. 지구 전역 의 소비자들은 식생활 비용이 늘어나는 현실에 직면한다. 아버는 이 점에 대해 단 언하면서 다시 한 번 같은 말을 되풀이한다. "그건 우리하고는 무관한 일입니다. 곡물 가격 인상은 구조적인 요인들에 의해, 시장에 의해 결정됩니다." 그러고는 레 스피나스가 한 말을 거의 똑같이 반복하면서 자기가 보기에 식량 가격을 급등시킨 요인들을 죽 나열하기 시작한다. "중국과 인도 같은 나라에서 육류 소비가 늘어나 면서 동물 사료 수요가 증가했지요. 유가가 올랐고요. 최근 잇따라 흉작이 있었습 니다. 또 미국 행정부가 옥수수를 가지고 바이오 연료를 개발하는 걸 장려하는 등 바보 같은 정책도 분명 있었습니다."

## 아이오와, 미국의 쿠웨이트

미국의 바이오 연료 정책은 지구의 기아 상인들을 상대로 한 법정에서 또 다른 주요 피고이다. 지난 몇 년 동안 미국은 '녹색 연료' 개발, 특히 옥수수에서 생산하는 에탄올 개발을 장려하는 프로그램을 진행하고 있다. 에탄올을 향한 경주를 공식적으로 개시한 계기는 조지 W. 부시 전 대통령의 2006년 연방교서 연설이다. 대통령은 석유에 대한 의존이 미국의 주요한 문제라고 선언한 뒤('미국은 석유에 중독되어 있습니다') 다른 종류의 '청정에너지'와 더불어 바이오 연료 생산에 대대적인 투자를 한다고 발표했다.

부시가 제안하고 의회가 승인한 법안을 통해 미국은 2022년까지 주유소에서 바로 구입할 수 있는 에탄올 양을 7배로 늘리는 과제에 몰두했다. 생산을 장려하기 전에도 정부는 이미 주유소에 에탄올을 공급하는 회사들에 갤런 1갤런=약 3.79리터 _옮긴이 당 51센트(나중에 45센트로 인하)의 연방 보조금을 지급했다.* 전통적으로 석유 회사들과 긴밀한 관계를 맺고 있던 행정부로 하여금 이런 방향으로 나아가도록 재촉한 주된 이유는 전략 지정학적인 것이었다. 부시는 공공연하게 이런 사실을 인정했다. "우리의 목표는 중동 원유에 대한 의존을 과거사로 돌리는 것입니다. 많은 나라들의 경우에 중동 원유는 믿을 게 못됩니다." 사실 미국이 추구하는 목표는 이중적이다. 중동산(베네수엘라산도 포함) 원유에 대한 의존도를 줄이고, 중서부의 강력한 농업 로비 세력을 만족시키는 것이 그것이다.**

● 2011년 말, 연방 의회는 에탄올 생산에 대해 갤런당 45센트를 지급하는 연방 보조금을 연장하지 않았지만, 재생가능 연료기준법Renewable Fuel Standard Act에서 정한 에탄올 생산 증가를 위한 목표치는 계속 유지했다.
●● 이런 정책 변화를 야기한 불길한 이유들에 관해서는 다음의 흥미로운 기사를 보라. F. William Engdahl, 'The Hidden Agenda Behind Bush's Biofuel Plan', *Counterpunch*, 13 August 2007(counterpunch.org에서 열람 가능).

부시의 연설에 뒤이어 미국 옥수수 벨트 전역에서 에탄올 공장들이 우후죽순처럼 생겨났다. 일리노이에서 와이오밍, 그리고 아이오와와 네브래스카, 사우스다코타까지 포함해서. 아이오와는 사실 미국에서 으뜸가는 바이오 연료 생산지이다. 이 주에는 33개의 공장이 있는데, 모두 합쳐 연간 30억 갤런 약 113억5,600만 리터 _옮긴이 이 넘는 에탄올을 생산한다. 미국 전역에서 생산되는 총량의 4분의 1이 넘는 규모다. *

이곳에는 농민들이 조직돼 있다. 농민들은 협동조합을 만들었고, 압력 단체도 설립했다. 그리고 강력한 시너지 효과를 만들어 냈다. 옥수수 생산자들을 위한 단체(아이오와 옥수수재배농협회Iowa Corn Growers Association)와 에탄올 생산자들을 위한 단체(아이오와 재생가능연료협회Iowa Renewable Fuels Association)는 바이오 연료에 관한 이야기를 확산시키고, 인센티브 제공 정책이 계속되도록 워싱턴에 제대로 압력을 가하기 위해 협력해서 활동한다. 두 단체는 본부도 같은 건물에 있다. 공통의 이해를 확실히 보여 주는 또 다른 증거이다. 내가 두 단체의 홍보실에 연락을 하자 두 단체는 똑같은 대답을 하면서 같은 날짜로 약속을 잡는다. "다음 주 일요일에 뉴턴Newton에서 열리는 인디카 시리즈Indy Car Series 대회에 오세요. 우리 협회 회원들이 전부 거기 오거든요."

뉴턴은 미국을 완전히 관통하는 고속도로인 80번 주간州間 고속도로 한가운데에 있는 낙후한 도시이다. 고속도로 변에 줄지어 선, 변변한 역사랄 게 없는 다른 천여 개의 소도시들과 마찬가지로 뉴턴도 전형적인 경유 도시의 모습을 보인다. 모텔 몇 개, 술집 두어 군데, 주유소 및 인접한 식당 몇 개 등이 대표적이다. 도시는 고속도로 오른편에 수평으로 뻗어 있다. 왼쪽에는 아이오와 주에서 한 스테이지를 여는 인디카 시리즈 대회를 위한 경주로가 지어졌다. 2007년에 주최 측이 대회에 중요한 새로운 특징을 도입하기로 결정한 점을 감안하면 아주 시기적절한 스테이지다. 모든 경주용 차에 에탄올을 연료로 쓰기로 한 것이다.

경주로 옆에 임시로 만들어진 주차장에 자리를 잡으려고 줄줄이 늘어선 방문객들을 환영하는 거대한 플래카드가 눈에 띈다. '재생 가능 연료를 사용하는 세계 유일의 자동차 경주에 오신 걸 환영합니다.' 수백 명의 사람들이 표를 사려고 줄을 서 있고, 트랙 바깥쪽의 전망대와 경사진 잔디 관람석도 가족, 농부, 광고주, 호기심에 찬 구경꾼 등등으로 모두 가득 찬 상태다. 이 레이스는 권위 있는 행사다. 하지만 단순한 스포츠 대회가 아니다. 이 행사는 주로 거대한 에탄올 박람회이기도 한다. '공해를 유발하지 않고, 재생 가능하며, 무엇보다도 미국의' 연료라는 에탄올의 품질을 자랑하기 위해 많은 홍보 스탠드가 설치되어 있다. 구운 옥수수를 나눠 준다. 거대한 옥수수로 분장한 남자가 군중 사이를 헤집고 다닌다. 호기심에 몰린 아이들에게 남자가 말한다. "안녕, 나는 미스터 옥수수란다!" 또 다른 남자는 E85-에탄올 85퍼센트, 휘발유 15퍼센트 혼합 연료-를 주입하는 주유기 모양의 마스크를 쓰고 있다. 조금 아래쪽에 있는 재생가능연료협회 홍보 스탠드에는 아이들이 타고 놀 수 있는 경주용 자동차가 주차되어 있다. 아이들이 운전대를 잡고 노는 동안 부모들은 에탄올의 장점과 최신 개발품에 관한 정보를 듣는다. 협회에서 나온 여자가 미국에서 '녹색 연료' 주유소가 빠른 속도로 생겨나고 있다고 설명한다. "지난 일요일에는 조지아 주 애틀랜타에 갔었는데, 하루 만에 E85 주유소 열두 곳이 문을 열었습니다. 이제 중서부를 넘어 전국 각지로 에탄올이 확산되고 있어요."

● 이 수치들은 재생가능연료협회Renewable Fuels Association(ethanolrfa.org)의 자료에서 인용한 것이다.

이 여자의 설명에 따르면 경주용 자동차들은 98퍼센트 에탄올로 달린다. 휘발유 2퍼센트를 첨가하는 건 미국 법률상 100퍼센트 알코올을 연료로 쓰는 게 금지되어 있기 때문이다. 여자가 진지한 말투로 이야기한다. "사람이 먹지 못하게 하려는 겁니다." 주유기에 병을 갖다 대려고 줄을 선 알코올 중독자들이 2퍼센트의 휘발유 때문에 단념하는 모습을 상상해 보지만 좀처럼 떠오르지 않는다.

경주로 옆을 지나 언론인 구역으로 간다. 야외 관람석 뒤에는 드라이버들과 감독, 스폰서 등이 있다. 현재 가장 인기 있는 이탈리아계 미국인 드라이버 마르코 안드레티Marco Andretti가 보인다. 안드레티의 할아버지와 아버지는 둘 다 지난 시절에 가장 유명했던 레이서다. 그도 에탄올 자동차 경주에서 선전하고 있다. 수많은 팬들에 둘러싸여 사인과 악수를 하고 있다. 그의 동료들 몇몇은 헬멧을 써 보면서 각자의 감독들로부터 마지막 조언을 듣고 있다. 출발선에 가서 혼자 준비하기 전에 마지막으로 하는 일이다. 몇 분 뒤 경주가 시작된다. 차들이 출발한다. 속도가 올라간다. 작은 트랙에서 차들이 엉키기 시작하자 라디오 아나운서가 소리를 질러 댄다. 아나운서는 입을 열 때마다 새로운 연료의 화력을 칭찬하는 세 마디 말을 빼먹지 않는다. "놀랍습니다. 효율적입니다. 미국산입니다." 드라이버들이 경주로를 따라 미끄러진다. 경주로는 믿을 수 없을 정도로 짧지만 정말 구불구불하다. 관람석의 팬들이 고함을 지른다. 우상의 얼굴을 보려고 망원경에 눈을 박은 채로. 경주 차량들이 막상막하로 달리는데 직선 주로에서는 속도가 200마일 약 322킬로미터 _옮긴이 까지 치솟는다. 아나운서가 목소리를 높인다. "에탄올이 일반 휘발유와 성능이 똑같네요." 소음과 냄새, 팬들의 환호성이 포뮬러원 레이스와 흡사하다. 결국 피트에 들러 정비를 하고, 사고도 몇 번 나고 하면서 두 시간의 경주와 드라마가 끝나고,

안드레티는 3등을 차지한다.

나는 미디어 사무실로 사용되는 조립식 건물에 있는 작은 TV 화면으로 경주를 본다. 내 옆에는 아이오와 옥수수재배농협회에서 온 농민들이 모여 있다. 우리는 모두 원형 테이블 주변에 둘러 앉아 있다. 각자 자기소개를 한다. 첫 번째 사람, 딘이 이야기를 시작한다. 거인 같은 남자다. 2미터가 넘는 키에 130킬로는 나갈 게 분명하다. 그가 입고 있는 협회의 파란색 티셔츠로는 탄탄한 몸이 감춰지지 않는다. 물론 전부 다 근육은 아니지만. "우리는 최근 몇 년 사이에 처음으로 손실을 보지 않았네요. 옥수수 가격이 오르니 우리 같은 사람들은 마치 신선한 공기를 들이마시는 기분입니다. 이 모든 건 더 타당한 구조의 일부분이에요. 우리는 옥수수를 생산하는데, 옥수수가 더 높은 값에 팔리지요. 이 옥수수는 에탄올을 생산하는 데 사용되는데, 그러니까 미국에 우호적이지 않은 정권들로부터 석유를 수입할 필요가 없게 됩니다. 이런 식으로 국가 경제가 성장하고, 우리는 또한 스스로 에너지 독립을 확보하는 겁니다." 미국의 정책 때문에 전 세계 곡물 시장이 교란되고 그 결과로 광범위한 영향을 미치지만 않는다면, 이 논리는 빈틈이 없을 것이다.

"아프리카에서 기아 폭동이 일어나는 건 유감이오." 팀이 조용한 목소리로 부연 설명을 한다. 키가 작고 단단한 체격의 농부다. "하지만 우리를 향한 비난은 번지수를 잘못 찾은 거요. 우리가 가격을 올린 게 아니오. 우리는 그냥 농산물을 팔 뿐이니까. 가격이 오르는 건 투기꾼들 때문이오."

내가 반론을 편다. "네, 그렇지만 투기꾼들이 선물을 사는 건 옥수수 수요가 늘어날 걸 알기 때문이지요. 특히 에탄올 정책 때문이고요."

다른 이가 입을 연다. "우리는 전보다 옥수수를 더 많이 키워요. 시장에 옥수수출하량이 줄었다는 건 틀린 말입니다. 우리가 생산하는 작물은 일부는 에탄올에 쓰고, 일부는 사람하고 짐승이 먹는다고요."

딘이 말한다. "그런데 어쨌든 우리는 석유를 수입하고 있다고요. 그러니까 석유를 통제할 수 없어요. 우린 여기 국내에서 에탄올을 생산하고 있소이다. 이 정책은 중서부같이 에탄올을 생산하는 주들한테만 유리한 게 아니라 나라 전체에 유리한 겁니다." 에너지 독립 문제는 미국에서 무척 민감한 주제이다. 미국은 어느 날 갑자기 연료가 바닥날지도 모른다는 공포감에 끊임없이 시달리면서 살기 때문이다. 거인 딘은 무척 유력한 비유를 들면서 자신의 추론을 계속 이어간다. "아이오와는 미국의 쿠웨이트고, 우리는 중서부의 아랍인들입니다." 이 말에 그의 친구와 동료들이 고개를 주억거린다. 확신에 찬 눈빛들이다. 그들은 단지 수익이 커지는 걸 보는 데 만족하지 않는다. 그들은 또한 자기 나라에 이바지하고 있다고 믿는다. 미국을 석유 의존 상태에서 해방시키고 있으니까.

하지만 아이오와 농민들이 열성적인 에탄올 지지자 집단에 속하는 반면, 모든 사람이 재생 연료를 선호하는 건 아니다. 에탄올이 옥수수 가격에 미치는 영향 때문에 미국 전체에 분열이 생겼다. 이 분열은 단순한 지지 정당 차원을 넘어서며 남북전쟁 당시의 분열과 흡사하다. 가축 사육에 경제를 의존하기 때문에 옥수수 가격 인상에 속이 끓는 남부 주들은 에탄올 장려금 때문에 심한 상처를 입었다고 주장한다. 옥수수 파동이 한창이던 2008년 여름, 텍사스 주지사 리처드 페리<sup>Richard Perry</sup>는 신랄한 공개서한을 작성해서 연방 의회에 보조금을 폐지하거나 최소한 줄이라고 요구했다.* 캘리포니아 주는 에탄올에 크게 불리한 배기가스 절감에 관한 법률을 도입했다.** 애리조나 주 출신 상원의원이자 2008년 대통령 선거 후보로 나서 패배한 존 매케인[John McCain]은 농산 연료에 대한 보조금을 폐지해야 한다고 줄곧 주장했다. 반면 그의 경쟁자이자 현 백악관 주인인 민주당의 버락 오바마는 계속해서 열심히 찬성론을 설파해 왔다. 그리고 오바마는 자신의 입장이 지리적인 이유 때문임을 공개적으로 인정했다. 그는 여러 차례 이런 말을 했다.*** "나는 에탄올을 적극적으로 지지하는 사람입니다. 일리노이 주는 대규모 옥수수 생산지이니까요."****

식량 위기와 기아 폭동이 정점에 달한 2008년, 논쟁은 '식량-연료'의 이분법을 따라 다소 도식적인 형태로 진행된다. 에탄올을 비난하는 사람들에 따르면, 이 연료 때문에 식량 소비용 옥수수가 줄어들고 농경지를 다른 종류의 곡물 재배에 사용하지 못한다. 결국 식량 부족 사태가 생긴다. 식량 위기를 낳은 원인 중 75퍼센트가 농산 연료 탓이라고 밝힌 세계은행의 연구는 이런 명제를 뒷받침한다.***** 에탄올 찬성론자와 반대론자 양쪽은 광고와 학술 연구, 서로 충돌하는 로비 활동 등

● Rick Perry, 'Texas is Fed Up with Corn Ethanol', *Wall Street Journal*, 12 August 2008(online.wsj.com에서 열람 가능).

●● 2009년 4월에 채택된 저탄소연료기준법[Low Carbon Fuel Standard]의 규정에 따르면, 2011년부터 캘리포니아 주에서 사용되는 연료는 이산화탄소 배출 감소 효과가 있어야 한다. 이 계산은 산림 벌채나 바이오 연료 재배를 위한 토지 용도 전환 등으로 인한 온실가스 배출 가능성을 포함해서 전체 연료 생산라인을 고려한 것이다. 관련된 내용을 다룬 다음 기사를 보라. Timothy Gardner, 'California Rule Could End Ethanol's Honeymoon', Reuters, 24 April 2009(reuters.com에서 열람 가능).

●●● 2012년 대통령 선거운동 중에 공화당 후보 미트 롬니[Mitt Romney]는 재생가능연료기준법에서 정한 목표에 찬성한다고 선언함으로써 민주당 경쟁자와 초당파적인 제휴 노선을 만들었다. 그의 이러한 입장은 재생 가능 연료 기준을 수정하라는 여러 남부 주지사들의 호소 및 식량농업기구 사무총장의 호소를 고려하지 않은 것이었다.

●●●● Alec MacGillis, 'Obama's Evolving Ethanol Rhetoric', *Washington Post*, 23 June 2008.

●●●●● Donald Mitchell, 'A Note on Rising Food Prices', World Bank, Policy Research Working Paper no. 4682, July 2008(wds.worldbank.org에서 열람 가능). 세계은행은 나중에 이 문제에 관한 입장을 수정하면서 '바이오 연료가 식량 가격에 미치는 영향은 애초에 추정한 것만큼 중요하지 않았다'고 주장했다. John Baffes and Tassos Haniotis, 'Placing the 2006/08 Commodity Price Boom into Perspective', World Bank, Policy Research Working Paper no. 5371, July 2010(elibrary.worldbank.org에서 열람 가능)을 보라.

을 활용해서 승부가 날 때까지 싸운다. 한 연구에서 에탄올이 어떻게 유가 인하에 기여하는지 보여 주면, 상대편에서는 정반대의 결과를 입증하는 연구를 내놓는다. 반대론자들에 따르면, 에탄올은 정말로 사기극이다. 에탄올을 생산하려면 밭을 경작하고 정제소의 전력을 공급하기 위해 화석 연료 에너지가 필요하기 때문이다.* 보조금 때문에 농경지의 생산성이 오른 것을 보여 주는 연구에 대해서는, 미국이 필요로 하는 양의 에너지를 공급하려면 서반구 전체에서 옥수수를 재배해야 한다고 주장하는 다른 연구가 대립각을 세운다.**

논쟁의 양쪽을 검토해 보면, 에탄올 찬성론은 정말 효력을 잃는다. 에탄올을 옹호하는 사람들은 중서부의 농민들과 그들을 대변하는 정치인들밖에 없는 것 같다. 환경론자들처럼 이론상 에탄올을 두 팔 벌려 환영해야 마땅한 이들은 거의 즉각적으로 반대론자와 운명을 같이하면서 에탄올을 '녹색 연료'라고 규정하는 것은 어불성설이라고 주장했다. 이 학파의 수장은 말할 것도 없이 레스터 브라운Lester Brown이다. 워싱턴의 환경 싱크탱크인 지구정책연구소Earth Policy Institute 소장을 맡고 있는 브라운은 지속 가능한 발전의 진정한 스승이다. 『워싱턴포스트』가 '세계에서 영향력이 가장 큰 사상가 중 한 명'으로 꼽은 그는 이제까지 24개의 명예 학위를 받았다. 그는 지금까지 출간한 약 50종의 책을 통해 오랫동안 대담한 생태 경제 프로젝트의 윤곽을 명확히 다듬었다. 쓰레기와 비효율을 줄이고 지구를 구하기 위한 캠페인 계획이다. 저서 『플랜B 3.0』에서 자세하게 설명하는 그의 프로젝트에는 바이오 연료를 위한 자리가 없다. 사실 그는 바이오 연료를 완전한 재앙으로 여긴다. 로마에서 열린 이탈리아판 저서*** 출간 기념회에서 만난 70세 정도의 그는 헝클어진 회색 머리에 주름진 재킷, 낡은 흰색 런닝화 차림이 인상적인 수수한 사람이다. 지금은 어느 정도 성공한 68세대 투사의 몽상적인 분위기가 풍긴다. 그는 자기를 찍는 텔레비전 카메라들 사이를 어색하게 움직이고, 기자들이 요구한 사진 촬영 시간에는 약간 피곤한 듯 미소를 짓는다. 지루해 하는 티가 난다. 금세라도 자리를 뜰 구실을 만들어서 택시를 잡아타고 최대한 멀리 가 버릴 것 같은 느낌이 든다. 하지만 발언을 시작하자마자 무뚝뚝한 태도가 사라지고 어느새 설득력 있는 주장을 펼친다. 당면한 주제에 관한 백과사전적인 지식을 바탕으로 이야기를 하면서 구체적인 사실과 수치를 자유자재로 인용하고 수치 계산도 즉석에서 해치운다. "옥수수가 에탄올 생산으로 옮겨가면서 세계적인 규모로 문제가 생기고 있습니다. 올해 미국 중서부에서 생산된 옥수수 4억 톤 중 4분의 1이 식량 소비와 무관한 연료 생산용으로 처리됐습니다. 비축량이 줄어드는 상황에서 이런 용도 전환 때문에 불균형이 생깁니다. 지난 8년 중 7년 동안 곡물 생산이 수요에 미치지 못했고, 전 세계 비축량이 지난 34년 중 최저 수준으로 곤두박질쳤습니다. 최근 2년에 걸쳐 시카고 거래소에서는 옥수수 가격이 두 배가 넘게 올랐지요. 이런 가격 인상의 주된 이유는 한 가지입니다. 중서부의 생산자들이 에탄올 열풍에 사로잡혔기 때문입니다. 특히 연방 정부가 후하게 지급한 보조금 때문이지요."

---

● 특히 바이오 연료 개발 프로그램의 환경 비용을 분명하게 보여 주는 매사추세츠 공과대학의 연구를 보라. Jerry M. Melillo, Angelo C. Gurgel, David W. Kicklighter, John M. Reilly, Timothy W. Cronin, Benjamin S. Felzer, Sergey Paltzev, C. Adam Schlosser, Andrei P. Sokolov and X. Wang, 'Unintended Environmental Consequences of a Global Biofuels Program', Report no. 168, January 2009(globalchange.mit.edu에서 열람 가능).
●● 바이오 연료의 장점과 단점을 부각시키는 다양한 연구에 대한 개관으로는 Kurt Kleiner, 'The Backlash Against Biofuels', *Nature*, 12 December 2007을 보라.
●●● Lester R. Brown, *Plan B 3.0. Mobilizing to Save Civilisation*, New York: W. W. Norton & Company Inc. 2008([국역] 레스터 브라운 지음, 황의방 옮김, 『플랜B 3.0』, 도요새, 2008).

나는 아이오와 농민들 사이에 무척 인기 있는 에너지 독립론으로 응수한다. "그 주장은 사실 아무런 근거가 없습니다." 브라운이 맞받아친다. "미국의 농경지를 전부 에탄올용 옥수수를 생산하는 데 사용한다고 하더라도 미국 소비자 연료 수요의 16퍼센트만 공급할 수 있다는 사실을 유념해야 합니다. 에탄올의 에너지 균형 energy balance. 연료 물질을 생산하는 데 투입된 에너지와 산출된 에너지의 비율 _옮긴이 이 무척 낮다는 건 말할 나위도 없지요. 에탄올을 생산하는 데 사용한 에너지 단위당 산출량은 1.3에 불과합니다."

선도적인 위치에 선 브라운은 어느 정도 '연료 대신 식량' 입장의 대변인 역할을 맡아 왔다. "자동차를 가진 8억 명과 굶주리기 일보 직전인 8억 명이 경쟁하는 겁니다." 그가 진지하게 말한다. "우리는 갈림길에 서 있습니다. 우리는 자동차 중심의 생활 방식에서 비용을 조금 아끼기 위해 남반구의 수많은 사람들을 굶기고 있어요. 이제 사실을 직시할 때입니다. 우리는 정말로 그런 범죄를 저지를 각오가 되어 있을까요?"

### '들판을 지키는 군인들이 없습니다'

레스터 브라운이 제기하는 주장은 보기 드문 게 아니다. 세계 많은 지역에서 농산 연료에 대한 항의의 목소리가 시끄러운 혼성 합창처럼 울려 퍼지고 있다. 가축 사육업자, 환경론자, 농민 조직, 전문가와 관료 등이 콩과 팜유에서 추출한 바이오디젤과 에탄올의 효율성에 대해 각기 정도는 다르지만 의문을 제기하고 있다. 그들은 이런 연료의 개발을 식량 가격 인상과 연결시키며, 미국이 채택한 장려 정책을 (어조는 서로 다를지라도) 비난한다. 사탕수수에서 에탄올을 추출하는 브라질의 장려 정책도 비난의 대상이다. 그렇지만 브라질의 경우는 적어도 레스터 브라운이 인용한 수치보다는 에너지 균형이 훨씬 높다. 미국산 대형 SUV의 사진과 나란히 영양실조에 빠진 세계 각지 어린이들의 사진이 놓여진다. 2008년 식량농업기구가 연 식량 주권 정상회담에서는 많은 부분이 이 새로운 연료들과 식량 가격 인상의 관계에 할애되었다. 결국 이런 정상회담이 흔히 그렇듯이 아무런 결정도 이뤄지지 않았다. 최종 문서에 '바이오 연료의 생산과 사용에서 세계 식량 안보를 확보하고 유지할 필요성을 적절히 고려하게 만들기 위한 자세한 연구'가 필요하다는 일반적인 권고가 포함되었을 뿐이다. *

　이처럼 반감이 전반적으로 확산되고 커지는 상황에서 미국의 생산자들은 자신들의 잘못이 아닌 일로 부당하게 비난을 받고 있다고 느낀다. 아이오와의 재생가능 연료협회에 주에 있는 에탄올 공장 중 한 곳을 방문하게 주선해 달라고 요청하자 협회는 정제 공장 명단과 운영하는 사람들의 자세한 연락처를 보내 준다. "당신이 전화를 해서 가능한지 알아보세요." 협조를 꺼리는 이런 태도에 약간 놀란 나는 성실하게 전화를 걸기 시작하지만 이내 뚫을 수 없어 보이는 벽에 부딪힌다. 어떤 이들은 이메일을 보내라고 이야기하지만 이메일을 보내도 답장이 없을 것이다. 다른 이들은 자기네 정책상 기자들의 방문을 주선하는 일은 하지 않는다고 대답한다. 특히 내가 하루 종일 끈질기게 달라붙은 한 사람은 결국 진실을 털어놓는다. "우리는 당분간 저자세를 취하기로 결정했습니다. 적어도 폭풍이 지나갈 때까지는요. 언론과 대화를 꺼리는 건 이런 이유 때문입니다." 수십 통의 이메일과 전화를 한 끝에 결국

---

* www.fao.org에서 열람 가능.

포기하려던 찰나에 마지막으로 필사적인 시도를 해보기로 마음을 먹고 명단 맨 끝에 있는 공장에 전화를 건다. 전화번호를 누르고 이제 완벽하게 외울 정도가 된 문장을 늘어놓는다. "안녕하세요. 저는 바이오 연료에 관해 조사 중인 기자인데요. 당신네 공장을 방문해서 공장에서 생산하는 제품의 잠재력과 장점을 파악하고 싶습니다." 별로 열의 없이 기계적으로 이야기를 한다. 지금까지 무수하게 "안 됩니다."라는 대답을 들으며 지친 상태이기 때문이다. 그런데 전화선 저쪽에서 여자가 무척 친절한 어투로 입을 연다. "언제 오시겠습니까?" 나는 놀라서 잠깐 동안 말문을 열지 못한다. 이윽고 충격 속에 더듬거리며 다음 주에 아이오와 주에 머무르는 날짜를 말해 주고는 그 중 아무 때나 좋다고 말한다. 그렇게 해서 약속을 잡는다.

공장이 있는 웨스트 벌링턴West Burlington은 아이오와 주와 일리노이 주의 경계에 자리한 조용한 도시다. 두 주를 가르는 거센 미시시피 강이 바로 코앞에 있다. 정제 공장이 한눈에 들어온다. 녹색 들판 가운데에 거대한 미래파 성당처럼 우뚝 솟은 철제 단지다. 입구에는 트럭들이 반듯하게 줄을 서서 옥수수 부릴 순서를 기다리고 있다. 안내소로 가서 전화로 이야기를 나눈 여자를 만난다. 여자가 잠깐만 기다리라고 한다. 상관이 점심시간이라는 것이다. "금방 오실 겁니다." 여자가 말하면서 자기도 점심을 먹으러 간다. "제가 없어도 될 거예요. 데핀바우 씨를 보자마자 알아보실 테니까요."

아니나 다를까. 몇 분 지나서 흰색 폭스바겐 비틀이 사무실 앞의 주차장에 들어선다. 일곱 글자-ETHANOL-로 된 전용 번호판이 붙은 신형 모델이다. 차문이 열리고 2미터는 됨 직한 키에 흰 턱수염이 가슴까지 흘러내린 거인이 내린다.

레이 데핀바우Ray Defenbaugh의 인상적인 파란 눈에서는 활기 넘치는 지성이 샘솟고, 목구멍 깊은 곳에서 울리는 목소리는 마치 뱃속에서 곧장 나오는 것 같다. 폭발적인 웃음은 북소리처럼 울려 퍼진다. 그는 힘찬 악수로 환영 인사를 하고는 내가 차를 칭찬하자 자동차의 성능 수치를 늘어놓기 시작한다. "물론 이곳 중서부에서 아주 흔한 차는 아니지요. 여기 사람들은 대부분 SUV를 탑니다. 이건 여기서는 유럽 차지요. 한 가지 차이가 있습니다. E85, 그러니까 85퍼센트 에탄올로 달립니다. 당신 나라에는 이 차가 없습니다." 몇 분 동안 이야기를 나누고 나서야 나는 어쩐지 뭔가를 눈치채지 못했음을 깨닫는다. 남자는 팔이 하나뿐이다. 오른팔 팔꿈치부터는 의수인데, 그는 아랑곳하지 않고 자기 팔인 것처럼 자연스럽게 휘두른다. 굳이 숨기지도 않고 자랑하지도 않는다. 그냥 자기 팔인 것처럼 쓸 뿐이다. 이 때문에 장애가 눈에 띄지 않고, 그의 행동거지를 보면 사실 전혀 장애가 아니다. 공장에서 오랜 시간을 함께 보내는 내내 언제 어떻게 팔을 잃었느냐고 물을 이유가 없었다. "팔을 잃어요? 누구 얘기하는 겁니까?"라는 대답을 들을까봐 겁이 났는지도 모른다.

데핀바우는 정말 스스럼이 없다. 그가 커피를 마시자고 권한다. 그러면서 유쾌하게 이야기한다. "'조금만 일찍 오셨더라면 내가 아는 식당에서 같이 점심을 먹었을 텐데요. 진짜 중서부 고기를 먹는 거지요." 너덜너덜해진 청바지와 흰 티셔츠에 체크 셔츠를 받쳐 입은 그의 모습은 아이오와 주에서 손꼽히는 에탄올 공장의 전무이사라기보다는 농부에 가깝다. "우리는 이 지역의 농민들과 소액 투자자들이 모인 작은 협동조합입니다. 몇 년 전에 손을 잡고 이 사업을 해볼 만하다고 결정했지요. 공장에서는 1년에 1억 갤런 약 3억7,850만 리터 _옮긴이 을 생산하는데, 중서부 전역에서 사용됩니다. 2005년에 공장 문을 열었고 그 뒤로 줄곧 매출이 증가하고 있지요."

그가 턱수염을 쓰다듬으며 하는 말이다.

두 유형의 투자자들이 옥수수에서 에탄올을 생산하는 데 관여하고 있다. 대규모 다국적 그룹(일리노이 주에 본사가 있으며 세계 곡물 시장의 많은 부분을 장악하고 있는 아처대니얼스 미들랜드<sup>Archer Daniels Midland</sup>가 대표적이다)과 농민과 투자자가 세운 협동조합이 그것이다. 데핀바우가 운영하는 공장은 두 번째 부류에 속한다. 그가 자신과 동업자들이 공장을 세우게 된 윤리 원칙을 설명한다. "에탄올은 여러 가지 이유에서 유익합니다. 에탄올 덕분에 우리가 이곳에서 풍부하게 재배하는 상품인 옥수수 가치가 올라가지요. 전에는 옥수수를 워낙 많이 재배해서 판매가가 생산가격보다도 낮았습니다. 이런 상황에서는 미래가 전혀 없었지요. 옥수수에서 에탄올을 만들면서 우리 자녀들이 이곳에서 살아남을 가능성이 높아졌고, 자녀들이 다시 들에서 일할 기회가 생겼습니다. 또 에탄올 덕분에 공장들이 필요로 하는 사회 기반 시설을 건설할 충분한 자본도 끌어 모을 수 있지요."

그는 말을 이으면서 이번에는 아이오와의 초원 너머로 시선을 돌려 한층 더 지정학적인 관점에서 설명한다. "당신은 우리 지역의 도로를 따라왔잖아요. 무엇을 보았습니까? 옥수수, 옥수수, 옥수수지요. 중서부에는 옥수수밖에 없습니다. 우리는 옥수수가 있고 연료를 생산할 수 있지요. 토지 1에이커 약 4,000평방미터 _옮긴이 에서 500갤런 약 1,893리터 _옮긴이 이 넘는 에탄올을 생산할 수 있습니다. 일리노이와 아이오와를 관통해서 달리다 보면 수천, 수만 에이커의 땅에서 옥수수가 자라는 게 보입니다. 그런데 군인은 한 명도 없어요. 온통 에탄올인데 이 들판을 지키는 군인은 하나도 없습니다. 이 들판을 지키다가 시체 자루에 실려 고향으로 돌아오는 젊은 남녀가 하나도 없다고요. 그래서 내가 말하지요. 왜 우리 자식들을 이라크의 유전을 지키게 보내서 결국 죽는 꼴을 봐야 하는 거지? 바로 여기서 우리가 직접 평화롭고 고요하게 연료를 생산하면 되는데?" 레이는 거침없이 말을 잇는다. 공장 주변을 긴 시간 동안 안내하면서 기계 소리보다도 더 크게 울리는 예의 그 목소리로 끝없이 이야기를 한다. 트럭에서 옥수수를 내리는 현장을 보여 준다. 그가 옥수수를 한 줌 집어 유심히 보면서 품질을 가늠한다. 그리고 옥수수를 변형하는 여러 단계를 설명하고, 증류가 진행되는 탱크를 보여 주고, 정제 과정의 전문적인 내용을 거침없이 이야기한다. 그러고는 연구실로 데려간다. 생산의 마지막 단계를 일일이 컴퓨터 시스템으로 추적하는 곳이다. 이윽고 그가 최종 생산물을 내민다. 뚜렷한 냄새가 없는 무색의 투명한 에탄올이 담긴 작은 병이다. 그가 미소를 지으며 병을 바라본다. "까놓고 얘기해서, 이게 미래입니다. 석유는 고갈되고 있어요. 옥수수는 정의상 고갈되지 않지요. 재생 가능하니까요." 이 남자는 개척자다. 그는 아무도 농산 연료를 믿지 않을 때 생산을 시작했다. 그리고 지금 그는 모든 비판을 거부하고 있다. "몇 주 전에 알자지라에서 방송팀이 여기 왔습니다. 공장에서 3일 동안 취재를 했어요. 우리는 하루에 10시간씩 같이 보냈습니다. 그런데 3일 동안 그들은 줄곧 같은 질문만 하더군요. '여기서 당신이 하는 일 때문에 지구 곳곳에서 수백만 명이 굶주리게 된다는 걸 아냐.'고요."

물론 알자지라의 질문이 내가 그에게 물으려고 마음먹은 질문과 정확히 똑같지는 않다. 나는 계속 그의 말에 귀를 기울인다. "이런 비판들은 틀렸고 부당합니다. 식량 가격 인상은 유가 인상이나 유통 체계 같은 많은 요소들 때문이에요. 우리는 훨씬 더 큰 메커니즘 안에 속한 작은 변수일 뿐입니다. 하고 많은 사람들 중에 우리가 이 메커니즘을 다스리는 것도 아니고요."

내가 몇 가지 사실을 지적한다. "많은 사람들이 에탄올이 효과를 발휘하는 건 장려책 때문이고 이 연료의 에너지 균형은 전혀 만족스럽지 않다고 주장합니다." 그러자 그의 목소리가 높아진다. "그 사람들 말로는 에탄올은 효율적이지 않답니다. 생산 비용이 수익보다 더 높다고도 하지요. 이 말이 사실이면 왜 우리가 아직 사업을 하고 있는지 설명이 안 됩니다."

보조금 정책이 생산자들을 직접 돕는 게 아니라 주유소에서 연료를 판매하는 회사들에게 유리한 것이라는 말은 사실이다. 그렇지만 인과관계를 결정하기 힘들 때가 많다. 보조금 때문에 수요가 높아지고, 그 결과로 다른 작물이 아닌 옥수수를 재배하는 토지의 양이 늘어난다. 따라서 다른 작물의 가격이 올라간다. 식량을 수입하는 나라들은 이런 가격 인상에 고통을 받는다. 결국 제3세계 사람들은 굶주리고 거리로 몰려나와 항의 시위를 한다. 데핀바우가 말하는 작은 변수가 전체 메커니즘에 영향을 미치고 비틀거리게 만들 수 있다.

## 통합된 체계

시카고로 돌아오자마자 거래소 카페에서 우연히 만난 젊은 거래인이 이런 변수들의 체계를 정확하게, 거의 설교식으로 설명해 준다. 나는 커피를 마시면서 샌드위치를 기다리는 중이다. 젊은이는 내 옆에 앉아 있다. 깔끔한 얼굴의 그는 좋은 집안에서 자란 게 분명하다. 각진 얼굴에 금발 머리와 작은 안경 때문에 아주 전문가다운 분위기가 풍긴다. 넉넉잡아도 스물여덟 살은 안 돼 보인다. "일진이 안 좋으신가 보죠?" 그가 자리에 앉으면서 묻는다. "전 그냥 여기 방문한 사람입니다. 기자예요." 내가 대답한다. 그의 얼굴이 환해진다. "그럼 여기서 진행되는 일에 관해 어떻게 생각하세요?" "농산 연료와 투기와 식량 위기 사이의 관계를 파악하려고 노력하는 중입니다."

"오호, 그건 유행이 지난 건데요." 그가 대답한다. "제가 설명드려도 될까요?" 답을 기다리지도 않은 채 냅킨을 집어서는 열정적으로 도표를 그리기 시작한다. 그가 그린 건 정사각형들이다. 하나에는 **옥수수**라고 쓰고, 다른 하나는 **밀**, 또 하나에는 **콩**이라고 쓴다. 정사각형들 사이에 화살표를 몇 개 그린다. 옥수수를 가리키는 화살표 위에는 **바이오 연료**라고 쓴다. 옥수수 사각형에서 나가는 화살표는 밀로 향하고, 밀에서는 다른 화살표가 위쪽 수직 방향을 가리킨다.

"이런 식으로 작동하는 겁니다." 그가 설명을 시작한다. "이제 다들 옥수수를 원합니다. 지금 현재 옥수수가 인기 상품이니까요. 하지만 옥수수를 사기에는 이미 늦었어요. 시장이 붐비기 전에 미리 옥수수를 샀어야 합니다. 모든 상품은 시스템의 일부예요. 석유가 올라가면 사람들이 농산 연료에 관해 이야기하기 시작하고, 모두들 옥수수를 삽니다. 하지만 그러는 동안 상대적으로 사소한, 밀 같은 다른 상품의 가격이 오르게 됩니다. 밀을 재배하던 땅이 이제 옥수수, 에탄올, 바이오 연료를 생산하는 용도로 사용되니까요. 그러니까 밀 생산량이 줄어들고 밀 가치가 오를 겁니다. 돈이 있는 사람이라면 밀을 사야 하지요." 내가 묻는다. "그게 오늘 당신이 산 건가요?" "저는 콩을 샀습니다. 오늘은 콩에서 수익을 좀 올릴 기회가 있었거든요. 하지만 저는 혼자서 일하지 않아요. 저는 일종의 피고용인이에요. 보통 임대용 거래인trader for rent이라고 하지요. 사람들이 저한테 돈을 약간 주면 저는 아주 짧은 시간 안에 돈을 불려야 하지요. 하지만 제 자금이 생기면 다른 데다 투자할 겁니다." "어디에요?" "개인적으로 저는 선물 투자가 아니라 토지가 기초 상품이라고 봅니다. 기초 상품은 소규모 투기의 대상이 될 테고, 그러면 선물의 단기 변동을 통해 수익을 올릴 기회가 생길 겁니다. 수익이 보장되고 규모도 훨씬 더 큰 진짜 투자는 토지가 될 거예요. 특히 개발과 생산 비용이 거의 들지 않는 나라들의 토지가요. 지금 당장은 기초 상품이 들끓고 있지만, 이런 상황이 끝없이 지속되진 않을 겁니다. 토지에 투자하는 게 훨씬 더 안전하고 수익성도 좋아요."

미국 중서부를 여행한 뒤 몇 달 동안 정말로 상황이 바뀌었다. 2007년 위기 전의 수준까지는 아닐지라도 기초 식량 상품의 가격이 떨어졌다. 유가도 약간 떨어져서 에탄올 투자의 매력이 줄어들었다. 금융 부문이 위기에 빠지면서 대출 규모가 줄었고, 그 때문에 농산 연료 제품으로 고개를 돌렸던 많은 기업들이 목표치를 줄이거나 아예 사업 부문을 폐쇄하고 있다. 요컨대 아직 거품이 터진 건 아닐지라도 크기가 상당히 줄어든 건 분명하다. 그리고 대형 투자자들은 기초 식량 상품보다 훨씬 더 확실한 상품으로 관심을 돌리고 있다. 무엇보다도 가장 기본적인 재화이자 안전하고 수익성 좋은 투자 대상인 토지로 말이다.

요컨대 모든 상황이 시카고의 젊은 기래인이 예측한 대로 정확히 바뀌었다. 만약 그가 누군가를 설득해서 자신에게 현금을 맡기게 했다면, 지금쯤 그는 시카고 거래소 마천루 밑의 카페가 아니라 완전히 이국적인 어딘가에서 자신의 예측이 적중한 결실을 누리고 있을지도 모른다.

# 브라질
## 농산업의 지배

BRAZIL

# 브라질: 농산업의 지배

나이든 남자는 이마가 넓고, 피부는 햇볕에 그을렸다. 평생 들에서 일을 한 터라 허리가 구부정하다. 얼굴은 깨끗한데, 오른쪽 뺨에 마치 도랑처럼 수직으로 깊게 주름살이 패여 있다. 지평선의 먼 곳을 가리킬 때면 삽 같은 모양의 못이 박힌 손으로 크게 원을 그리며 흔든다. "여기는 1970년대까지만 해도 전부 숲이었지. 나무가 있었고 짐승들이 있었다오. 다른 세상이었지. 그 사람들이 우리 세상을 앗아갔어."

남자는 과라니족 인디오다. 그는 자기 공동체의 수장이며, 이 집단의 살아 있는 기억이다. 과거를 기억하고 전해 주는 사람이다. 그는 모든 사람을 위해 말한다. 천막촌 입구에서 나를 맞이한 그가 이끄는 대가족은 지금 주변에 모여서 그의 말을 주의 깊게 듣고 있다. 여남은 아이들과 다른 남자 몇 명, 그리고 넓적한 얼굴에 평생 고생하며 산 흔적이 희미하게 남은, 옅은 미소를 띤 여자들 몇이 기다란 나무 의자 하나와 낡아 빠진 플라스틱 의자에 앉아 있다. 이 사람들은 뒤에 있는 판잣집 두어 채에 다 같이 산다. 튀어나온 광대뼈에 흰 이가 반짝이는 남자애 하나가 골똘하게 잡지를 읽고 있다. 표지에 과라니족이 있다. 거울에 비친 모습처럼 보인다. 여자 아이 하나는 울고 있다. 방금 전에 넘어져서 이마가 진흙투성이다. 어떤 여자가 옷으로 진흙을 닦아 준다. 여자애는 울음을 그치지 않는다. 나이든 남자가 이야기를 하면서 대화도 한다. 그 옆에는 나이가 훨씬 많은 할아버지가 미동도 없이 이야기를 듣고 있다. 포르투갈어를 하지는 못하지만 대화의 흐름은 알아듣는다. 이따금 마비 상태를 벗어나 몸을 흔들면서 나이든 남자에게 뭔가 이야기를 한다. 몇 가지 세부 사항을 덧붙여서 생각의 흐름을 완성하라고 애원하는 것 같다. 나이든 남자는 나를 똑바로 응시하면서 고통과 불의로 점철된 삶에 관한 이야기를 계속 이어간다. "그 사람들이 우리 땅을 뺏어 갔지. 그리고 지금 우리는 빈손으로 여기, 한때 우리 고향이었던 곳에 있는 거요."

브라질 서쪽 끝에 자리한 마투그로수두술<sup>Mato Grosso do Sul</sup> 주는 파라과이 국경 근처에 있는 변경 지역이다. 초록색 풍경이지만 허허벌판이다. 나무가 한 그루도 없다. 눈길이 닿는 곳까지 대농장만이 뻗어 있다. 한때 이곳은 세라두<sup>cerrado</sup>, 즉 사바나와 비슷한 열대 환경으로 생명 다양성이 대단히 높은 생태계였다. 그런데 오늘날은 대부분 콩 재배지이다. 마투그로수두술 주는 북쪽에 있는 쌍둥이 주(마투그로수주), 파라과이, 볼리비아 북부, 아르헨티나 동부 등과 더불어 이른바 '콩공화국연합<sup>united republic of soya</sup>'을 형성한다. 수백만 헥타르의 땅이 '작은 기적의 식물'을 재배하는 데 사용되는 것이다. 콩은 세계 전역에서 가축 사료로 사용될 뿐만 아니라 많은 문화권에서 식용유로도 쓰인다. 브라질은 세계 2위의 콩 수출국이다. 브라질의 콩밭은 최근 수십 년 동안 북아메리카 극서부의 역사와 비슷한, 서부를 향한 경주가 진행되면서 만들어진 산물이다.

트랙터와 전기톱으로 무장한 백인 개척자들은 나무를 베어 내고, 토지를 차지하고, 밭을 일구었다. 브라질 남부의 몇몇 부유한 주에서 온 이들이었다. 그들은 대농장을 만들기 위해 가족과 함께 왔다. 그리고 이미 그곳에 살고 있던 이들을 내쫓았다. "지금은 대부분의 땅이 그들 수중에 들어갔지. 그들이 어느 날 땅이 자기들 소유라고 적힌 종이 한 장을 들고 와서는 우리한테 나가라고 했다고. 우리는 증명서 따위가 없었으니까. 우리는 이 땅을 산 적이 없어. 그냥 이 땅에서 태어난 거지. 우리는 땅의 일부야. 우리한테는 이 땅이 우리 어머니고 아버지야. 땅이 전부지. 땅은 우리한테 먹을 걸 주고 생명을 주거든." 나이든 남자가 말을 하면서 내 눈을 똑바로 응시한다. 동시에 지평선을 향해 손을 움직이면서 한때 자기 조상들이 아무 제한 없이 살며 농사를 짓고 사냥을 하던 광대한 토지를 가리킨다. 자신들의 땅을 빼앗기고 메마른 보호 지역에 유폐된 채 대개 저임금 막노동자로 살아가는 과라니족은, 성공할 가능성은 희박하지만 여전히 땅에 대한 권리를 주장한다. 지금은 대농장주들이 차지한 땅의 권리를. 오늘날 마투그로수두술 주에는 11,000명의 과라니족이 3,500헥타르의 보호 지역에서 살고 있다. 말 그대로 거대 콩 농장에 포위된 채로. 전 환경부 장관이자 브라질 생태주의 지도자인 마리나 시우바<sup>Marina Silva</sup>가 '사회적 아파르트헤이트'라고 부르는 데 주저하지 않는, 이런 상황에 반기를 드는 이들은 종종 살해된다. 2008년에 브라질에서 원주민 60명이 살해되었는데, 그 중 42명이 마투그로수두술 주의 과라니족이었다.● 사회가 분열되면서 이 보호 지

● Conselho Indigenista Missionário(CIMI), 'Violência contra os povos indígenas no Brasil', 2008(cimi.org. br에서 열람 가능).

역 내에서 투쟁이 빈발했고, 세계에서 자살율도 높은 축에 속한다. *

나이든 남자는 역사의 여러 단계를 설명한다. 그의 이야기가 오래 이어진다. 뿌리를 잊지 않기 위해 반복에 의존하는 구술 전통을 지닌 문화의 특징이다. 내가 얼마나 오랫동안 이런 상황이었냐고 묻자 그는 내 질문을 과거로 깊숙이 내려가는 신호로 받아들인다. 그러고는 16세기에 백인들이 처음 왔을 때부터 이야기를 시작한다. 예수회 선교사들에 관해 이야기한다. 그들은 예수회가 탄압을 받을 때까지 이곳에서 커다란 성공을 누렸다. 계속해서 브라질 독립과 파라과이를 상대로 한 삼국동맹(브라질, 우루과이, 아르헨티나)의 전쟁 이야기가 이어진다. 이 전쟁 이후 과라니족은 적과 공모했다는 의심을 받아 심한 탄압을 받았다. 족히 30분은 지나서야 현대로 넘어가서 대규모 벌채와 결국 자신들을 땅에서 쫓아낸 지주들의 이야기가 나온다. 때로는 연도가 약간 뒤섞이기도 하지만, 이야기의 토대는 뚜렷하고 구체적이며 거의 손에 잡힐 듯하다. 이 모든 잔인한 현실 속에서 그가 하는 말의 참된 의미를 이해하려면 주변을 돌아보는 걸로 족하다. 겨우 100미터 떨어진 곳에 깔끔하게 갈아 놓은 밭이 시작되는데, 눈길이 닿는 곳까지 뻗어 있다. 땅에는 윤기가 흐른다. 초현대식 트랙터들이 멈춰 서 있다. 나이 든 남자가 입을 연다. "며칠 안에 콩씨를 뿌리기 시작할 거요."

천막촌 주민들이 작은 땅뙈기로 데리고 가서 구경시켜 준다. 감자, 당근, 상추등 그들이 먹고사는 얼마 안 되는 식량을 키우는 땅이다. 울타리 안에는 암탉 대여섯 마리가 있다. 그들은 이 변변찮은 자투리땅을 필사적으로 움켜쥐었다. 밤에 몰래 와서 점거한 것이다. 그러고는 판잣집을 짓고 농사를 짓기 시작했다. "우리 땅을 되찾으려고 온 거요." 이곳의 소유권을 가진 농장주는 당분간은 내버려 두고 있다. 아마 얼마 되지 않는 땅 조각을 점거하고 있기 때문일 것이다. "허나 우리는 계속 경계를 늦추지 않아요. 언제든지 부하나 경찰을 보내서 우리를 쫓아낼 수 있다는 걸 아니까." 나이든 남자와, 그를 둘러싼 대가족, 그들의 생기 없는 표정, 그들이 하는 볼품없는 농사 등을 유심히 보다 보니 어쩔 수 없이 그들의 대의는 이미 패배했다는 생각이 든다. 그들 주변 사방 천지에 대세가 된 모델, 거대한 대농장들이 있다. 그들은 이 모델에서 맡을 만한 역할이 없다. 기껏해야 이제 자신의 생산수단을 통제하지 못하는 농업 프롤레타리아에 불과한 일용직 노동자로 노동을 제공할 수 있을 뿐이다. 패배는 확실하며 어디 가서 하소연할 데도 없다. 이 나이든 남자와 그의 집단은 사라질 운명의 세계가 남기는 잉여이다. 현대성의 표상인 광대한 대농장이 그들을 쓸어버릴 것이다.

## '5대' 콩 기업

마투그로수두술 주는 미래를 위한 실험장이다. 이곳의 땅은 거대 초국적 농산 기업들이 20여 년 동안 집중적인 노력을 기울인 것이다. 파라과이 국경에서 북쪽으로 100킬로미터 떨어진 커다란 국경 도시인 도라두스Dourados 시를 향해 뻗은 도로 옆에는 콩을 재배하는 온실이 펼쳐져 있다. 끝이 보이지 않는 온실의 행렬 속에 간간이 이 부문 거대 기업들의 커다란 구조물들이 눈에 띈다. 카길, 아처대니얼스 미들랜드, 번기 등의 미국 회사와 프랑스의 루이 드레퓌스 등이 눈에 들어온다. 구조물

● 2008년 한 해에만 과라니족 34명이 살해되었다. 20~29세 연령 집단 주민 10만 명당 159.9명의 비율로, 전국 평균인 6.1명과 비교된다. 다음의 보고서를 보라. Survival International, 'Violations of the Rights of the Guarani of Mato Grosso do Sul State, Brazil', March 2010(assets.survival-international.org에서 열람 가능).

들의 정체는 저장 및 가공 공장이다. 이 소수의 회사들이 다른 몇몇 회사들과 함께 기본 식량 상품인 콩, 밀, 옥수수의 세계 시장 전체를 사실상 좌지우지한다. 이 회사들은 수확의 결실을 사들여서 세계 각지에 판매한다. 벌어들이는 수익이 무척 큰 경우를 제외하곤 회사들이 직접 땅을 관리하지는 않는다. 그러니까 흉년이 들어도 회사들은 손해를 보지 않는다. 흉작은 회사들이 아니라 농민들의 문제가 된다. 그렇다 하더라도 회사들은 처음부터 끝까지, 곧 생산부터 판매까지 전체 과정을 지휘하며 이 상품들의 판매와 수출을 통해 막대한 수익을 거둬들인다. 이 회사들은 초국가적인 성격 덕분에 경제적 편의에 따라 공급을 조절할 수 있다. 농산물을 수출하는 나라가 지급하는 수출 보조금을 몇 번이고 활용하고, 상품을 수입하는 나라의 관세를 교묘하게 움직이면 된다. 이 회사들은 거대한 창고가 있기 때문에 국제 시장에서 가격이 오를 때 판매하면서 시장에 영향을 미칠 수 있다. 정말로 완벽한 과두 체제를 수립해 놓은 셈이다.

콩 부문만 예로 들면, 카길, 아처대니얼스 미들랜드, 번기, 루이 드레퓌스, 브라질 회사 아비팔<sup>Avipal</sup> 등 5대 회사가 브라질 시장의 60퍼센트와 대유럽 수출의 80퍼센트를 지배한다. 시야를 넓혀 보면, 카길과 아처대니얼스 미들랜드 두 회사가 세계 곡물 시장의 65퍼센트를 지배한다.<sup>*</sup> 흔히 이 그룹들에 속하거나 유력하고 수익성 좋은 시너지를 통해 연결된 다른 거대 회사들은 비료, 살충제, 종자 등 이른바 투입재를 지배한다. 카길 최고 경영자의 말을 들어 보자. "우리는 플로리다 주 탬파<sup>Tampa</sup>에서 인산 비료를 생산합니다. 미국과 아르헨티나에서 이 비료를 사용해서 콩을 재배하지요. 콩은 가공을 거쳐 사료와 기름이 됩니다. 사료는 태국으로 보내서 닭을 먹이고, 닭은 잡아 조리, 포장해서 일본이나 유럽의 냉장고로 보냅니다."<sup>**</sup>

주변을 한 번만 훑어보아도 이 회사들이 얼마나 곳곳에 퍼져 있는지를 알기에 충분하다. 주도인 캄푸그란지<sup>Campo Grande</sup>와 도라두스를 잇는 마투그로수두술의 주요 도로에는 밭마다 옆에 표지판이 서 있다. 밭에서 기르는 작물의 종류와 명칭을 표시한 것이다. 작물은 모두 유전자 변형 종자이고, 신젠타<sup>Syngenta</sup>나 몬산토<sup>Monsanto</sup> 등의 상표가 붙어 있다. 브라질은 농산업 기업들의 압력에 따라 유전자 변형 농산물에 문호를 개방했다.<sup>•••</sup> 반면 유럽에서는 '사전 예방 원칙' 덕에 유전자 변형 농산물이 여전히 금지된 상태이다.<sup>••••</sup>

이런 초국적 기업들은 막대한 권력을 휘두르고, 천문학적인 매출액을 기록하며, 모든 국가의 정책에 심대한 영향을 미친다. 이 지역의 대농장에서 엄청난 수익을 거두는 농장주들은 콩을 사들이는 회사들을 '다섯 자매<sup>five sisters</sup>'라고 부른다.

## 지주들과 다국적기업들

"경작자들은 샌드위치 신세입니다." 도라두스 농업 생산자들이 모인 일종의 노동조합을 운영하는 기술자인 에르미니우 게지스 두스 산투스<sup>Erminio Guedes dos Santos</sup>의 말이다. "모든 권력은 기업들의 수중에 있어요. 농민들은 가격을 정할 위치에 있지 않습

---

● 식량 산업에서 영향력이 집중되는 현상과 농산업 다국적기업들이 권력을 행사하는 방식에 관해서는 Bill Vorley, 'Food Inc. Corporate Concentration from Farm to Consumer', IIED report, London 2003(ukfg.org.uk에서 열람 가능)을 보라.

●● Brewster Kneen, *Invisible Giant: Cargill and its Transnational Strategies*, London: Pluto Press 2002에서 재인용. 이 책은 세계 최고 농산업 회사의 운영 방식과 관여 정도를 이해하기 위한 필독서다.

●●● 룰라 정부는 대통령령으로 유전자 변형 농산물을 승인했다. 2002~04년에 브라질 정부는 이미 널리 재배되고 있던 유전자 변형 농산물의 수확을 합법화했다. 오늘날 브라질에서 재배하는 콩의 3분의 2가 유전자 변형 농산물이다.

●●●● 그렇지만 유럽의 금지 조치에는 허점이 있다. 유전자 변형 콩이 동물 사료로 사용되며, 따라서 고기를 먹는 유럽 소비자들은 간접적으로 유전자 변형 농산물을 섭취하는 셈이다.

니다. 그리고 이런 상황에서 손해를 보지요. 세계시장의 가격이 높을 때에도 이른바 병목 현상 때문에 농민들의 수익이 줄어듭니다. 몇몇 회사가 투입량과 출하량을 지배하면, 생산 과정에 참여하는 이들은 수익률이 낮아집니다." 에르미니우는 평균 키에 쾌활한 모습으로 50세 정도 되어 보인다. 약간 사시인데 웃을 때면 눈이 오른쪽으로 훨씬 기운다. 노동조합 사무실에 가서 그를 만나는 순간 그가 도움을 줄 거라는 게 분명해진다. 컴퓨터 한 대와 무질서하게 문서들이 쌓여 있는 나무 테이블 하나가 있는 작은 방인 사무실에 들어서자마자, 미처 내 소개를 하고 방문한 이유를 설명할 틈도 없이 그가 재킷을 걸치고는 내 등을 툭 친다. "점심시간입니다. 박람회장으로 갑시다. 먹으면서 이야기하죠." '박람회'란 도라두스에서 매년 개최되는 대규모 농업 전시회를 말한다. 박람회는 도시 입구에 있는 미개간지에서 열리는데, 카길 공장에서 몇 백 미터 떨어진 곳이다. 압도적인 높이의 곡물 저장고와 굵은 글자체의 큰 간판이 방문자들을 환영한다. 공장의 간판은 도시에서 내건 환영 간판보다 훨씬 크다. 박람회 창고들 사이에는 최신식 트랙터 모델을 판매하는 스탠드가 여럿 있다. 다른 스탠드에서는 비료라든가 파종이나 관개용 기계를 전시하고 있다.

소박한 식당도 있다. 플라스틱 의자와 테이블에 햇볕을 가리는 커다란 파라솔이 있고, 맛있어 보이는 고기를 후하게 담아 내온다. 점심을 기다리는 동안 에르미니우가 자기 일에 관해 자세히 설명하는데, 아주 필사적인 노력처럼 들린다. "우리는 이 그룹들이 유지하는 독점을 깨뜨리려고 노력하고 있습니다. 우리 스스로 저장 시설을 건설해서 더 큰 자율성을 얻으려는 노력도 하고요. 하지만 종종 다국적기업들은 거대 농장주들과 결탁하고, 농민들의 통일전선을 깨뜨리려는 의도적인 시도 속에서 농장주들에게 더 후한 값을 제시합니다. 그 때문에 소농에게는 미래가 전혀 없고 결국 자기 땅뙈기를 대기업들에게 팔아 치우고 말죠."

　브라질의 거대 농장주 중에서 손꼽히는 사례는 아마 '콩의 황제[o rei da soia]'라는 별명으로 더 유명한 블라이루 마지[Blairo Maggi]일 것이다. 대부분 콩 재배용으로 사용하는 300,000헥타르가 넘는 땅을 소유한 그는 2003년에 중심 거점인 마투그로수 주의 지사로 선출되었다. 마투그로수 주의 산림 파괴와 콩 재배 경계선을 세라두에서 아마존 열대우림까지 확대한 공로로 그린피스로부터 '황금 전기톱 상'세계 숲 파괴에 지대한 공헌을 한 개인이나 집단에게 그린피스가 수여하는 상. 파푸아뉴기니 정부, 멜라네시아의 목재 회사 RH, 인도네시아와 중국의 제지 회사 아시아펄프앤드페이퍼(APP) 등이 역대 수상자이다. _옮긴이 을 받은 마지가 선거에서 승리한 이유는 대토지 소유제에 근거한 거대 농산업의 대의를 증진했기 때문이다.

　테이블로 온 육즙 가득한 비프스테이크를 게걸스럽게 먹으면서 에르미니우가 말을 계속한다. "이게 브라질의 주된 폐단 중 하나입니다. 토지가 소수의 수중에 집중되어 있는 현실 말입니다. 이곳 마투그로수두술 주나 마투그로수 주, 혼도니아[Rondônia] 주, 그리고 멀리 아마존 우림에 있는 파라[Pará] 주 산타렘[Santarém] 시의 콩 재배 지역에는 1,000헥타르가 넘는 개인 소유 대토지가 빽빽하게 있습니다. 세계에서 제일 높은 수준이지요."●

　점심식사를 마치자마자 스탠드 주변을 어슬렁거리며 걷는다. 비료 살포기의 성능을 보여 주는 비디오 화면이 눈에 띈다. 몇몇 아이들은 트랙터에 기어오르며 놀

---

● 콩 재배와 관련된 토지 집중에 관해서는 다음의 보고서를 보라. NGO Reporter Brazil, 'O Brasil dos agrocombustiveis. Soia, mamona', 2008(독립 언론인들로 이루어진 이 협회에서 농산 연료가 환경과 사회에 미치는 영향에 관해 수행한 방대한 현지 조사 보고서의 일부이다. reporterbrasil.org.br에서 열람 가능).

고 있다. 우리는 그날 저녁에 다시 만나서 대화를 계속하기로 한다. 해가 진 뒤 박
람회장이 한결 더 북적인다. 아이들이 떼를 지어 놀러 오고, 자녀들과 함께 온 가
족, 배가 나온 농부들이 어슬렁거리면서 거대한 접시에 담긴 고기를 게걸스레 입에
넣고 독하고 단 브라질 민속주인 카차카cachaça를 털어 넣어 삼킨다. 과라니족 사람
들도 눈에 띈다. 자잘한 수공예품을 팔려고 마지못한 표정으로 돌아다니는 걸 보니
길 잃은 사람들 같다. 도라두스 자체를 잘 보여 주는 광경이다. 변경 지역에서 브
라질 농업 기적의 물결 속에 태어난 이 마을은 필수적인 사회안전망이 전무한 채로
급속하게 성장했다. 도시의 거리에서는 최신형 SUV와 첨단 오토바이들이 눈에 들
어온다. 도요타 매장은 언제나 만원이다. 상점들마다 값비싼 전자 제품이 쌓여 있
다. 한편 거리 한쪽에는 몇 안 되는 검은 피부색의 시민들이 걸어 다니거나 낡아빠
진 자전거에 매달려 있다. 이곳에서는 계급 구분이 뚜렷하고 태연하게 과시되며,
인종 구분과 명확하게 일치한다. 우두머리인 백인들은 다른 지역 출신으로서 힘과
묵인을 통해 공적 권력을 장악했고, 한때 다른 이들의 것이었던 땅과 사업체를 운
영한다. 식민화는 완료되었다. 현장의 사실들 자체가 이런 점을 웅변한다. 줄곧 이
땅에 살았던 사람들은 자신들을 희생양으로 삼아 벌어지는 파티에서 남은 부스러
기와 변변찮은 찌꺼기를 놓고 다투는 일에 적응한 것처럼 보인다. 그들은 변두리에
서 살아간다. 그들에게 남겨진 거라곤 거의 아니 전혀 없으며, 알코올 중독에서 안
식처를 구하거나 우울증으로 빠져든다. 그들은 좌절한 상태고, 이제 다시 자신의
발로 일어설 기력이 없다. 인류학을 공부한 과라니족으로 내게 천막촌을 안내해 준
아나스타시우 페랄타Anastácio Peralta의 말을 들어 보자. "한때는 브라질이나 볼리비
아, 아르헨티나 따위는 없었습니다. 전부 우리 땅이었지요. 그들이 우리에게서 땅

을 빼앗았고 우리는 손을 놓고 있었습니다. 열심히 싸우지 않은 거지요. 이런 패배
감을 지닌 채 살기란 쉽지 않아요."

## "누군가는 더러운 일을 해야 합니다"

"어서 오세요." 셀수 다우 라구Celso Dal Lago가 악수를 하며 말한다. 당당한 사람이
다. 통나무처럼 단단한 체구에 하늘색 눈동자, 작은 입, 카우보이모자 밑으로 어
렴풋이 보이는 가는 머리카락이 눈에 들어온다. 카우보이모자는 이 지역에서 자존
심 있는 지주의 상징물인 듯 보인다. 셀수는 농장주다. 에르미니우가 박람회장에
서 내게 그를 소개하면서 내가 하는 일을 설명하자 그는 흔쾌히 자기 땅을 보여 주
겠다고 한다. 다음 날 아침 일곱 시에 보자고 하는데, 아마 대토지 소유주도 잠을
아끼며 열심히 일한다는 사실을 보여 주려는 심산인 것 같다. 다음 날 아침 일곱 시
에 그가 나를 태우려고 와서 호텔의 초인종을 누른다. 내가 올라타자 그는 커다란
흰색 지프를 한껏 가속해서 아직 황량한 도라두스의 거리를 통과한다. 30분쯤 달
리다가 그가 어떻게 해서 마투그로수두술 주로 오게 되었는지 설명을 한다. 그의
가족은 이탈리아 북부의 베네토Veneto 주에서 브라질로 이민을 왔다. 처음에는 히
우그란지두술Rio Grande do Sul 주에 정착했다. 20세기 전환기에 브라질에 온 대부분
의 이탈리아 이민자들이 정착한 남부 농업 주이다. 그 뒤 결혼을 한 아버지가 '서부
의 처녀지'에서 누릴 수 있는 기회를 활용해 보기로 결심했다. 그는 정확히 이런 표
현을 쓰는데, 마치 클론다이크Klondike의 골드러시에 관한 모험담에서 곧바로 튀어
나온 말처럼 들린다. "아버지는 50대에 도라두스로 오셨는데, 그때 여기는 아무것
도 없었다오. 아버지가 맨손으로 제국을 건설했지요." 그가 오른쪽으로 방향을 틀

어 비포장도로로 들어서면서 말한다. "그리고 바로 여기가 우리가 우리 땅에 발을 디딘 뎁니다." 울타리도 없고 표지판도 없다. 드넓은 사탕수수 밭만 끝없이 이어진다. 지프차로 밭 사이를 달리면서 보니 녹색 사탕수수가 2미터 높이로 솟아 있다. 지평선까지 온통 사탕수수가 뒤덮고 있어서 그 너머에는 무엇이 있는지 보이지 않는다. 다시 15분 동안 달리는데 사람 하나 보이지 않는다. 농장이 끝이 없는 것 같다. 이윽고 셀수가 오른쪽으로 방향을 틀어 밭쪽으로 간다. 거대한 기계 하나가 흙을 파헤치며 길을 내는데, 거구의 금속제 코끼리가 다음 농사를 준비하기 위해 사탕수수를 베어 내는 모습이다. "저쪽에서는 수확이 거의 코앞이고, 여기서는 씨를 뿌리기 시작하고 있습니다."

우리는 밭을 따라 걸으며 이야기를 계속한다. 긴팔 셔츠에 고무장화 차림의 과라니족 무리가 씨를 뿌리는 작업을 하면서 잘라 낸 사탕수수를 작은 도랑에 깔끔하게 늘어놓는다. 표정들이 피곤해 보인다. 일꾼들이 주인에게 손을 흔들자 주인도 손을 흔든다. 나는 그를 약간 자극해야겠다고 마음을 먹는다. 그러고는 일부 집단과 조직은 우리가 서 있는 땅이 원래 원주민 부족들 소유라고 주장한다는 이야기를 한다. 그가 눈도 깜박거리지 않은 채 나를 똑바로 쳐다보더니 입을 연다. "역사를 살펴보면, 라틴아메리카 전부가 한때는 원주민 부족들의 소유였다는 걸 아실 거요. 브라질 전체가 원주민 국가였어요. 하지만 그때 이후로 발전이 이루어졌다는 걸 고려해야 합니다. 땅도 갈고, 들에 농사도 지었습니다. 우리가 힘들게 일한 덕분에 이 나라가 세계 체제에 진입했고, 나라가 발전하면서 모든 사람, 심지어 원주민 부족들도 혜택을 누리고 있지요. 인디오들에게 땅을 돌려줘야 한다고 말하는 이들은 딴 생각만 하는 겁니다. 그런 말은 원시적이고 과거를 향수하는 사고방식이에요. 그 사람들은 17세기로 돌아가서 원시 상태의 원주민 부족들을 보고 싶겠지요. 하지만 저기 들에 있는 사람들을 보시오. 그들은 일을 하고, 돈을 벌고, 생산 체제에 통합되어 있습니다."

나는 사탕수수 밭에서 일하는 게 대단한 중노동이고 어떤 이들은 그걸 일종의 노예제로 여긴다고 대꾸한다. 셀수는 조금도 당황한 기색이 없이 대꾸한다. "이 일이 중노동이라는 말들을 많이 하지요. 물론 이건 중노동이지만 광부가 광산에 들어가서 석탄을 캐는 것보다 나쁘지는 않아요. 누구나 각자의 경제적 잠재력이 있는 겁니다. 사람들은 자기네 문화와 자기들이 제공하는 일에 따라 돈벌이를 합니다. 누군가는 노동을 해야 하지요. 그렇지 않고, 우리가 전부 다 냉방된 사무실에서 빈둥거리면, 밀도 생산되지 않을 테고 사탕수수나 고기, 아무것도 없을 겁니다. 아무도 육체노동을 하지 않으면 텔레비전도 사라질 테지요. 요컨대 이런 거요. 텔레비전과 에어컨을 원한다면 누군가는 더러운 일을 해야 합니다."

다우 라구는 거리낌 없이 분명히 말한다. 또한 흔히 쓰는 정치적으로 올바른 표현 뒤로 숨지도 않는다. 그는 노사 관계, 아니 생산 체제 전체에 걸쳐 존재하는 불평등을 부정하려고 하지 않는다. 사실 그는 불평등이 유익한 것이라고 옹호한다. 텔레비전과 에어컨이 있는 사람들, 즉 승자 무리에 속한다는 건 성공의 표시이며, 또한 끈질긴 투쟁의 증거이자 맨주먹뿐이던 이민자 가족들이 확실한 농사 제국을 건설하게 해 준 이주의 증거이다. '책임 공유'라든가 '발전 참여' 같은 위선적인 언사 뒤에 착취 관행을 감추는, 계몽과 평등주의에 물든 유럽에서는 이런 대화가 불가능하며, 거의 범죄로 간주될 것이라는 생각이 문득 들었다. 이곳에서는 세계가 훨씬 더 뚜렷하게 드러난다. 흑백의 세계다. 농장주는 지시를 하고, 과라니족이나 농장

노동자들은 빵 한 조각을 얻으려고 날마다 노예처럼 일한다. 어느 순간 셀수는 이 거지 떼들이 없어지면 좀 편하게 살겠다고 속내를 털어 놓는다. "지방 정부와 체결한 협약을 충족시키기 위해서 일정한 수를 떠맡아야 하지요. 하지만 이곳의 땅은 평지입니다. 수확과 파종을 모두 기계로 할 수 있다고요."

이 두 세계가 공존하기는 쉽지 않다. 과라니족은 농장주들을 싫어한다. 한편 농장주들은 게으르고 후진적이라고 여기는 과라니족에 대한 혐오를 숨기지 않는다. 인종주의의 분위기가 만연한 상황이다. 지주들의 분노가 향하는 주요 대상은 원주민이라기보다는, 원주민선교협의회Conselho Indigenista Missionário(CIMI)나 전국인디오재단Fundaçao Nacional do Indio(FUNAI) 같이 원주민의 권리 인정을 위해 주와 연방 차원에서 싸우는 단체들이지만 말이다. 다우 라구가 이야기하는 이들은 '과거를 그리워하는' 몽상가들이다. 그들이 진짜 적이다. 그의 이야기를 듣다 보면 이 몽상가들을 반역자로 여기는 그의 사고가 드러난다. 그들은 지주들이 이룩했다고 자부하는 진보를 거부하기 때문이다. 지주들의 마음속에서는 서구 정복 시대가 여전히 계속되고 있다. 이주 개척민들은 해안 지역에서 과보호를 받으며 자라나 흙냄새도 맡아 보지 못한 한 줌의 백인들이 와서 자신들에게 이래라저래라 가르치는 걸 묵인하지 못한다. 이런 이유 때문에 그들은 자신들의 권력을 과시하면서 거의 신분의 상징으로 활용한다. 도라두스로 돌아가는 길에 경찰차 옆에 차가 서길래 내가 안전벨트를 매려고 하자 다소 긴장이 풀린 다우 라구가 그럴 필요가 없다는 신호를 보낸다. 그가 카우보이모자 아래로 나를 보며 말한다. "굳이 안 그래도 돼요. 여기서는 경찰이 아니라 우리가 책임자요."

셀수는 빠른 속도로 밭을 잇달아 지나다가 방향을 틀어 작은 오두막 쪽으로 간다. 이곳이 농장 사무실이다. 방 세 개에 소파 하나, 책상 두어 개와 컴퓨터 한 대가 있을 뿐이다. 벽에는 아무것도 걸려 있지 않고, 바닥에는 타일이 깔려 있다. 사치나 넘치는 부의 흔적 따위는 없다. 히우그란지두술 주나 상파울루 주처럼 일찍부터 이주 정착이 시작된 곳의 대규모 농지와 대조적으로, 이 지역에는 위풍당당한 대저택이 없다. 기대했던 바와 달리, 제복 차림의 웨이터나 하인도 없다. 이곳은 변경 지대다. 농장주들은 도시에서 살지만, 시골에서 머무를 때면 옷도 벗지 않고 소파나 심지어 마룻바닥에서 잔다. 이 오두막집은 최근에 부를 획득했지만 과거 농부 시절의 기억을 아직 지워 버리지 않았다는 표시이다. 우리는 사무실을 나와서 울타리에 멈춰 선다. 다우 라구가 최근에 작물을 바꾼 이야기를 해 준다. 원래는 도라두스 사람들이 전부 그렇듯이 콩을 생산했다. 그런데 지금은 사탕수수로 작물을 다양화해서 오히려 광대한 토지의 많은 부분이 사탕수수로 덮여 있다. "몇 년 전에 시작했습니다. 여기 보이는 사탕수수는 계절마다 300만 톤을 생산하는 프로젝트의 일부입니다. 이걸로 에탄올 600만 리터 정도와 설탕 135,000톤을 생산할 수 있지요. 이 생산물 전부, 특히 에탄올은 원래 국내 시장용으로 계획했는데, 지금 우리의 주요 목표는 특히 중국이나 일본 같은 아시아 나라들에 수출할 에탄올을 생산하는 겁니다."

다우 라구는 농산 연료용 사탕수수를 생산하는 마투그로수두술 주의 새로운 추세에 완전히 몰두하는 것처럼 보인다. 이 주는 전통적으로 상파울루 주에서 재배하는 작물인 사탕수수에서 에탄올을 생산하고, 콩에서 디젤을 추출하기 위한 마지막 보고이다. 브라질 농업부에 속한 정부 기관인 농축산물공급공사(Conab)의 평가에 따르면, 2007~08년 마투그로수두술 주의 사탕수수 재배 면적이 51,000

헥타르 늘어났다고 한다. 전년도에 비해 32퍼센트 증가한 것이다. 2008년 8월,
안드레 푸치넬리<sup>André Puccinelli</sup> 주지사는 "향후 7년 동안 마투그로수두술 주가 세계
최대의 에탄올 산지가 될 것"이라고 예상했다.* 다우 라구는 자신의 동료와 친구
대다수가 사탕수수 생산에 진출했다고 말한다. "아주 유망한 부문이거든요." 나
는 생산물을 누구에게 판매하느냐고 묻는다. 동료와 친구 들이 인근에 짓고 있는
정제 공장의 지분을 살 생각이지만, 지금은 '유명한 5대 회사'에 판매하고 있다는
대답이 돌아온다. 카길, 아처대니얼스 미들랜드, 번기 등이 새로운 연료 사업에
특히 적극적으로 손을 대면서 마투그로수두술 주를 비롯한 여러 곳에서 정유 공
장의 지분을 매입하고 있다. 이 기업들은 또한 자회사를 통해 직접 바이오 연료
를 생산하기 위한 토지도 매입하는 중이다. "브라질은 현재 전 지구적인 변화 과
정의 일부이고, 이런 대형 판매 회사들은 생산에도 진출하려고 모색 중입니다.
이건 새로운 추세지요. 전에는 상품을 사들이는 일만 했거든요." 농장주들의 나
라 브라질에서도 땅뺏기가 조용하게 진행 중이다. 아프리카에서만큼 뻔뻔스럽지
는 않지만 우려스러운 현상인 건 마찬가지다. 결국 2010년 8월 연방 정부가 나서
서 외국인의 토지 취득에 대해 5,000헥타르의 상한선을 부과할 수밖에 없었다.
농지 등록을 담당하는 공공기관인 국립식민개척 · 토지개혁연구소<sup>Instituto Nacional de</sup>
<sup>Colonização e Reforma Agrária(INCRA)</sup>에 따르면, 마투그로수두술 주의 토지 가운데 11.7퍼
센트가 이미 외국인 소유이며, 이 집단들의 주요 목표는 수출용 농산 연료를 생산
하는 것이라고 한다.

## 새로운 에탄올 문명

"이건 돌이킬 수 없는 추세라고 봅니다. 대기업들이 에탄올에 투자하는 건 미래의 연료이기 때문입니다." 호베르투 호드리게스<sup>Roberto Rodrigues</sup>는 폭넓은 시각을 가진 인물로서 넓게 생각하고 장기적으로 예측하는 것을 좋아한다. 루이스 이나시우 '룰라' 다 시우바<sup>Luis Inácio 'Lula' da Silva</sup> 대통령의 첫 번째 임기 당시 농업 장관을 지낸 그는 에탄올 로비를 옹호하는 확실한 지지자로 여겨진다. 호드리게스는 브라질 정부가 개시하고 룰라 자신이 대표자로 나선, 농산 연료에 찬성하는 대대적인 홍보 활동을 배후에서 진두지휘한 주인공이다. 룰라는 국제회의에서 여러 차례 '온실가스 감소에 유리한 장점'을 옹호했고, 에탄올 소비 증가와 식량 가격 인상은 전혀 무관한 문제라고 주장했다.

브라질은 농산 연료를 생산한 오랜 역사를 자랑한다. 일찍이 1970년대 중반부터 친알코올<sup>Proálcool</sup> 프로그램을 통해 대규모로 농산 연료를 생산하기 시작했다. 이 프로그램은 군사 독재 시대에 국제 시장에서 유가가 오르고 설탕의 가치가 떨어지는 상황에 대응해 시작된 것이다.<sup>●●</sup> 브라질리아의 권력을 잡고 있던 군부는 보조금과 마이너스 이자 대출 정책을 통해 일거양득의 효과를 노렸다. 에너지 문제를 해결하는 동시에 브라질 최대 수출품의 가치가 떨어지면서 야기된 사회·경제 위기

---

● Maria Luisa Mendonça, 'Impacts of Expansion of Sugarcane Monocropping for Ethanol Production', from the report 'Impactos de produção de cana no Cerrado e Amazônia', 2008, published with the support of the Comissão Pastoral da Terra e la Rede Social de Justiça e Direitos Humanos(grassrootsonline. org에서 열람 가능)에서 재인용.

●● 브라질의 친알코올 프로그램의 자세한 역사와 에탄올 생산의 함의에 관해서는 John Wilkinson and Selena Herrera, 'Biofuels in Brazil: Debates and Impacts', *Journal of Peasant Studies*, vol. 37, no. 4, October 2010을 보라.

를 극복하려고 한 것이다. 이 과정에서 군부는 새로운 산업을 창조했다. 수십 개의 정제 공장이 건설되었고, 사탕수수 재배 면적이 훨씬 더 늘어났다. 1986년에 이르러 판매된 자동차의 90퍼센트가 에탄올을 연료로 사용했다. 그러던 중에 한 차례 된서리가 내렸다. 유가가 하락하면서 파티가 끝난 것이다. 1990년대 말에 이르자 브라질에서는 이제 아무도 에탄올을 생산하지 않았고, 결국 브라질은 미국에서 에탄올을 수입하기 시작했다. 농산 연료를 사용하는 자동차의 수는 고작 1퍼센트로 떨어졌다. 사탕수수 연료는 사실상 과거지사가 된 것처럼 보였다. 하지만 지난 10년에 걸쳐 새로운 두 가지 요소가 바이오 연료 프로젝트를 재개시키는 데 기여했다. 한편으로 원유 가격이 급등했고, 다른 한편으로는 겸용 연료flex-fuel 기술이 발전해서 소비자들이 에탄올과 휘발유를 한 탱크에 넣을 수 있다. 덕분에 소비자들은 주유소에서 선택권이 생겼다. 몇 년 사이에 에탄올 생산이 재개되었고 2009년에는 250억 리터에 달했다.

오늘날 브라질은 미국에 이어 세계 2위의 에탄올 생산국이다. 미국의 경우 에탄올 산업이 성공을 거둔 주된 이유가 공적 보조금이다. 이와 대조적으로 브라질에서는 에탄올 산업 스스로 수익을 내고 있다. 생산 비용이 상대적으로 낮고, 옥수수보다 사탕수수를 원료로 쓰는 게 에너지 수익률이 훨씬 높기 때문이다. 미국에서는 식량-연료 논쟁이 열띠게 벌어지지만, 브라질에서는 상대적으로 조용하다. 사탕수수를 재배하는 토지 면적이 700만 헥타르인데, 에탄올과 설탕 생산으로 양분된다. 따라서 농산 연료용 경작지는 이 나라에서 현재 경작 중인 토지 6,300만 헥타르 가운데 대략 5퍼센트이며, 전체 경작 가능 토지의 1퍼센트이다. 이 수치들을 보면 전통적인 '설탕 귀족sugar baron'—줄곧 설탕 부문을 지배해 온 대가문들—뿐만 아니라 국제적 기업들까지 이 사업에 눈독을 들이기 시작한 이유가 설명이 된다. 해외 기업들은 특히 수익성 좋은 수출 시장 확대라는 관점에서 브라질에서 생산하는 데 관심을 기울인다. 아시아 나라들의 수요가 증가하고, 유럽이 2020년까지 석유 사용의 10퍼센트를 재생 가능한 에너지원으로 대체하겠다고 공언한 목표를 실현해야 하는 사정 또한 '브라질산' 연료 생산과 수출을 늘리기 위한 대규모 투자를 자극하는 원인이다. 앞 장에서 언급한 것처럼 바이오 연료 사용 증가라는 비슷한 목표를 설정한 미국의 경우도 사정은 마찬가지이다.

브라질과 미국은 농산 연료를 장려하기 위해 지구 차원에서 벌이는 싸움에서 같은 편에 서 있다. 2007년 3월, 조지 W. 부시와 룰라가 악수와 포옹을 나누면서 양국의 '에탄올 동맹'이 더욱 공고해졌다. '동맹'은 중앙아메리카에서 에탄올을 생산하기 위해 기술과 자본을 공유할 준비를 하는 중이다. 미국과 중미자유무역협정 (CAFTA)●으로 연결된 나라들이 주요 공략 대상이다.●●

이 협약 이면에는, 그리고 2006년 연방교서 연설에서부터 그 직후에 재생 가능한 에너지 소비를 늘리기 위해 승인한 입법에 이르기까지 부시가 에탄올에 찬성

● 중미자유무역협정Central America Free Trade Agreement(CAFTA)─도미니카공화국이 합류한 뒤 도미니카공화국 중미자유무역협정DRCAFTA으로 이름이 바뀌었다─은 미국과 과테말라, 온두라스, 코스타리카, 니카라과, 엘살바도르 등 중앙아메리카 국가들이 체결한 자유무역 협정이다.

●● 2008년 12월에 승인되고 재생가능 에너지지침Renewable Energy Directive에서 확인된 '유럽연합 에너지 종합 계획EU Energy Package'에 따르면, 2020년까지 유럽연합에서 사용하는 전체 에너지의 20퍼센트를 재생 가능한 에너지원(바이오매스 biomass. 에너지원으로 사용되는 식물, 미생물 등의 생물체를 총칭하는 말 _옮긴이_ , 바이오리퀴드 bioliquid. 바이오 매스를 원료로 만든 액상 연료 _옮긴이_ , 바이오가스 biogas. 바이오매스를 원료로 만든 기체 연료 _옮긴이_ )으로 만들고, 트럭 운송에서 사용하는 연료의 10퍼센트는 재생 가능한 에너지여야 한다. 이러한 유럽의 목표치와 이 정책이 승인되기 까지 이루어진 논의, 그 뒤에 도입된 수많은 정책에 관한 면밀한 검토로는 Jennifer Franco, Les Levidow, David Fig, Lucia Goldfarb, Mireille Hönicke and Maria Luisa Mendonça, 'Assumptions in the European Union Biofuels Policy: Frictions with Experiences in Germany, Brazil and Mozambique', _Journal of Peasant Studies_, vol. 37, no. 4, October 2010을 보라.

하는 발언을 거듭한 이면에는, 브라질과 미국 사이를 움직이며 남북 아메리카 대륙 전체를 장악하려는 포부를 지닌 강력한 압력 집단이 존재한다. 미주에탄올위원회 Interamerican Ethanol Commission는 '서반구 각국 정부를 설득해서 농산 연료 사용을 늘리게 한다'는 것이 목표라고 공언한다. 이 위원회의 창립자는 다름 아닌 호베르투 호드리게스와 젭 부시Jeb Bush이다. 전 플로리다 주지사이자 전 미국 대통령의 동생인 젭 부시 말이다. 여러 차례 회의를 열고, 협약을 체결하고, 부시와 룰라가 악수를 하게 만든 주인공이 바로 미주에탄올위원회라는 사실은 전혀 비밀이 아니다. 이 동맹의 이면에 다른 산유국들로부터 독립하고 세계적인 차원에서 새로운 에너지 균형을 달성하려는 욕망이 자리 잡고 있다는 것도 비밀이 아니다.

호베르투 호드리게스야말로 이런 메커니즘을 이해하기 위해 만나야 하는 주인 공이다. 그가 무시하는 어조로 말한다. "우리가 한 일이라곤 각자 자기 나라의 대통령을 만나서 몇 가지 조언을 한 것뿐입니다." 어느 이른 아침에 그가 농산 연료에 관한 연구 프로그램을 운영하는 상파울루 대학에서 만나는 중이다. 아침 7시 30분이다. 전날 전화를 했을 때 그는 이 시간에 사무실로 오라고 했다. 그러면서 따뜻한 말투로 덧붙였다. "너무 일러서 불편하지만 않으시다면요." 다른 시간은 안 된다는 뜻으로 들렸다. 건물은 황량하다. 안내소에 있는 남자는 아직도 잠이 덜 깬 무거운 눈꺼풀로 내 이름을 작은 쪽지에 적는다. 내게 "봉 지아Bom dia" 포르투갈어 인사말 _편집자 라고 인사를 하면서 출입증을 건네준다. 계단을 올라가서 작은 방에 당도해 보니 작은 탁자 하나와 의자 두 개, 그리고 이른 시간인데도 열심히 일하는 비서가 있다. "이쪽으로 오세요. 호드리게스 교수님이 기다리고 계십니다." 여자가 문을 열자 훨씬 큰 방이 나온다. 커다란 창문이 여럿 있어서 환한 방에는 끝에 긴 책상과

책이 가득한 책장 하나가 있고, 벽에는 사진과 학위, 상장, 명예 학위 등등이 가득 붙어 있다. 단신의 호드리게스는 얼굴이 둥근데, 좀 움푹 들어간 눈으로 나를 주의 깊게 훑어본다. 60살 정도 되어 보인다. 책상 뒤에 있는 사진들을 보니 자녀와 손자, 손녀들이 많다. 그가 다가와서 미소로 맞이한다. 긴팔 셔츠에 넥타이 차림인데, 셔츠 주머니에는 작지만 눈에 띄는 글자체로 그의 이니셜(R.R.)이 새겨져 있다. 그가 이른 아침에 약속을 잡아서 미안하다는 말을 한다. "하지만 주말에 시골집에서 가족과 보내려고 떠나거든요."

아침 일찍부터 서두른 터라 아직 약간 몽롱한 나는 그가 공동 창립자인 위원회에 관한 질문부터 던진다. 하지만 그는 곧바로 본론으로 들어가고 싶어 해서 누구 입에나 오르내리지만 아직 묻지 않은 질문에 답부터 한다. "식량이냐 연료냐 하는 논쟁은 일종의 관심 전환용 미끼입니다. 바이오 연료는 식량 생산물과 전혀 달라요. 그건 훨씬 더 많은 햇빛을 필요로 하지요. 같은 환경에서 자라는 게 아닙니다."

내가 대답한다. "사탕수수의 경우는 그럴지 몰라도 옥수수는 아닌데요." "우리는 미국 친구들에게 옥수수는 에탄올 생산용으로 적합하지 않다고 설명하려고 노력했는데, 그 친구들은 커다란 국내 문제가 있어서 지금 당장은 정책을 바꾸지 못합니다." '커다란 국내 문제'란 에탄올을 생산하는 중서부 농민들의 로비를 말하는 게 분명하다. 이 농민들은 주로 유통에 대한 연방 보조금에 의지해 생존한다. 호드리게스는 진정한 농산 연료 예언자다. 그는 자신의 사고와 계획에 따라 지구 전체의 미래가 좌우될 것이 분명하다고 믿는 몽상가를 자처한다. "현재의 문명은 진흙발로 선 거인과도 같습니다." 그는 단호하게 말한다. "결국 종말을 맞이할 화석 연료라는 에너지원에 바탕을 두니까요. 이건 전혀 말이 되지 않아요."

호드리게스는 움푹 들어간 두 눈으로 나를 응시하면서 말을 잇는다. "저는 곧 새로운 문명이 도래할 테고, 그 문명의 원동력은 농산 연료가 될 것이라고 믿습니다." 그의 생각으로는 재생 가능한 에너지, 특히 농산물을 원료로 만든 에너지야말로 획기적인 지정학적 변화의 중심점을 나타내며, 브라질은 이 변화의 촉진자 노릇을 해야 한다. 그는 마치 루빅큐브를 만지작거리는 것처럼 두 손을 반대 방향으로 움직이면서 미래에 대한 전망을 자세하게 설명한다. "바이오 연료와 농산 에너지는 북회귀선과 남회귀선 사이에서 발전할 겁니다. 라틴아메리카 전역과 사하라 사막 이남 아프리카 전역, 그리고 아시아 빈곤 지역의 많은 부분이 여기에 해당되지요. 세계 농업 패러다임이 바뀌게 될 겁니다. 또한 세계 지정학도 바뀔 겁니다. 이 열대 나라들은 상대적으로 가난하고 일자리와 부가 적은 나라들이니까요. 두 회귀선 사이에는 충분한 땅과 물, 햇볕과 노동력이 있습니다. 없는 건 자본뿐이지요. 자본은 북반구에서 댈 겁니다. 대부분의 에너지를 북반구에서 소비할 테니까요." 호드리게스의 전망에 따르면, 북반구 국가들은 불안정하고 믿음직스럽지 않은 나라들로부터 터무니없는 값에 석유를 사는 걸 그만두어야 하며, 남반구 나라들에서 '오염이 덜하고, 저렴하고, 무엇보다도 고갈되지 않는' 농산 연료 생산에 직접 투자를 시작해야 한다.

이 계획에는 한 가지 필연적인 요구가 숨어 있는데, 전직 장관은 곧바로 이 점을 밝힌다. "농산 연료는 21세기의 가장 중요한 상품이 될 거라고 봅니다. 하지만 이렇게 되려면 석유와 마찬가지로 농산 연료가 세계 많은 지역에서 생산되고, 확대되고, 다양해져야 합니다."

브라질이 자체적으로 정한 목표는 정확히 이런 것이다. 에탄올을 상품, 곧 국제 시장에서 협상을 통해 가치가 결정되는 재화로 확실히 만들겠다는 것이다. 이 목표를 실현하기 위해서는 시장을 확대해야 한다. 소비자 시장뿐만 아니라 공급자 시장도 확대해야 하며, 공급자를 지나치게 제한해서는 안 된다. 중앙아메리카에서 에탄올을 생산하기 위한 부시-룰라의 협약과 사하라 사막 이남 아프리카에서 시작된 다양한 기획은 모두 여기에서 비롯된다. 둘 다 '북회귀선과 남회귀선으로부터 뻗은' 지역이다. 새로운 '농업 패러다임' 구상도 여기서 비롯된다. 그리고 브라질 에탄올 시장을 초국적 농산업체와 석유 회사들에 개방할 필요성도 여기서 비롯된다.

이 계획은 야심적이지만 완전히 실현 불가능한 것은 아니다. 미국과 유럽연합은 농산 연료 사용을 단기간에 늘리기 위해 구속력 있는 목표치를 설정했다. 석유는 고갈되는 중인데다가 믿을 수 없는 정부들이 다스리는 불안정한 지역에 지나치게 집중되어 있다. 전임 장관이 제안한 계획은 실행 가능한 대안이 될 수 있다. 하지만 이 계획은 한 가지 요소를 고려하지 않는다. 브라질은 웬만한 대륙만큼이나 크며 땅이 풍부해서 쉽게 일부 토지를 연료 생산에 할애할 수 있다. 북회귀선과 남회귀선 사이에 있는 모든 나라가 브라질과 같은 특징을 보여 주는 건 아니다. 사실 콩고민주공화국을 빼고는 어떤 나라도 여기에 해당되지 않는데, 콩고민주공화국도 숲으로 덮여 있고 사실상 기반 시설이 전무하다. 이 지역에서 식량이냐 연료냐 하는 논쟁은 '관심 전환용 미끼'가 아니다. 들에서 살면서 일을 하는 수많은 사람들, 이 '새로운 문명'의 탄생을 촉진하기 위해 하루아침에 자신들의 문화를 포기하고 습관을 바꾸어야 할지도 모르는 사람들은 이 논쟁에 직접적인 영향을 받는다. 정작 자신들은 새로운 문명의 혜택을 먼저 누리지 못할 공산이 큰데도 말이다.

## '거대 기업들의 악마 동맹'

주앙 페드루 스테딜레João Pedro Stédile는 큰 키에 흰 턱수염과 하늘색 눈동자, 그리고 이따금 새된 웃음으로 폭발하는, 깊숙한 곳에서 울리는 목소리가 인상적인 사람이다. 그는 세계에서 손꼽히게 유명한 사회운동의 대변인이다. '땅 없는 노동자 운동 Movimento dos Trabalhadores Rurais Sem Terra(MST)'은 토지개혁을 위한 대규모 투쟁과 기억에 남는 몇 차례의 토지 점거를 이끌었으며, 농장주와 농산업 기업들에 맞서는 싸움에서 시종일관 최선두에 섰다. 스테딜레가 직접 공언한 바에 따르면, 1984년에 이 운동이 탄생한 이래 1,400만 헥타르를 해방하고 370,000가구가 토지에 대한 권리를 찾는 일을 도왔다고 한다.

상파울루의 사무실로 그를 만나러 가는 길이다. 도심 근처에 있는 방치된 듯한 모양새의 단독 주택이다. 안으로 들어가자 누군가 작은 대기실로 안내를 한다. 작은 소파 두 개와 의자 몇 개가 있고, 무너질 듯한 한쪽 벽에는 누렇게 바래 가는 포스터들이 붙어 있다. 바로 바깥에 안내 데스크가 있는데 전화벨이 끊임없이 울린다. 여자 하나가 교환대를 맡고 있다. 한 통화를 끝내자마자 곧바로 대기 중인 다른 전화를 받아야 한다. 여자가 전화를 받은 뒤 끊고, 전화를 끊고 다시 받는 모습을 지켜보면서 며칠 전 기억을 떠올린다. 로마에서 스테딜레와 약속을 잡으려고 대외 협력을 담당하는 사람과 통화한 일을. 그때 전화를 한 시간 내내 걸었는데, 계속 통화 중이다가 겨우 연결이 되었다. 그날 오후에는 로마에서 여자를 욕했지만, 지금은 존경과 동정심이 섞인 마음으로 안내원을 보고 있다. 여자는 기계처럼 일하면서 여러 곳으로 전화를 연결해 주고 가능한 경우에는 자기가 직접 정보를 알려 준다. 나는 앉아서 거의 깜빡깜빡 졸면서 여자가 정말로 친절한 말투로 답변하는 소리를 듣는다. 이윽고 한 시간이 지나서 단체 성원 두 명이 내게 와서 다른 곳으로 자리를 옮겨야 한다고 말한다. "주앙 페드루 동지가 방금 전에 회의가 끝나서 당신을 기다리고 있는데, 여기가 아닙니다. 그쪽으로 가지요." 두 사람과 함께 밴을 탄다. 뒷자리에서는 어디로 가는지 보이지 않는다. 밴이 속도를 올리고 20분쯤 지난 뒤 황폐한 학교처럼 보이는 곳에 도착한다. 2층 건물이고 작은 정원이 있다. 1층에 있는 기다란 방에는 커다랗고 거친 목제 테이블이 놓여 있다. 이 방 말고도 방이 두 개 더 있다. 하나는 회의용이고, 다른 하나는 단체에서 지부들을 대상으로 조직하는 강좌용이다. 그 중 벽에 의자들이 쌓여 있고, 칠판에는 아직 글자가 남아 있고, '질서와 진보'라는 표어가 적힌 브라질 국기도 부득이하게 걸려 있는 곳에서 스테딜레가 나를 기다리고 있다. 그가 따뜻한 포옹으로 나를 맞는다. 아마 서로 아는 친구가 나를 추천해 주었기 때문일 것이다. 그 친구도 이탈리아 '땅 없는 노동자 운동'의 비공식 대표이다. 그가 시간을 지연한 데 대해 사과한다. 원래 만나기로 한 시간이 두 시간 지났다. "회의가 있었는데 좀 길어졌습니다. 크게 지장이 되지 않았으면 좋겠습니다." 나는 웃으면서 만나게 되어 기쁘다고 말한다. 사실 나는 정말 지쳤다. 이탈리아를 떠나 그날 아침에 도착해서 하루 종일 상파울루 주변을 돌아다녔기 때문이다. 지금은 저녁 아홉 시다. 이탈리아 시간으로는 오전 한 시다.

기운을 내서 인터뷰를 시작한다. 스테딜레는 유쾌하고 외향적인 사람이다. 대화를 나누는 걸 좋아하는 게 분명하다. 그는 이탈리아와 자신의 관계에 대한 이야기부터 시작한다. 그의 가족은 원래 베네토 주 출신이며, 그 역시 20세기 전환기에 벌어진 집단 이주의 소산이다. 그는 자기 조부모가 살던 도시에도 가보고 먼 친척도 몇 명 만났다고 이야기한다. 이탈리아에 여러 차례 갔는데, "유감스럽게도 당신네 언어를 알아듣기는 해도 말할 줄은 모릅니다." 스테딜레는 자주 여기저기 돌아다닌다. 그를 비롯한 '땅 없는 노동자 운동' 지도자들은 소규모 지속 가능한 농업의 생존을 위한 싸움을 계속하는 농민 협회들의 모임인 비아캄페시나의 일원이기도 하다. 그들은 조직의 대규모 수뇌 회의와 식량 주권에 관한 여러 회의에서 만나서 자신들의 투쟁을 서아프리카와 동남아시아, 중앙아메리카 소농들의 투쟁과 통합한다. 기본적으로 '땅 없는 노동자 운동'은 비아캄페시나와 대체로 동일한 입장을 택한다. 그들은 바이오 연료를 향한 새로운 추세를 '소농들을 땅에서 몰아내기 위한 또 하나의 조치'로 간주한다.

내가 단도직입적으로 묻는다. "그러면 당신은 농산 연료에 반대하십니까?" "우리가 반드시 농산 연료 자체에 반대하는 건 아닙니다. 우리는 석유가 끔찍한 것이라고 생각하고, 현 체제를 검토할 필요가 분명히 있다고 봅니다. 현 체제는 에너지를 불합리하게 낭비하는 개인 교통에 바탕을 두며, 끔찍할 정도로 많은 온실가스와 여러 가지 오염 물질을 만들어 냅니다. 농산 연료에 관해 말하자면, 우리는 농산 연료가 개발되는 방식에 반대합니다. 이곳 브라질에서 우리는 국제 자본의 세 거대 부문을 통합하는 악마 동맹이 형성되는 모습을 목도하고 있습니다. 석유 회사, 농산물 거래와 유전자 변형 종자를 지배하는 초국적기업, 자동차 제조업체가 그 주인공이지요."

스테딜레는 구호로 이야기하지 않는다. 정보와 수치를 제시한다. 동료 투사들의 네트워크와 '땅 없는 노동자 운동'과 가까운 많은 학자들 덕분에 그는 이 부문에서 이뤄지는 신규 투자의 자세한 지도를 작성할 수 있었다. "2007년 3월 협약은 국제 자본이 브라질에 안전하게 진입하도록 청신호를 켜 준 겁니다. 이렇게 해서 140

억 달러가 넘는 투자가 이뤄졌습니다. 알코올 수송관도 두 개 건설 중입니다. 하나는 쿠이아바Cuiabá에서 파라나구아Paranaguá까지, 다른 하나는 고리아스Goriás에서 산투스Santos까지 이어지지요. 이 알코올 수송관들을 따라 이미 새로운 에탄올 공장 77곳이 건설 중입니다. 이 공장들은 대부분 해외 사업체들의 소유입니다."

이 풀뿌리 운동 조직자의 말을 듣다 보니 그가 호베르투 호드리게스의 상대자로 보인다. 때로 스테딜레는 전 농업 장관과 똑같은 단어를 정반대의 의미로 구사한다. 미주에탄올위원회에서 작성한 미래를 위한 기획은 그가 보기에는 인류에게 일어날 수 있는 최악의 사태다. "브라질만이 아니라 남반구 전역에서 농산 연료를 생산하려는 원대한 계획이 진행되고 있습니다. 태양 에너지가 풍부하고 사용 가능한 땅이 많은 최상의 조건을 갖춘 곳은 모두 공략 대상이지요. 이 모든 시도는 결국 단일 작물 재배 플랜테이션의 확산을 야기할 겁니다. 거대 사업체가 운영하는 이런 플랜테이션에서는 식량 소비용 상품이 연료를 생산하는 용도로 전환될 테지요. 그들은 이미 브라질에서 막대한 피해를 야기하고 있는 모델을 아프리카나 남아시아에 수출하려고 합니다."

나는 호드리게스와 에탄올 생산 산업 전반에 대해서 벌였던 쟁점을 되풀이한다. "당신네 나라에서는 식량이냐 연료냐 하는 실질적인 논쟁이 전혀 없지요. 에탄올용 사탕수수를 재배하는 데 사용되는 지역은 전체의 5퍼센트에 불과합니다." 이 말에 스테딜레의 하늘색 눈동자가 깜박인다. 그가 놀란 건 알겠는데, 무슨 생각을 하는지 해독하기는 어렵다. 건방진 발언에 불쾌해진 건지, 그가 중요하게 생각하는 주제를 소개할 기회를 주어서 감사한 건지 분간하기가 쉽지 않다. 잠시 생각을 한 그가 조리 있게 답을 한다. "당신이 한 이야기가 전부 사실은 아닙니다. 사탕수수를 재배하는 지역이 나라 중심부로 움직이고 있는데, 이곳이 가장 땅이 비옥한 지역입니다. 사탕수수는 이미 유제품과 고기용 짐승을 기르는 목초지뿐만 아니라 콩과 옥수수 재배지도 밀어내고 있습니다. 이런 변화 때문에 브라질의 식량 생산에 많은 문제가 생길 겁니다. 또 다른 문제도 고려해야 하지요. 농업에서는 한 제품의 수익률이 높아지면 다른 모든 식품의 가격도 올라갑니다. 에탄올 때문에 농업의 평균 수익이 높아진 상황에서 다른·모든 농업 제품도 값이 올랐습니다. 현재 브라질에서 벌어지는 현상 때문에 생겨난 이런 점이야말로 경제적인 관점에서 가장 잘못된 결과입니다. 토지 가격이 오르고, 농산물 가격이 오르고, 결국 에탄올 때문에 평균적인 물가 수준이 오른 겁니다."

나는 스테딜레의 말을 들으며 다시 호드리게스에 관해 생각한다. 두 사람은 모든 점에서 극명한 대조를 이룬다. 몸집을 보면, 한 사람은 키가 크고 튼튼하고, 다른 사람은 작고 약간 뚱뚱하다. 격식의 관점에서 보면, 한 사람은 저녁에 두 시간 늦게 의자가 가득 쌓인 방에서 손님을 맞이하고, 다른 사람은 이른 아침에 약속된 정확한 시간에 상장으로 장식된 사무실에서 상대를 맞는다. 두 사람의 경험, 생활 방식, 견해는 완전히 대조적이다. 한쪽은 풀뿌리 투쟁을 조직하면서 토지 점거를 가장 효과적인 무기로 활용하고 토지개혁을 주된 목표로 추구하는 운동을 창조하느라 평생을 보냈다. 반면 다른 한쪽은 농업에 투자하는 대기업을 대변한다. 두 사람은 서로 소통하지 않고 엇갈리는 경우도 드문 대립되는 환경의 가장 완벽한 표현이다. 두 사람은 서로 다른 모델을 참조하고, 세계를 바라보는 두 가지 관점을 갖고 있으며, 따라서 브라질의 미래를 위한 상이한 두 가지 계획을 제시한다. 이 두 계획이 종합될 여지는 전혀 없다. 둘은 두 집단을 대표한다. 한 집단은 힘 있고 부유하며, 다른 집단은 수가 훨씬 많다. 한편에는 농산업 다국적기업들, 내가 제네바에서 만난 투자자들, 마투그로수두술 주의 농장주들이 있다. 이 사람들은 항상 같은 이해관계를 갖는 건 아니지만, '규모의 경제'와 생산성 증대, 해외 시장 정복 등에 몰두하는 건 똑같다. 다른 한편에는 식량농업기구 정상회담에서 퍼포먼스를 벌인 이들과 같은 소농들이 있다. 이 사람들은 첫 번째 집단의 대표자들에게 짓밟히지 않은 채 자신들의 땅을 계속 경작하기를 바란다.

스테딜레는 브라질의 헨리 사라기이다. 집요하고 투쟁적이며 자신의 생각을 확신한다. 그의 말에서 그리고 상파울루 주나 마투그로수두술 주의 다른 조직가들 및 투사들과 나눈 말에서 나는 분명하고 확실하고 지울 수 없는 인상을 받는다. 과라니족 인디오들이 자신들의 처지를 패배자에 비유하는 것과 달리, '땅 없는 노동자 운동'의 대표자들에게는 힘이 있고 싸우려는 열망이 있다. 그들에게는 분명한 사회 모델이 있다. '땅 없는 노동자 운동'과 서아프리카농민 · 농업생산자조직 네트워크 Network of Farmers' and Agricultural Producers' Organisations of West Africa(ROPPA)에서부터 사라기가 이끄는 인도네시아 농민연합에 이르기까지 전 세계의 수많은 농민 운동 단체들은 땅을 계속 지키면서 거대 초국적기업들과 농업 부문의 새로운 투자자들의 압력에 저항해야 한다는 점을 소농들에게 설득하려고 애를 쓴다. 이 운동들은 연합체를 창설해서 호드리게스를 비롯한 농산업의 주요 분야—광대한 단일 작물 재배 플랜테이션, 상업형 농업, 수출 집중— 옹호자들의 거대한 힘에 저항하려고 노력한다. 그들은 어려운 싸움을 벌이고 있고, 앞으로도 한층 더 어려운 싸움을 해야 할 것이다. 이 싸움에서 타협의 여지가 생길 것 같지 않다. 스테딜레와 호드리게스로 대표되는 두 집단은 훨씬 많은 충돌을 할 수밖에 없다. 서로 다른 우주에 속한 채로 같은 세계에서 살면서 동일한 자원인 땅을 놓고 경쟁하기 때문이다. 더군다나 땅은 점점 희소해지고 훨씬 더 가치가 높아진다. 스테딜레와 호드리게스 두 사람과 나눈 대화와 각각의 주장을 곰곰이 되새기면서 나는 브라질의 상황이 세계 각지에서 지금 펼쳐지는 변화, 그리고 앞으로 일어날 변화의 전조라는 결론에 다다른다. 이미 토지 소유가 거대하게 집중되고 농산 연료 다국적기업들이 속속들이 침투한 경험을 한 브라질은 토지개혁을 요구하는 운동들의 온상이자 땅을 둘러싼 충돌이 언제라도 폭발할 수 있는 발화점이다. 이런 충돌은 필연적으로 지구 차원으로 확대될 테고, 점차 소농의 대표자들과 대기업의 대표자들 사이의 위험한 충돌로 이어질 것이다. 이런 충돌의 결과에 따라 21세기의 남은 기간 동안 우리가 살게 될 지구의 모습이 결정될 게 확실하다.

# 탄자니아

## 바이오 연료를 위한 개척지

TANZANIA

# 탄자니아:
# 바이오 연료를 위한 개척지

기다랗고 질서정연하게 끝도 없이 줄을 지어 펼쳐져 있다. 농장이 평원 전체를 뒤덮으면서 언덕까지 이어지고 지평선 너머까지 뻗어 나간다. 8,000헥타르, 그러니까 축구장 12,000개와 맞먹는 넓이이다. 울타리 같은 건 없고, 일정한 간격으로 늘어서 있는 흰색 표지판의 빨간 글씨만이 눈에 띈다. **출입 금지.** 농장에는 한 가지 작물뿐이다. 키가 1미터가 약간 안 되는 작은 식물인데, 땅에 튼튼하게 뿌리를 박은 줄기에 커다란 이파리들이 붙어 있다. 연녹색 이파리는 튼튼해 보이지 않는다. 하지만 그런 건 전혀 중요하지 않다. 이파리는 조만간 잘리고, 줄기를 뽑아서 가장 소중한 부분인 씨를 모을 테니까. 이제 이 지역의 농민들은 이 작물의 이름을 아주 잘 안다. 자트로파다. 토양이 가장 열악한 환경, 심지어 물이 전혀 없는 곳에서도 자라는 이 작물은 많은 이들이 미래의 연료로 꼽는다. 씨에서 기름을 추출해서 자동차 연료로 사용할 수 있기 때문이다.

하지만 이곳 인근 지역은 불투성 토양도 아니고 건조하지도 않다. 이곳은 탄자니아의 정치, 경제 중심지인 다르에스살람에서 70킬로미터 정도 떨어진 키사라웨 Kisarawe 지역이다. 농장을 둘러싼 비옥한 녹색 언덕에는 마니오카 manioca. '카사바'라는 이름으로도 불리는 남아메리카 원산의 식물. 열대와 아열대 지역에서 덩이뿌리를 주식으로 많이 먹는다. 옮긴이 와 감자 작물을 키운다. 비포장도로에는 온갖 종류의 초목이 늘어서 있다. 익숙한 자주색 꽃과 휘영청 늘어진 초록색 나뭇잎의 바나나 나무, 키가 아주 큰 코코넛 나무, 과일이 잔뜩 열린 아보카도 나무, 하늘을 배경으로 뻗은 거대한 망고 나무 등이 눈에 들어온다. 환경은 윤택하고, 붉은 땅은 밝게 빛난다. 도로에는 물통을 적재한 트럭들과 석탄을 실은 자전거를 모는 사람들이 보인다. 전기가 없는 지역에서는 석탄이 주요 에너지원이다. 자전거 뒤에는 야자 잎을 손으로 엮어 만든 자루 안에 검은 덩어리들이 묶여 있다. 3미터 높이까지 쌓여 있는 모습을 멀리서 보면 마치 움직이는 탑들이 두 바퀴 위에서 통통거리며 튀는 것 같다. 자전거를 탄 사람들은 전력을 다해 페달을 밟으며 지그재그로 웅덩이를 피한다. 도로는 진흙투성이다. 어제 비가 내렸다. 들에서는 농부들이 일을 하고 있다. 남자와 여자 들이 흙에서 뼈 빠지게 일하는 중이다. 괭이질을 해서 땅을 파고 씨를 뿌린다. 그들이 하는 농사는 생계 영농이다. 그들은 자기가 생산한 농산물의 일부분을 소비하고 나머지는 인근 지역에 판다.

무하가 Muhaga 마을은 들판 곳곳에 흩어져 있는 100개 정도의 작은 나무 오두막 집들이 모인 곳이다. 미개간지가 한 떼기 있는데 아이들이 축구 경기장으로 쓴다. 트럭 타이어 두 개를 땅에 고정해서 골대로 사용한다. 한쪽에는 공동 화장실이 줄지어 서 있다. 약간 넓은 개간지에는 나무 그늘 아래 파란색 벽으로 된 벽돌 건물이 하나 있다. 어느 협력 기구가 지원한 원조 프로그램 덕분에 지은 학교 건물이다. 이곳에서 마을 사람들이 나를 맞이한다. 모두들 입을 모아 "카리부, Karibu"라고 말한다. "어서 오세요."라는 뜻의 스와힐리어다. 열 명이 모여 있다. 촌장도 있고, 각기 연령대가 다른 남자 네 명과 여자 다섯 명이 있다. 한 여자는 나이가 아주 많다. 멍한 시선에 무표정한 얼굴이고, 몸에 걸친 노란색 튜닉에는 아프리카 지도가 그려져 있다. 얼굴은 주름투성이고 주걱턱이다. 마치 잠을 자는 것 같다. 할머니 옆에 있는 남자는 열쇠 꾸러미를 흔들고 있다. 어디에 쓰는 열쇠인지 궁금하다. 주변에 자동차는 없고 오두막에도 자물쇠 같은 건 없다. 30대 초반의 한 남자는 나를 빤히 보며 웃고 있다. 내 관심을 끌려고 고개를 끄덕이다가 주머니를 뒤져서 초록색 둥근 과일을 하나 꺼낸다. 공깃돌보다 약간 큰 과일인데, 그가 껍질을 벗기자 밤 같은 갈색 열매가 나온다. "이게 자트로파 씨입니다. 원래 우리 땅에서 그 사람들이 키우는 거지요."

서로 소개를 하고 나서 촌장인 아투마니 음캄발라Athumani Mkambala가 이야기를 시작한다. 40대에 키가 작고 작업복 차림이다. 약간 커 보이는 바지와 흰색과 청색이 섞인 티셔츠에 끈이 없는 신발을 신고 있다. 얼굴은 작은데 목은 끝도 없이 길어 보인다. 사실 약간 거북이 같은 생김새다. 크게 웃으면서 잇몸 바로 뒤에 붙은 이가 드러날 때면 더욱 그렇다. 아투마니는 방금 전에 농장을 보여 주었다. 사진이 제일 잘 나오는 언덕 꼭대기로 나를 데려갔다. 내가 자트로파를 재배하는 회사 사람들을 만나려고 하자 커다란 공장 입구까지도 데려다 주었다. 아투마니의 조언에 따라 다르에스살람에서 만난 마을 사람의 친구 행세를 하면서 그냥 재배하는 모습을 보고 싶은 척한 건 참으로 딱한 광경이었다. "언론인이라는 사실을 밝히면 당장에 내쫓을 겁니다." 하지만 그들은 어쨌든 3분 만에 돌아가라는 지시를 내렸다. "오늘은 아무도 없습니다. 내일 다시 오세요." 경비원은 탄자니아의 시골을 돌아다니는 여행객이라는 설명을 조금도 믿지 않으면서 말한다.

하지만 우리가 노트북과 카메라로 무장한 채 농장 안을 자유롭게 돌아다녀도 아무도 뭐라고 하지 않는다. 땅은 무방비 상태로 훤히 트여 있다. **출입 금지**라는 표지판이 있지만 우리는 거리낌 없이 무시한다. 아마 8,000헥타르의 땅에 울타리를 치는 게 사실상 불가능하기 때문일 것이다. 한 시간 정도 농장을 돌아보는 내내 아투마니는 특정한 장소들을 가리키면서 사진 찍기 좋은 곳이라고 권했다. 촌장은 이곳의 땅과 재배하는 작물에 관해 수많은 전문적인 내용을 자세히 설명하면서도 얼마나 많은 땅을 수용 당했는지, 언제 어떻게 왜 그런 일이 벌어졌는지에 관해 아무리 집요하게 물어도 대답을 하지 않았다. 처음에는 그냥 대답을 회피하다가 이런 대화가 나오면 분명하게 말을 끊었다. "자, 보세요. 그런 이야기는 나중에 할 시간이 있을 겁니다." 결국 나는 질문을 멈추고 길게 늘어선 자트로파와 급수 펌프, 1.5킬로미터 떨어진 창고를 가리키는 화살표 등을 살펴보는 데 집중했다. 나는 활기 없는 작은 작물들이 광대하게 뻗은 모습을 계속 지켜보면서 '나중에' 시간이 나면 아투마니에게 묻고 싶은 질문들을 정리했다.

마을로 돌아오자마자 곧장 학교로 간다. 모임 참석자 일부가 이미 그곳에 와 있다. 다른 이들은 몇 분 뒤에 온다. 나는 건물에 들어서자마자 아투마니가 왜 그렇게 말을 아꼈는지 이유를 깨닫는다. 촌장은 마을 사람들이 있는 앞에서 이야기를 하고 싶은 것이다. 그는 이 경험을 공유하고 싶어한다. 음중고[mzungo] 언론인에게 자신이 이야기한 것처럼 보이기를 원치 않는다. 음중고란 유럽에서 온 백인을 가리키는 말이다. 마을 사람들에 둘러싸여 책상에 앉은 아투마니는 한결 편안한 게 분명하다.

이윽고 그가 공식적으로 모임을 시작한다. 그는 외국인들이 온 이야기와 그들이 지금 시골을 지배하고 있는 작물을 기르기 시작한 사정을 내게 말해 준다. 자세한 내용을 전부 기억해 내려고 애쓰면서 천천히 이야기한다. 이따금 누군가가 끼어들어 구체적인 사실이나 촌장이 언급하지 않은 내용을 상기시킨다. 논의는 점차 합창곡에 가까워진다. 나를 위해 모든 구절을 스와힐리어에서 영어로 통역해야 하는 점을 감안하면 합창곡이 되는 건 당연한지도 모른다.

아투마니와 다른 이들이 풀어 놓은 설명에서 떠오르는 이야기의 실체는 속임수에 의한 탈취나 지켜지지 않은 약속, 또는 다양한 차원의 공적 권력의 부패이다. 이 모든 것은 2006년에 시작되었다. 키사라웨 지역 출신 국회의원 한 명이 무하가에 왔다. 그는 자트로파 재배에 관심 있는 투자자가 있다고 말했다. 그러면서 땅의 일부를 포기하고 이 사업가에게 넘기라고 마을에 요구했다. "이건 보기 드문 발전의 기회입니다. 외국 회사가 학교와 병원, 양수기와 도로를 새로 만들 겁니다. 모든 가구에 보상금도 줄 테고요. 새로운 일자리도 생길 겁니다." 마을 회의가 열렸다. 많은 사람들이 반대했다. 국회의원이 다시 왔다. 그는 투자자가 관심 있는 지역은 11개 마을인데, 다른 10개 마을은 이미 동의했다고 말했다. "그의 말로는 우리 마을만 남았다고 했습니다. 2008년 말에 우리도 동의했지요. 그런데 나중에 알고 보니 국회의원이 열한 개 마을 전부에 똑같은 수법을 썼더군요."

2년이 지난 뒤, 무하가 마을에는 여전히 예전과 똑같은 비포장도로와 교실 하나짜리 학교가 있고, 병원과 수도용 양수기는 없다. 보상금을 줄 기미도 전혀 보이지 않는다. "두 가구만이 일정한 보상을 받았습니다." 아투마니의 말이다. 지켜진 약속은 일자리에 관한 것뿐이다. 여러 마을에서 몇 백 명이 농장에 취직을 했는데, 한 달에 108,000실링(약 78,300원)을 받는다. 이 급여는 탄자니아 정부가 정한 최저임금보다는 높지만, 노동 조건은 무척 열악하다. "우리는 7시 30분부터 5시 30분까지 일합니다." 내게 종자를 보여 준 남자가 말한다. 이 남자는 거기서 1년 정도 일했다고 한다. "점심시간은 한 시간을 주는데, 집에서 싸온 밥을 먹지요. 계속 태양 아래서 일합니다. 화장실 같은 건 없어요. 코를 막을 보호 장구 하나 없이 살충제를 뿌립니다. 회사 우두머리들은 우리의 건강에는 전혀 관심이 없어요."

문제의 회사는 선바이오퓨얼이다. 몇 년 전에 동아프리카 바이오 연료 사업에 진출한 영국 기업이다. 회사는 탄자니아에서 사업 허가를 받은 것 외에도 모잠비크에서도 사업권을 받았고, 에티오피아에도 소규모 사업권이 있다. 에티오피아에서는 생산은 하지 않고 실험만 수행한다. 키사라웨에서는 99년 임대 조건으로 8,000헥타르를 취득했다. 원래는 총 18,000헥타르를 요구했다. 무하가 주민들은 계약서를 본 적도 없다. 그들은 어떤 문서에도 서명한 일이 없다. 모두 합쳐 얼마나 많은 땅이 선바이오퓨얼에 인계되었는지도 모른다. 지금 현재 그들은 처분권이 있는 땅 5,767헥타르 중 1,705헥타르를 빼앗겼다. 전체의 3분의 1이다. * "하지만 그들은 앞으로 더 많은 땅을 차지할 수 있습니다. 아무도 우리한테 한 마디도 하지 않습니다."

다른 10개 마을도 대동소이한 비율의 땅을 포기했다. 어떤 곳은 30퍼센트나 35퍼센트고, 심지어 45퍼센트인 곳도 있다. 일부 보상금이 지급되었지만, 토지 가치를 확정하는 데 사용되는 기준이 분명하지 않으며, 왜 어떤 마을과 개인 소유자는 보상금을 받고, 다른 마을이나 소유자는 받지 못하는지도 분명하지 않다. 아투마니의 말을 들어 보자. "우리는 땡전 한 푼 구경도 못했습니다. 아직도 기다리고 있어요."

## 땅을 차지해서 운영하라

탄자니아의 물권법에서는 토지가 세 가지 범주로 나뉜다. '지정지reserved land'는 개발할 수 없으며 국립공원이나 자연보호 구역이나 해상보호 구역에 속한다. '일반지general land'는 정부가 적합하다고 판단하는 용도로 사용할 수 있다. '촌지village land'는 관습에 따라 해당 땅을 사용하는 지역 공동체의 재산이다. 외국인은 토지를 매입할 수 없으며, 최대 99년 동안 임대할 수 있을 뿐인데, 이 경우 '일반지'로 변경된 경우에만 가능하다. 1999년 촌지법1999 Village Land Act에 따르면, 지역 공동체에 속한 토지는 임대하지 못한다. 이런 종류의 땅을 취득하는 방법이 하나 있다. 토지 분류를 '촌지'에서 '일반지'로 변경하는 것이다.●● 이런 변경은 해당 공동체의 동의를 받아야만 가능하며 또한 보상금을 지불해야 한다. 탄자니아에서 광대한 토지가 '촌지' 범주에 해당하는 상황에서 최근 몇 년 동안 국제 투자자들은 거의 동일한 절차를 따르고 있다. 흔히 중앙정부나 일부 지역 대표자의 직접적인 지지를 받아 공동체의 동의를 확보하는 것이다. 키사라웨의 국회의원이 똑같은 술책을 열한 번이나 반복하면서 11개 마을에서 허가를 받은 경우처럼 말이다. 법적 관점에서 보면 이론상 복잡한 절차지만 많은 경우에 속전속결로 처리된다. 이전은 공식 서류 없이

● 선바이오퓨얼은 2011년 9월에 파산했다. 키사라웨 계약은 다른 회사인 30디그리스이스트30 Degrees East가 넘겨받았지만, 아직 사업을 재개하지는 않았다. 농장에 고용되었던 노동자들은 여전히 실업 상태이며 원래 자신들의 소유였던 땅을 경작할 가능성도 없다.

●● 특히 농산 연료 부문의 새로운 투자와 관련하여 탄자니아의 토지 체계를 자세히 분석한 글로는 Emmanuel Sule and Fred Nelson, 'Biofuel, Land Access and Rural Livelihoods in Tanzania', a study by the International Institute for Environment and Development (IIED), London 2009(pubs.iied.org에서 열람 가능)를 보라.

구두 동의로 이뤄진다. 현재 아직도 많은 마을들이 자신들이 얼마나 많은 땅을 실제로 양도했는지, 또는 약속된 대로 돈이나 편의 설비를 받을 수 있는지 알지 못한다. 약속은 구두로 이루어졌고, 어떤 문서도 공식적으로 작성되지 않았다. 무하가 마을 사람들이 가진 유일한 문서는 11개 마을에 '깨끗한 물'을 확보해 주는 계획이 곧 마련될 것임을 밝힌 회사 용지로 된 의향서뿐이다. "그런데 아직 구경도 못했지요." 밝은 얼굴에 믿기 힘들 정도로 환한 오렌지색 튜닉을 걸친 여자가 소리를 친다. 촌장 옆에 앉은 여자다. 질문을 할 때마다 이 맹렬하고 유쾌한 여자가 똑같은 대답을 한다. 여자는 같은 말을 되풀이하면서 웃는다. "아뇨, 아뇨, 아뇨, 아무도 오지 않았어요. 아무도 우리 문제를 떠맡지 않았어요." "선바이오퓨얼에서 대표자들이 왔었나요?" "아무도 안 왔어요." "그 뒤로 키사라웨 출신 국회의원을 본 적 있습니까?" "아뇨." "양수기를 언제 설치할 거라고 확답을 받으셨습니까?" "전혀요." "하파나.(hapana. 아니오.)"와 "하쿠나 키투.(hakuna kitu. 아무것도 없습니다.)"와 "하쿠나 음투.(hakuna mtu. 아무도 아닙니다.)"라는 대답이 기관총처럼 쏟아져 나온다. 저절로 나오는 분명한 말이라 통역도 필요가 없다. 여자 주변의 다른 사람들은 고개만 주억거린다. 아니 여자가 '하파나'라는 말을 되풀이할 때마다 사람들도 고갯짓으로 '아니오'라고 말한다. 여자는 분노한 표정 없이 '하파나'라고 똑똑히 말하기 때문에 그 개념은 의심의 여지없이 분명하다. "그들이 한 말이라곤 가까운 장래에 물을 쓰게 될 거라는 거였습니다." 촌장이 한 마디 거든다. 하지만 이제 무하가 마을 사람들은 '가까운 장래'가 모호한 개념임을 이해하게 되었다. 더군다나 자신들에게 이익이 되는 편의 설비와 관련된 경우에는 더욱 그러하다.

## 북회귀선과 남회귀선 사이

최근 몇 년 동안 탄자니아는 농산 연료 개발에 관심 있는 외국 회사들이 선택하는 행선지가 되었다. 이렇게 된 이유는 다양하다. 유럽위원회는 2020년까지 연소 연료의 10퍼센트를 재생 가능 에너지로 대체한다는 목표를 세웠고, 다르에스살람에는 제품을 수출하기에 알맞은, 좋은 설비를 갖춘 안전한 항구가 있으며, 탄자니아는 내전이나 선거 이후의 폭력 사태가 벌어진 적이 없는, 이 지역에서 몇 안 되는 정치적으로 안정된 나라다. 게다가 기후도 훌륭하고 노동 비용도 낮다. 이 모든 장점 외에도 많은 아프리카 나라들이 현재 투자를 끌어들이기 위해 제시하는 것과 동일한 유인책이 있다. 기계류 수입에 관세를 부과하지 않고, 회사가 수익에 대해 세금을 납부하지 않는 5년의 '회계 유예 기간'을 제공하며, 그 밖에도 여러 편의를 제공한다.

모든 것을 고려할 때, 탄자니아는 브라질의 전 농업장관 호베르투 호드리게스가 염두에 두는 '북회귀선과 남회귀선 사이'에 있는 나라들 가운데 완벽한 후보지이다. '토지가 풍부하고, 일조량이 많고, 탄탄한 노동력이 있지만 자본은 부족'한 곳. "자본은 북반구에서 댈 겁니다."라는 호드리게스의 전망은 탄자니아의 농촌, 특히 제품을 수출하기 쉬운 해안 지역에서 이미 현실이 되었다. 2009년에 이곳에서 사업을 시작한 선바이오퓨얼 외에도 유럽 기업들을 필두로 다른 많은 기업이 이 부문에 뛰어들고 있다. 이 기업들은 모두 '촌지'를 취득했다. 일부는 자트로파를 재배하고, 다른 기업들은 에탄올용 사탕수수나 팜유를 생산한다. 아직 기업마다 프로젝트가 수출 전 초기 단계에 있기 때문에 기업들이 기대하는 수익을 정확히 거론하기는 힘들다. 어떤 경우에는 관련 당사자들에게 적절한 보상금이 지급되었지만, 무하가 마을 같은 경우에는 분쟁이 계속된다. 기업들이 토지를 개발하는 방식은 다양하다. 일부 기업은 현지 경작자들을 사업에 직접 참여시키는 반면, 다른 기업은 키사라웨에 진출한 경우처럼 일용직 노동자로 현지인을 채용한다. 또 토지를 차지하고 운영해서 부정한 이득을 취하는 기업도 있다. 네덜란드 회사인 바이오셰이프<sup>Bioshape</sup>가 대표적인 사례다. 바이오셰이프는 탄자니아 북부 해안에 있는 킬와<sup>Kilwa</sup> 지역에서 34,000헥타르를 99년 임대로 취득했다. 그러고는 이 지역을 싹 밀어 버리고 나무까지 모두 베어 낸 뒤 나무를 팔아 수익을 챙기고는 지역을 포기했다. 한때 삼림지대였던 이곳은 이제 황량한 미개간지로 남아 있다. 그런데 바이오셰이프에게 소유권이 있기 때문에 이 땅에 농사를 짓지도 못한다. 바이오셰이프는 땅을 그냥 놀리고 있는데도 말이다. 사실 탄자니아 법률에 따르면 이 땅은 이제 마을에 돌려주지 못한다. '일반지'로 용도를 변경하면 되돌리지 못하기 때문이다. 기껏해야 복잡하기 짝이 없는 법적 절차를 거쳐서 일단 대통령에게 양도하고, 대통령이 다른 투자자에게 이전할 수 있을 뿐이다. 설상가상으로 마을들은 바이오셰이프가 약속한 보상금을 전액 받지 못하고 40퍼센트만을 받았다. 나머지 60퍼센트는 구체적으로 정해지지 않은 편의의 대가로 '지방의회'에 지불되었다.

네덜란드 기업이 저지른 이 사기는 법적으로는 아무 하자가 없다. 토지는 탄자니아의 법규에 따라 양도되었다. 그 뒤 회사는 공식적으로 파산 선고를 받았고 개발 프로젝트를 포기했다. 사실 탐사 보도 언론인들이 조사한 바에 따르면, 농산 연료 사업 전체가 계략에 불과한 것이었다. 이 사업에 관여한 투자자들은 그저 처음부터 나무를 팔아서 손쉽게 돈을 벌 계획이었다. *

탄자니아의 언론인으로 자기 나라의 바이오 연료 개발 과정을 면밀하게 추적

한 피니간 와 심베예Finnigan Wa Simbeye도 내게 이 점을 확인시켜 준다. "정부는 부패

하고 자기 이익만 챙길 뿐입니다." 그가 자세한 사정은 설명하지 않은 채 이야기

한다. 40세의 명랑한 사람인 피니간은 지난 10년 동안 『데일리뉴스The Daily News』에

서 탐사 보도 언론인으로 활동했으며, 전문지인 『아프리카컨피덴셜Africa Confidential』

과 파리에서 발행되는 주간지 『죈느아프리크Jeune Afrique』의 영어판 부록인 『아프리

카리포트The Africa Report』에도 정기적으로 기고를 해왔다. 나는 인터넷에서 그의 자

세한 기사를 읽은 뒤 언론인들의 불문율 하나를 깨뜨렸다. '개인적으로 알지 못한

다면 절대로 동료 언론인에게 전화해서 부탁을 하지 마라'라는 행동 규칙 말이다.

나는 피니간이 훌륭하게 풀어 쓴 이야기에 관해 더 많은 정보를 요청하고 싶었다.

특히 내가 방문하려고 하는 키사라웨의 선바이오퓨얼에 관한 정보가 필요했다. 그

는 친절하게 전화를 받으면서 밀레니엄타워Millennium Tower에서 저녁 8시에 만나자

고 제안했다. 밀레니엄타워는 다르에스살람의 주요 간선도로에 있는 쇼핑센터이

다. 나는 제 시간에 약속 장소에 도착했다. 아르데코 양식과 묘하게 닮은 3층짜리

쇼핑센터는 닫혀 있다. 조용하고 오가는 사람도 별로 없다. 바로 옆에 있는 작은

바 바깥에 앉아서 스프라이트를 주문한다. 곧바로 나방 떼의 습격을 받았다. 근처

에서 유일하게 전등이 있기 때문이다. 수백 마리가 몰려든다. 나방들은 나와 다른

불운한 손님 둘을 습격한다. 두 사람도 아마 누군가를 기다리는 눈치다. 사방에서

벌레가 모여든다. 내가 두드리는 노트북 위에서 날개를 퍼덕거리고, 테이블 주변

으로 튀어 오르고, 내 발에 부딪힌다. 처음에는 나방을 짓이기려고 하지만, 이내

● Finnigan Wa Simbeye, 'This Dutch Firm is Cheating on Biofuel', The Daily News, 18 November, 2010(dailynews.co.tz에서 열람 가능).

나방의 존재에 익숙해져서 신경도 쓰지 않는다. 노트북을 닫고 음료를 마시는데, 한 모금 마시자마자 나방이 들어가지 못하게 뚜껑을 닫는다. 피니간이 40분 늦게 도착한다. 그는 아무것도 주문하지 않은 채 자리에 앉아서 짤막하게 사과의 말을 하고는 시간이 별로 없다고 이야기한다. 킬와와 키사라웨에 관한 내 질문에 대답은 하지만 그의 기사에 실리지 않은 내용은 전혀 덧붙이지 않는다. 그는 신바이오퓨얼의 경영자들은 "악당들이며 자기도 위협한 적이 있다."고 말한다. 이미 기사에 쓴 내용이다.* 키사라웨에 관한 수치를 좀 알려 달라고 하자 유감스럽지만 잃어버렸다고 말한다. 20분도 지나지 않아 우리는 작별 인사를 나누면서 "다시 연락하자."고 마음에도 없는 말을 주고받는다. 나는 이미 만난 적이 있거나, 상대에게 협력을 하고 있거나, 그를 해결사로 쓰려고 하지 않는다면 현지 언론인에게 절대 전화를 하지 말라는 불문율을 마음에 새긴다. 이 불문율은 어떤 경우에도 존중해야 한다. 좀처럼 협조하지 않는 피니간의 태도를 탓할 수는 없다. 외국에서 어떤 기자가 느닷없이 나타나서 내가 전문적으로 취재해 온 화두를 추적한다면, 아마 나도 같은 방식으로 행동할 게 틀림없다는 생각이 든다. 언론인들은 자기가 발견한 사실과 정보원을 지키기에 급급하다. 이건 해당 언론인의 사유재산이며, 어떤 이득이 있지 않은 한 절대로 공유하는 법이 없다. 그렇게 나는 다르에스살람의 밤거리를 걸으면서 고지식한 나 자신을 질책하고 우리 언론인들의 미덕과 악덕에 관해 숙고한다. 언론인은 호기심 많지만 이기적인 종자이고, 본성상 불신을 타고 났지만 또한 놀랄 만한 열정과 고귀한 연대의 감정을 발휘하는 능력이 있다. 특히 우리에게 독점 기사를 안겨 줄 수 있는 사람들에 대해서.

## 베를린에서 다르에스살람까지

다음 날 나는 압달라 음킨디<sup>Abdallah Mkindi</sup>를 만나러 간다. 아주 짧은 머리에 미약해서 거의 알아들을 수 없는 목소리를 지닌 작달막한 남자인 압달라는 인바이로케어<sup>Envirocare</sup>의 이사다. 인바이로케어는 환경과 인권에 초점을 맞추면서 오랫동안 농업부문 해외 투자 문제를 추적해 온 비정부기구이다. 압달라는 이미 베를린에서 열린 땅뺏기에 관한 회의에서 만난 적이 있는데, 그 회의에서 그는 탄자니아의 많은 농산 연료 개발 프로젝트에 관해 발표를 했다. 회의는 이 문제를 밀접하게 추적하는 여러 조직들이 주최한 것인데, 음킨디는 라틴아메리카의 한 활동가와 함께 열광적인 환영을 받았다. 그는 남반구 출신 투사로서 유럽인들에게 진실을 말해 주려고 온 것이었다. 유럽 각국의 신식민주의 자본가들이 그곳에서 무슨 일을 벌이고 있는지에 관해 말이다. 그는 회의장을 가득 채운 300명 참석자들 대부분이 신문 기사를 통해서만 접한 현상을 직접 목격한 산증인이었다. 바로 그 회의에서 토마스 코흐<sup>Thomas Koch</sup>는 그가 벌이는 활동과 자금을 조달하는 사업의 부도덕한 성격에 관해 집중포화처럼 쏟아지는 질문 공세에 맞닥뜨렸다. 독일 투자 펀드의 대표인 그는 적대 세력이 들끓는 소굴에 뛰어드는 경탄할 만한 용기를 보여 주었다. 혼잡한 작은 회의장에서 보낸 그날 오후는 즐거우면서도 무척 많은 것을 배운 경험이었다. 그전에 나는 이미 서로 대립하면서도 똑같이 이상주의적인 두 관점 사이의 충돌을 목격한 일이 있었다. 한편에는 '녹색혁명'이나 대규모 농업 투자의 주창자들을 대변하는 코흐가 있고, 다른 한편에는 회의 참석자의 절대 다수를 이루는, 남반구에 대한

● Finnigan Wa Simbeye, 'Kisarawe Villagers Regret after Leasing Land to Sun Biofuels', *Tanzania Daily News*, 15 March 2010(allafrica.com에서 열람 가능).

모든 개입을 백주대낮의 강도질로 간주하는 유럽 조직들의 투사들이 있었다. 코흐가 독일은 2차 세계대전이 끝나고 해외 투자로 수백만 달러를 받았다고 말하자 회의 참석자들은 웃음과 휘파람으로 응수했다. 유럽 자본의 아프리카 농업 투자를 마셜플랜과 비교한 건 확실히 한심한 실수였지만, 이 남자는 불과 며칠 전에 제네바에서 만난 투자자들의 눈에서 본 것과 똑같은 확신과 굽힘 없는 신념을 보여 주었다. 그는 또한 세계은행이 말하는 예의 '책임 있는 발전을 위한 원칙'이야말로 다른 모든 발표자들이 폭로한 문제들을 피하기 위한 절대적인 요건이라고 주장했다. 외국인 초빙자 두 명 외에도 다른 언론인, 대학교수, 연구자 등도 발표를 했다. 여러 발언을 들으면서 나는 회의장의 반응을 둘러보았다. 이 회의는 내가 참석했던 제네바 회의와 완전히 대조를 이룬다. 베를린에서는 코흐가 훼방꾼인 반면 제네바에서는 무책임한 농업 투자를 비판하는 조직의 성원들이 훼방꾼이었고, 그들의 발언은 전략적으로 맨 뒤에 배치되었다. 베를린은 제네바의 반대쪽이었다. 이 두 회의는 얼마 전에 식량농업기구 관리가 내게 "비공개로 해 주세요."라고 말한 이유를 확인해 주었다. "문제는 이 논의에서 중간 지점은 전혀 없고, 양 극단만 있다는 겁니다. 무슨 수를 써서라도 투자를 하려는 이들과 어떤 투자든 간에 신식민주의의 행동이라고 여기는 이들이 있습니다." 이 관리는 또한 자기 기구의 입장이 "무비판적이고 첫 번째 극단의 방향으로 지나치게 기울어 있다."고 생각했다. 이 두 극단의 어느 쪽에도 속하지 않는 차분한 목소리는 보기 힘들었고, 그런 연유로 내 관심을 사로잡았다. 음킨디는 이런 목소리를 내는 사람으로 간주할 수 있었다. 그는 사진과 슬라이드를 이용한 발표에서 유럽 기업들이 탄자니아에서 수행한 약탈적 프로젝트와 토지 수용을 다루었다. 하지만 그는 또한 자기 나라가 세계 시장에서 환금 작물(이 경우에는 면화와 커피)의 가치가 폭락하면서 심각한 위기에 빠진 사정과 이 과정에서 결국 소농들의 소득이 감소하고 정부가 농산물 수출로 얻을 수 있는 안정 통화의 양도 줄어든 사실을 강조했다. 다시 말해 그는 탄자니아의 농업이 위기에 빠진 건 구조적인 이유들 때문이며 단순히 외국 기업들이 개입해서 그런 건 아니라고 설명했다. 농업 부문이 전체 노동력의 80퍼센트와 수출의 85퍼센트, 국내총생산(GDP)의 25퍼센트를 차지하는 나라에서 이 문제를 단순한 이데올로기로 설명할 수는 없었다. 음킨디는 해법을 제시하지는 않았지만-이건 그의 역할이 아니었다- 문제를 분명하게 펼쳐 보였고, 서로 대립하는 양쪽이 제시하는 것보다 상황이 훨씬 더 복잡하다는 점을 보여 주었다. 제네바의 투자자들(및 베를린의 코흐)과 춥고 비오는 11월 오후에 독일 수도에 모여든 시민사회 대표자들로 대표되는 양쪽 모두 상황의 일면만을 보았다는 것이다.

그가 발언을 끝내자 나는 내 소개를 하면서 두 달 뒤에 그의 나라를 방문할 계획임을 밝혔다. 외국인에 대한 토지 양도 및 농산 연료와 관련된 프로젝트를 둘러싼 상황을 조사하려고 한다는 말도 했다. "다르에스살람에 오는 즉시 전화 주세요." 그는 열띤 관심을 보이며 말했다. "기꺼이 도와 드리겠습니다." 물론 나는 탄자니아 수도에 도착하자마자 그에게 전화를 한다. 그는 겨우 들리는 목소리로 나를 잘 기억한다고 말하면서 그날 오후에 사무실로 오라고 한다. "4시 30분에 만날 수 있습니다. 30분 정도 시간을 낼 수 있어요." 그가 약간 서두르며 말한다. 베를린에서 작별 인사를 하면서 명함을 내밀며 "다르에서 뵙지요."라고 말할 때 어조와는 사뭇 다른 말투다.

시간이 되어 인바이로케어 사무실이 위치한 교외 지역으로 간다. 달라달라<sup>dala-</sup>

dala—다르에스살람의 길게 이어진 비포장도로에서 대중교통 역할을 하는 초라하지만 대체로 효율적인 작은 승합차다—를 타고 끝없이 달린 끝에 다시 택시를 타고 가파른 비포장도로 밑으로 내려가니 깔끔하게 관리된 정원에 둘러싸인 작은 목조 주택이 나온다. 인바이로케어 본부가 나를 맞이한다. 컴퓨터가 가득한 사무실 두 개와 학생 몇 명이 조사를 하는 것처럼 보이는 도서관이 하나 있다. 압달라가 동료들에게 나를 소개하고 나서 우리는 내 프로젝트에 관해 이야기를 나눈다. 나를 대하는 그의 태도가 모순적인 것 같다. 그의 거동은 냉담하고 약간 쌀쌀맞다. 내 말에 주의 깊게 귀를 기울이는 것 같지도 않고 바쁜 분위기를 풍긴다. 마치 내가 한시바삐 사무실에서 나가 주었으면 하는 분위기다. 그런데 내가 키사라웨에 가고 싶다고 말하자 내 눈을 빤히 보더니 입을 연다. "잠깐 기다리세요." 컴퓨터를 두드리기 시작하더니 무하가 마을 출신 사람 한 명의 전화번호를 뽑아 든다. 그 사람에게 전화를 걸어서 내가 어떤 사람이고 무엇을 하려고 하는지를 설명한다. 그러고는 나에게 전화를 건넨다. 수화기 건너편의 사람은 영어를 약간 하는데, 자기는 마을에 없을 테지만 다른 사람들한테 내가 간다고 알려 주겠다고 한다. 이 모든 일은 3분이 채 걸리지 않고 끝났다. 나는 전화를 끊고 압달라에게 도와줘서 고맙다고 말한다. 동료들 사이의 연대감으로 충분할 것이라고 어리석은 기대를 하면서 피니간에게서 얻으려 했던 그 도움말이다. 작별 인사를 하고 다시 감사를 표하면서 음킨디가 전혀 냉담하지 않다는 생각이 든다. 그는 그냥 실용적인 사람이고, 실제로 자잘한 이야기를 나눌 시간이 없을 뿐이다. "당신과 함께 간다면 정말 좋을 텐데요." 그가 달라달라 타는 곳까지 나를 태워다 주면서 이런 말로 나를 놀라게 한다. "하지만 지금은 일이 너무 많아서요."

## '전망이 임무다'

에너지광물부는 다르에스살람의 중심부에 있는 위압적인 7층 건물에 자리해 있다. 항구를 지척에 둔 곳이다. 노란색으로 새겨진 거대한 글씨가 건물 정면 전체를 뒤덮고 있다. 위자라 야 니샤티 나 마디니<sup>Wizara ya Nishati na Madini</sup>, '에너지광물부'라는 말이다. 그 밑에 있는 흰색 표지판에는 각각 다음과 같은 이 부처의 '전망'과 '임무'가 담겨 있다. '효율적인 기관이 된다. 지속 가능한 발전과 에너지와 광물 자원의 사용을 통해 사회경제 발전에 커다란 기여를 한다.' '경제성장과 발전을 촉진하기 위해 에너지와 광물 자원의 지속 가능성을 위한 각종 정책과 전략과 법률을 시행하고 감독한다.' 나는 에너지광물부의 바이오 연료 사업단 과장인 스타이든 르웨방길라<sup>Styden Rwebangila</sup>를 만나러 이곳에 왔다. 놀라울 정도로 편리하게 이번 약속을 잡을 수 있었다. 교환수에게 전화를 걸어서 바이오 연료 부서로 연결해 달라고 요청했다. 한 남자가 전화를 받아서 내가 어떤 사람인지 설명하고 책임자와 이야기를 나눌 수 있느냐고 물었다. 책임자는 사무실에 있지 않았지만 남자가 잠깐 생각을 해 보더니 책임자의 휴대전화 번호를 알려 주었다. 그래서 르웨방길라와 연락이 되었고, 그는 처음에는 놀라더니 한 시간 뒤에 에너지광물부로 오라고 청했다. "512호실로 곧장 오시면 됩니다."

제시간에 건물에 도착해서 안으로 들어간다. 아무도 질문을 하지 않는다. 엘리베이터로 향해 가는데 안내인이 손짓으로 부른다. 방문자 명부를 보여 주면서 이름과 방문 시간을 적으라고 한다. 보안 검사 같은 건 없다. 질문도 없다. 신분증도 보여 줄 필요가 없다. 노트에 이름만 적으면 된다. 상관의 휴대전화 번호를 알려 준 사람과 지금의 건물 출입 절차를 보면서 탄자니아가 느긋한 나라라는 결론을 내린다. 르웨방길라의 사무실로 올라가서 문을 두드린다. 35세 정도 되어 보이는 남자가 문을 열어 준다. 짙은 색 셔츠 사이로 약간 과체중인 몸집이 살짝 드러나고 벨트 없이 입은 바지와 운동화가 눈에 들어온다. "방금 전에 연락드렸는데 바로 만나 주셔서 감사합니다." 그가 대꾸한다. "천만에요. 우리는 이곳에서 우리가 하는 일을 외국 언론에 항상 기꺼이 공개합니다."

바이오 연료 사업단은 2005년에 당시만 해도 존재하지 않는 부문을 감독하기 위해 정부에서 설치했다. 르웨방길라는 사업단의 2인자다. 단장이 말라위에서 직무를 수행하느라 바쁘기 때문에 르웨방길라가 임시로 사업단을 책임지고 있다. 임페리얼 칼리지 런던에서 석사학위를 받은 젊은 엔지니어인 그는 바이오 연료 문제를 맡아 달라는 요청을 받았다. 그가 거리낌 없이 털어놓는 것처럼 처음에는 그도 바이오 연료에 관해 거의 또는 전혀 알지 못했다. "지난 6년 동안 우리는 많은 걸 배웠고 전략적인 개입 영역을 정했습니다. 우리는 원점부터 시작을 했고 이미 상당히 많은 진전을 이루었습니다." 에너지부와 농업부, 탄자니아 투자센터 등의 책임자들과 민간 부문의 대표들이 결합해서 바이오 연료 사업단을 창설했다. 지난 6년 동안 사업단이 한 가장 중요한 일은 18쪽짜리 소책자를 펴낸 것이다. 엔지니어는 곧바로 『탄자니아 바이오 연료의 지속 가능한 발전을 위한 지침Guidelines for the Sustainable Development of Biofuels in Tanzania』한 부를 내게 건넨다. 이 소책자는 길고 힘든 과정을 거쳐 탄생됐다. 책자는 지루한 교섭을 하면서 몇 번이고 고쳐 쓴 결과물이다. "우리는 사방에서 압력을 받았습니다. 투자자들은 비판을 받지 않으면서 사업을 할 수 있는 기준을 원했고, 시민사회 조직들은 이 부문을 규제하라고 요구했지요." 지침 자체는 무척 선구적인 내용이다. 지침에 따르면 바이오 연료 생산용 토지 양도는 최대 25년까지 가능하며, 처음 5년은 시험 기간으로 한다. 또한 **계약 농업**, 즉 소농들이 기업에 직접 참여하는 방식이 적극적으로 장려되며, 강제적인 주민 이동은 금지된다. 마지막으로 투자자들은 지역과 국가 차원의 관련된 모든 당국과 협의를 하면서 사업 타당성 조사 결과를 제출해야 한다.

그런데 한 가지 문제가 있다. 이 지침은 구속력이 없다. 법률로 뒷받침되지도 않는다. "지침은 토론을 촉진하는 유용한 수단입니다." 이렇게 말하는 르웨방길라는 자기가 하는 일이 제한된 영향만을 미쳤다는 사실을 알고 있는 게 분명하다. 최근에 탄자니아에서 시작된 농산 연료 개발 프로젝트의 대부분은 이 지침을 공공연하게 위반했다. 대부분의 프로젝트는 주민 이주를 야기했고, 99년 임대에 바탕을 두고 있으며, 지방 당국의 참여가 전혀 없었고, 사업 타당성 조사도 없었다. 나는 이미 진행 중인 프로젝트에도 지침을 적용할 수 있느냐고 묻는다. 결정 여부는 정부나 최소한 사법부에게 달려 있다는 대답이 돌아온다. "우리는 기술자로서 상황에 대한 그림을 제공하고 많은 행동 전략을 제안합니다." 엔지니어인 르웨방길라는 내 얼굴에서 당혹스러운 표정을 눈치채고 힘주어 말한다.

내가 묻는다. "현재 탄자니아에서 얼마나 많은 바이오 연료 생산 프로젝트가 진행 중입니까?" 생각에 잠긴 르웨방길라의 눈썹에 주름이 생긴다. "거기에 관해서는 정확한 수치를 말씀드리기가 어렵네요." 나는 킬와 프로젝트(네덜란드 기업이 나무를 모조리 팔아 치우고 포기한 프로젝트)와 전날 방문한 키사라웨에 관해 정보를 달라고 청한다. "우리도 문제가 있다는 걸 압니다. 하지만 두 곳은 우리가 직접 관할하는 지역이 아닙니다. 우리는 이 부문을 분석하는 일을 맡았고, 지난 몇 년 동안의 경험에 입각해서 지침을 작성했습니다." 사실 소책자에는 바이오셰이프 사건을 직접 언급하는 것처럼 보이는 문장이 있다. '투자자가 공언한 목표대로 토지를 사용한다는 조건에서만 토지를 투자자에게 제공한다.'

르웨방길라가 운영하는 사업단이 실제로 어떤 역할을 하는지, 또는 지난 6년의 역사를 거치면서 사업단이 어떤 전략을 발전시켰는지는 확실하지 않다. 대화를 나누는 동안 이 엔지니어는 온갖 모순되는 말을 늘어놓는다. 그는 농산 연료가 탄자니아의 새로운 환금 작물이 될 수 있다고 말하면서도 이 부문에 대한 투자가 위험할 수 있다는 말을 덧붙인다. 식량 주권을 훼손하고, 황폐화를 낳기 쉬운 땅뺏기로 이어질 수 있기 때문이다. 그리고 규모가 지나치게 크지 않고 토질이 떨어지는 지역에 위치한 대농장을 장려한다고 말하면서 다른 한편으로는 사실상 현재 진행되는 모든 프로젝트가 최고의 입지에 위치하며 광대한 지면으로 확산되고 있음을 인정한다. 또한 정부는 투자를 선호하지 않는다고 말하고는 뒤이어 이 부문에 관한 지식을 얻으려고 하는 페트로브라스Petrobras—브라질의 석유 회사—와 직접 협조에 관해 이야기한다. 기본적으로 이 기술자가 농산 연료에 대해 개인적으로 어떤 입장을 갖고 있는지를 확인하기가 어렵다. 어쩌면 입장이 없을지도 모른다. 아니면 자신이 관리하는 사업단을 대변하려고 노력하면서도 사업단의 구조적인 한계와 모호한 역할을 충분히 인식하는 것일 수도 있다. 그는 이야기하는 동안 손에 작은 녹색 지침서를 꽉 쥐고 있다. 마치 이 책자가 신의 은총이자 자신의 사업단이 존재하고 자신이 실제로 어떤 일을 했다는 증거라도 되는 것 같다. 작별 인사를 하면서 그가 방어적으로 중얼거린다. "우리는 커다란 모자이크를 이루는 하나의 작은 조각에 불과합니다. 우리는 최선을 다하려고 노력합니다."

건물을 나서자 다시 다르에스살람의 타는 듯한 열기가 엄습한다. 전날 무하가에서 마을 사람들과 만난 일이 생각난다. 자신들의 땅을 눈앞에서 빼앗긴 농민들과 이런 식의 프로젝트가 탄자니아에서 얼마나 많이 진행되고 있는지도 모르는 정부 기관 사람들 사이에 가로놓인 거대한 간극을 생각해 본다. 건물의 정면으로 다시 눈길을 돌리자 외벽에 새겨진 글씨가 눈에 들어온다. '전망: 지속 가능한 발전을 통해 사회경제 발전에 커다란 기여를 한다.' 몇 번이고 되풀이해 읽은 뒤에야 아무 뜻도 없는 문구임을 깨닫는다.

## 탄소 배출권 사업

"에너지부의 바이오 연료 사업단은 거대한 사기극입니다. 사업단은 투자자들을 만족시키려고 만든 거예요." 예프레드 음옌지<sup>Yefred Myenzi</sup>는 토지법을 주로 다루는 탄자니아의 일류 연구소인 하키아르디<sup>HakiArdhi</sup>의 소장이다. 그를 찾아가는 날의 아침은 희뿌연 하늘이 저기압으로 도시를 감싸고 있어서 답답한 느낌이다. 예프레드는 딱 벌어진 어깨에 마이크 타이슨 같은 싸움꾼의 얼굴을 가진 단단한 사람이지만, 그의 얼굴에는 전 세계 챔피언이 링 안팎에서 얻은 흉터 같은 건 없다. 얼굴은 다부지지만 깨끗하고, 목소리는 우렁차고, 악수하는 손에서는 힘이 느껴진다. 옷차림도 흠 잡을 데가 없다. 은색 커프스 단추를 단 검은 셔츠에 노란색 넥타이를 매고 모카신을 신었다. 사무실은 간소하지만 수장의 사무실이 틀림없다. 커다랗고 견고한 목제 책상과 최신 컴퓨터, 두 번째 책상 위에 놓인 전화, 그리고 작은 테이블이 있는데 그가 와서 앉으라고 권한다. 게다가 에어컨도 있다. 아프리카 다른 지역에서도 그렇지만 이 나라에서 에어컨은 주로 권력의 상징으로 작용한다. 소장은 에어컨을 꽤 세게 틀어놔서 바깥 날씨는 뜨거울 정도인데도 옷을 갖춰 입고 있다. 그가 기다리게 해서 미안하다고 말한다. "어제서야 외국에서 돌아왔는데 밀린 일이 많아서 요." 예프레드는 세네갈의 다카르에서 열린, 전 세계 시민사회의 연례 총회인 세계 사회포럼World Social Forum에 참석하고 오는 길이다.

2000년 브라질 포르투알레그리Porto Alegre에서 시작된 세계사회포럼은 시간이 흐르면서 약간 관성화되어 초기의 추진력을 많이 잃었다. 나는 2006년 말리의 수 도 바마코Bamako에서 열렸을 때 딱 한 번 가보았다. 그때도 이미 진행 방식이 진부 해졌다는 느낌, 그리고 회합마다 참석자들이 세계를 지배하는 신자유주의를 욕하 는 데만 몰두하지 사려 깊은 분석이나 구체적인 대안을 제시하는 능력은 없다는 인 상을 받았다. 현실에 토대를 두기보다는 자화자찬식 행사로 비쳐졌다. 많은 유럽 인들이 이때 아프리카에 처음 발을 들여놓으면서도 상당수가 지도자 행세를 했고, 일부는 독립적인 개인 참가자이고 젊은이는 극소수였다. 이 모든 모습을 보면서 행 사 참석자들이 대개 같은 의견이고 자신들의 생각이 옳다고 지나치게 확신하는 모 임에 대한 타고난 의심이 더욱 굳어졌다.

나는 서먹한 분위기를 깨려고 예프레드에게 다카르 행사가 어땠냐고 묻는다. 그는 세계사회포럼은 언제나 사람들을 만나고 네트워크를 형성하는 기회라고 대답 한다. 하지만 시선을 약간 내리깔면서 한 마디 덧붙인다. "이번 행사는 아주 무의 미합니다. 확실히 이전 행사를 우려먹는 식이에요." 이 발언으로 우리 사이에 순간 적으로 공감대가 생긴다. 내가 바마코에서 참석한 경험에 관해 간단하게 말하자 그 는 자기도 그때 있었다면서 전해에 나이로비에서 열린 포럼과 똑같았다고 말한다. 그리고 올해도 마찬가지였다고 말한다. 민중 혁명이 일어나 이집트 대통령 호스니 무바라크Hosni Mubarak를 끌어내리는 동안 포럼이 진행되고 있었다는 사실을 감안하면 더욱 그렇다고 한다. "실제 벌어지는 사태와 대중들로부터 몇 광년 떨어진 일종의 상아탑에 갇혀 있다는 느낌이 들더군요."

"그런데 이제 본론으로 들어가죠. 분명 당신은 사회포럼에 관해 이야기하려고 여기 온 건 아니잖아요." 그가 웃으며 한 마디 덧붙인다. 바이오 연료에 관한 그의 입장은 분명하고 단호하다. "정부는 더러운 장난질을 치고 있습니다. 소농들을 속이면서 빵 한 조각과 약간의 감미료를 받고 소농들의 토지를 내주고 있지요." 예프레드는 탄자니아에서는 실제로 땅뺏기가 이루어지고 있으며, 정부가 투자 유치에 적극적이지 않다는 건 전혀 사실무근이라고 말한다. 그의 이야기에 따르면, 그의 부인이 우연히 남아프리카에서 열리는 회의에 차관과 동행하게 되었는데, 그곳에서 장관이 농업 투자를 장려하면서 이렇게 선언했다고 한다. "탄자니아에는 땅이 비옥하고 노동 비용이 아주 낮습니다." 나는 리야드에서 다른 아프리카 나라들의 대표들에게서 들은 말과 토씨 하나까지 똑같은 말이라고 맞장구치면서 그곳에서 목격한 가격 낮추기 입찰 경쟁에 관해 알려 준다. 그리고 그의 연구소에서 무척 정확한 투자 지도를 작성한 사실을 떠올리고는 탄자니아의 현재 상태에 관해 묻는다.

그는 이미 진행 중인 여러 프로젝트와 현재 교섭 중인 프로젝트에 관해 설명한다. "지금까지 탄자니아 투자센터는 640,000헥타르의 땅을 외국 기업들에 양도했습니다. 농업 부문 해외 투자는 세 가지 유형이 있습니다. 가장 중요한 투자는 농산연료와 관련된 겁니다. 그 다음은 수출용 식량 생산과 관련된 투자입니다. 아랍 국가들과 한국인들이 주로 여기에 관여하지요. 마지막으로 탄소 배출권과 관련된 투자가 있습니다." 마지막 문제는 상대적으로 별로 알려지지 않은 땅뺏기의 한 측면이다. 교토의정서의 일부로 마련된 청정개발체제Clean Development Mechanism(CDM)에 따르면, 이산화탄소 배출 할당치를 초과한 선진국의 기업은 개발도상국에서 배출 감축 프로젝트를 후원하는 식으로 '탄소 배출권'을 구입할 수 있다. 다시 말해, 선진국은 세계 다른 지역에서 온실가스 배출을 제한하는 방식으로 자국의 과잉 오염을 벌충할 수 있다. 애초에 이런 체제를 설정한 이면의 의도는 나쁘지 않다. 북반구 국가들은 남반구에 지속 가능한 발전 자금을 지원한다. 북반구에서 탄소 배출을 줄이는 것보다는 이런 프로젝트를 지원하는 게 비용이 덜 들 것이기 때문이다. 하지만 이 체제는 왜곡되었다. 교토의정서 조인국들이 2012년까지 구체적인 목표치를 충족해야 하는 상황에서 탄소 배출권 자체가 하나의 상품이 되었다. 금융 투기 메커니즘에 종속되는 상품으로 변질된 것이다. 탄소 배출권은 이런 식으로 만기일이 있는 선물과 옵션을 완비한 채 여러 증권거래소에서 거래된다. 이 부문이 금융화됨에 따라, 그리고 교토에서 설정된 목표치에 의해 가능성이 열림에 따라\*, 기업들이 아주 전도유망해 보이는 모험사업에 뛰어들고 있다. 남반구에서 탄소 배출권을 취득해서 시장에서 다시 파는 사업 말이다. 많은 기업들이 토지를 취득해서 그 땅에 나무를 심고 있다. '온실가스 배출 감소 인증'을 얻으려는 목적이 분명하다. 다른 기업들은 청정 개발 체제에 의해 배출 감소 프로젝트로 인증을 받을 수 있는 농산 연료 경작지를 개발하는 식으로 일석이조를 노리고 있다. 이런 식으로 기업들은 바이오 연료와 탄소 배출권을 동시에 판매해서 수익을 올리는 일에 나선다.\*\*

이와 같이 청정개발체제가 금융화되고 탄소 배출권이 순수한 시장 메커니즘에 삽입되긴 했지만, 이런 현상 때문에 이 부문의 규제 완화가 초래되고 지역의 현실을 제대로 고려하지 않은 채 다양한 개발 프로젝트가 지속되는 결과가 야기되지만 않았다면, 반드시 피해를 끼치지는 않았을 것이다. 단순히 배출권을 획득하기 위해 수많은 '산림 재조성' 프로젝트가 지역 환경 상태를 거의 고려하지 않은 채 지나치게 성급하게 진행되고 있다. 예를 들어, 예전에 숲이 아니라 농산물을 재배하거나 목축을 위해 사용되던 지역들에서 산림 재조성 사업이 진행될 수 있다. 탄자니아 남부 무핀디<sup>Mufindi</sup> 지역의 경우가 대표적인 예이다. 노르웨이 기업인 그린리소시즈<sup>Green Resources</sup>는 이 지역에서 현지 마을들이 임시로 양도한 '촌지' 2,600헥타르에 유칼립투스 나무를 심었다. 예프레드는 이 지역 출신이기 때문에 전후 사정을 잘 안다. "회사는 땅을 임대했습니다. 그리고 많은 나무를 심었지요. 마을 사람들은 모두 흡족해 합니다. 땅값을 받았으니까요. 그런데 마을 사람들은 그들의 주요 자원을 잃어버렸다는 사실을 모릅니다. 돈은 동이 날 테고, 결국 농작물을 기르지도 못하면서 나무가 자라는 모습만 보게 될 겁니다."<sup>•••</sup> 그는 잠시 말을 멈추고 손가락으로 테이블을 두드리다가 내게 질문 아닌 질문을 던진다. "이 모든 과정에서 현지 마을들이 누리는 혜택이 뭐지요?"

내가 대답한다. "아마 보상금으로 받은 돈을 재투자할 수 있지 않을까요?" 소장이 미소를 짓는다. 이내 그의 표정이 어두워지고 그는 더욱 심각한 분위기를 풍

---

● 1997년 일본 교토에서 조인된 지구온난화 감축을 위한 교토의정서는 2005년에 발효되었다. 교토의정서는 2008~2012년에 온실가스 배출(이산화탄소, 메탄, 산화질소, 수소불화탄소, 과불화탄소, 육불화황)을 1990년 배출량에서 5퍼센트 이상 줄일 것으로 예상됐다. 미국은 의정서에 서명했지만 이후 비준을 거부했다. 중국과 인도를 비롯한 개발도상국들은 의정서의 의무 이행 대상에서 제외된다. 1차 산업화 시기에 현재 수준의 지구온난화를 야기한 온실가스 배출에 책임이 없다고 간주되기 때문이다.

●● 농산 연료 개발 프로젝트와 탄소 배출권 획득 가능성의 연관성, 그리고 청정개발체제가 아프리카의 땅뺏기에 미치는 영향에 관해서는 'The CDM and Africa: Marketing a New Land Grab', a briefing by the African Biodiversity Network, Biofuelwatch, Carbon Trade Watch, the Gaia Foundation and the Timberwatch Coalition, February 2011(oneplanetonly.org에서 열람 가능)을 보라.

●●● 이 사례에 관해서는 Blessing Karumbidza and Wally Menne, 'CDM Carbon Sink Tree Plantations. A Case Study in Tanzania', 2010, a report by Timberwatch, a South African NGO Consortium(timberwatch.org.za에서 열람 가능)을 보라.

긴다. "물론 그럴 수도 있겠지만, 흔히 마을 사람들은 장기 프로젝트에 돈을 투자하거나 실제로 자신들의 미래에 관해 생각할 수 있는 수단이나 문화가 없습니다." 예프레드는 정말로 보상금을 어떻게 쓸지 몰라서 중고 트럭을 한 대 사서 운송 사업을 시작한 마을의 사례를 들려준다. 6개월 뒤에 트럭이 고장 났고, 사업은 문을 닫았다. "이제 이 마을에는 가지도 않는 트럭이 도로변에 서 있고, 마을 땅은 사라졌습니다."

소장은 이 문제를 폭넓게 이해하고 있다. 그는 탄자니아의 상황을 잘 알며 이 상황을 더 넓은 관점에서 바라보는 충분한 능력이 있다. 그가 말을 잇는다. "문제는 간단하지 않습니다. 전 지구적인 움직임을 반영하는 거니까요. 오늘날 토지는 하나의 상품으로 바뀌었습니다. 수익을 끌어내기 위해 수많은 헥타르의 땅을 취득해서 사용하는 걸 과도한 위험을 무릅쓰지 않고, 돈을 버는 방편으로 생각하는 투기자 집단이 존재합니다. 아마 워싱턴에는 신기술을 개발하는 회사의 주식을 사는 것보다 탄자니아의 땅 한 떼기가 더 안전하고 좋은 투자라고 판단하는 사람이 있을 겁니다. 그래서 이 사람은 이 사업에 돈을 투입하지요. 그가 도착합니다. 달과 별들에게 약속하지요. 그리고 수익을 올리자마자 떠납니다. 그게 전부입니다. 자기 땅을 잃거나 감쪽같이 속은 농민들은 그들보다 무한정 커다란 움직임의 부수적 피해collateral damage에 불과합니다." 예프레드는 '자기 할 일을 하고 있는' 투자자들을 비난하지 않는다. 하지만 그는 책임 있는 정치인들에게 분노를 나타낸다. "정부는 근시안적입니다. 황폐화를 야기할 수 있는 투자를 적극적으로 승인하고 촉진하고 있지요. 정부가 부패했거나 외국인 투자를 유인하면 국가 발전에 유용할 것이라고 정말로 생각하기 때문입니다. 어느 쪽이든 간에 정부는 땅뺏기에 적극적으로 공모합니다." 이제 예프레드는 분노로 이성을 잃은 상태다. 이 문제에 관해 굉장히 강하게 느끼는 게 분명하다. 그가 이끄는 연구소는 토지 취득과 바이오 연료의 무절제한 개발에 내포된 위험성에 관해 많은 연구를 생산하고 있다. 그래서 나는 바이오 연료 지침에 관해 어떻게 생각하는지 묻는다.

반응을 끌어내려고 말을 꺼낸다. "정부는 이 부문을 규제하려고 노력을 기울였습니다." 이번에도 그는 웃음을 터뜨린다. 그러고는 서랍에서 전에 르웨방길라가 보여 준 것과 똑같은 작은 녹색 책자를 꺼낸다. "이거 읽어 보셨습니까?" 그가 묻는다. 나는 고개를 끄덕인다. "그래요? 여기에 뭐가 있지요? 그냥 말뿐입니다. 현실은 달라요. 사람들이 자기 땅에서 쫓겨나고 있고, 보상금도 주지 않고, 임대 계약은 25년이 아니라 100년이고, 이 외국 기업들의 행동에 대해 실질적인 통제가 전혀 없지요. 다시 말해, 이 소책자는 휴지 조각입니다."

"그러면 왜 이걸 만든 겁니까?" "당신은 이 지침이 어디에 쓰인다고 생각하나요?" 그가 묻고는 대답을 기다리지도 않고 자기 논리에 사로잡혀 말을 계속 잇는다. "이 지침은 투자자들에게만 유리합니다. 그들의 양심을 달래 주는 거지요. 투자자들은 이렇게 말할 겁니다. 우리는 설령 지침이 맞지 않더라도 그것을 따르고 있다고 말입니다. 정부의 경우에는, 글쎄요, 비판자들에게 이렇게 말하겠지요. 우리가 아무 대가도 없이 땅을 내주고 있다는 건 사실이 아니다. 우리는 심지어 이런 지침까지 마련해 두었다고요."

## '미래 세대가 당신의 무덤을 불태울 겁니다'

어쩌면 단지 농산 연료에 대한 외국인 투자를 비판하는 사람들의 입을 막기 위해 지침을 작성한 것일지도 모른다. 하지만 한 가지는 확실하다. 적어도 탄자니아에서는 비판이 전혀 격렬하지 않다. 내가 방문한 조직들과 소수의 언론인, 이 현상에 직접 영향을 받는 사람들을 제외하면, 내가 만나 본 땅뺏기에 관해 아는 사람들 중에 이 문제에 대해 특별히 분개하는 사람은 한 명도 없었다. 이 문제는 언론에서 크게 다뤄지지 않는다. 대부분의 사람들은 자신과는 무관한 전문적인 문제이며, 농촌 공동체에 보상금을 지불하지 않은 문제로 생각한다. 해외의 다양한 정부 반대 세력이 여론을 변화시킨 에티오피아와는 대조적으로, 이 지역에서는 실제로 논의조차 되지 않는다.

이런 현상은 역설처럼 보인다. 탄자니아는 비교적 언론의 자유와 표현의 자유가 있는 개방적인 나라다. 에티오피아와 달리 이곳 사람들은 체포되거나 직장을 잃을 염려가 없이 자신들이 원하는 바를 무엇이든 말할 수 있다. 하지만 이런 역설은 실제가 아니다. 폐쇄적인 정치 체제가 정보의 흐름을 가로막으면 실제로 논의는 늘어난다. 에티오피아에서 나는 무하가 같은 마을을 방문하거나 모든 사람과 자유롭게 이야기를 할 수 없었다. 마을마다 정부 여당 대표가 있어서 곧바로 당국에 알리거나 마을 사람들에게 입을 다물라고 말했을 것이기 때문이다. 하지만 에티오피아 바깥에서는 이 나라에서 진행되는 땅뺏기에 반대하는 각종 국제 캠페인이 벌어졌다. 정부에 반대하는 어떤 목소리든 미연에 차단하는 에티오피아 같은 전체주의에 가까운 정권 아래서 땅뺏기에 대한 반대는 주로 정부에 대한 반대로 여겨진다. 그러므로 이 나라의 어느 누구도 공공연하게 땅뺏기에 관해 이야기하지는 않을지라도 누구나 그것에 관해 안다. 탄자니아 농촌에서 나는 어떤 사람과도 이야기를 나누고 필요한 정보를 얻을 수 있었다. 하지만 전문가들을 제외하면, 거의 공짜나 다름없이 넓은 토지를 양도하는 데 대해 그만큼 핏대를 올리거나 정부를 비난하는 목소리를 높이는 사람은 아무도 없는 것 같았다.

조직적인 운동이나 사회적 압력, 국민 차원의 단결도 보지 못했다. 소농들은 자신들보다 훨씬 강력한 힘에 직면해서 자신의 운명에 굴종하는 모습이다. 무하가의 마을 사람들은 내가 던진 질문에 놀라운 답을 내놓았다. "여러분은 어떻게 하실 생각입니까?" "아무것도 안 해요. 우리가 뭘 할 수 있지요?" 수도에서 항의 시위를 조직하거나, 변호사를 접촉하거나, 자신들의 권리를 위해 싸운다는 생각은 전혀 하지 못하는 것 같았다. 그들은 똑같은 대접을 받은 다른 10개 마을과 네트워크를 만들지도 않았다. 처음에 나는 아무 계획도 세우지 못하는 이런 무기력한 모습에 어안이 벙벙했다. 하지만 이내 내가 수도나 전기 같은 게 전혀 없는 사람들에게 도시적 사고방식을 투사하는 것임을 깨달았다. 무하가 마을 사람들에게는 그들이 사는 마을이 세계다. 중앙정부는 머나먼 존재로 그들에게 지시를 내릴 때만 개입한다. 마을 사람들은 자신들이 키사라웨 의회에 속았다는 걸 알지만, 이런 불의를 바로잡을 수 없다고 생각한다. 우박 폭풍이나 정체불명의 기생충 때문에 망친 수확처럼 말이다. 바로 이런 점이야말로 무척 멀리 떨어져 있지만 이제 지리적으로 매우 가까워진 두 세계 사이에 존재하는 거대한 간극을 가장 뚜렷하게 보여 준다. 자신의 땅이 이제 상품이 되었다는 걸 알지 못하는 농민과 워싱턴DC의 사무실에 앉아서 닷컴 기업보다 자트로파에 투자하는 게 유리하다고 생각하는 투자자 사이의 간극 말이다.

이 두 세계를 가르는 간극이 문제의 핵심이며, 내가 나눈 대화와 만난 사람들, 세계 구석구석에서 목격한 상황들을 연결하는 공통된 맥락이다. 거대한 랜드러시는 지식과 수단의 격차에 주로 의존한다. 먼 곳에서 평가하고 실행하는 랜드러시는 들판에서 오랜 세월 동안 평온하게 살아 온 농촌 인구와, 느닷없이 나타나서 발전과 번영의 길을 약속하면서 유혹하는 몇몇 인물들을 갈라놓는다. 구체적인 상황이나 위도에 따라 다양한 형태와 색조로 진행되는 땅뺏기는 본질적으로 소농들의 땅과 생계 수단을 빼앗는 거대한 사기극이다. 에티오피아의 경우처럼 당국이 절차를 강요하거나 탄자니아의 경우처럼 지능적인 사람들이 속임수를 쓰거나 방식은 다양하다. 나는 기본적으로 베를린 회의에 참석한 사람들의 생각에 동의한다. 남반구의 농촌 지역이 현대판 신식민주의의 무대가 되고 있다는 생각 말이다. 바야흐로 신구 강대국들이 다시 옛 식민지들을 정복하고 있다. 식민지 시대에 그랬던 것처럼, 이 강대국들은 자신들이 필요한 자원을 얻기 위해, 즉 국민들을 먹여 살릴 식량과 자동차를 움직일 연료를 얻기 위해 해외를 샅샅이 뒤지는 중이다. 어쨌든 사우디아라비아의 압둘라 국왕이 수립한 계획, 해외에 답사단을 보내고, 현지에 관리인을 파견하고, 공격적인 토지 취득 정책을 추진하는 계획은 옛날 동인도회사와 비교할 만하지 않은가? 탄자니아에 자트로파를 재배하러 오는 투자자들은 본질적으로 16세기 스페인 정복자들의 현대판이라 할 수 있지 않은가? 새로운 학교나 병원을 세워 준다는 약속으로 현지인들을 유혹하는 게 차이점이라고나 할까?

하지만 핵심적인 쟁점, 문제의 중심은 다른 곳에 있다. 예프레드 음옌지의 말이 맞았다. 토지를 무차별적으로 매각하는 이 범죄의 주범은 각국 정부다. 남반구 정부들은 자국의 자원을 한 줌의 안정 통화와 맞바꾼다. 아니 최악의 경우에는 해외 은행 계좌에 달러를 이체 받는다. 식민지 시대는 끝났다. 옛 식민지들은 이제 독립국이다. 하지만 이 나라들의 정부는 자국 시민들의 이해를 돌보지 않는다.

하키아르디의 사무실에서 돌아오는 길에 폭풍이 다가오는 것처럼 하늘이 어두워진다. 달라달라에서 내리는데 수도에 가는 비가 내리기 시작한다. 몇 분이 지나자 장대비가 쏟아진다. 불과 50미터 떨어진 호텔에 갈 수가 없다. 흙탕물이 강을 이루어 길이 막혔다. 작은 바에 앉아서 비가 그치기를 기다린다. 떨어지는 빗방울과 이 비 때문에 도시 풍경이 삽시간에 난장판이 된 모습을 바라본다. 이곳 다르에스살람에 사는 사람들은 땅을 빼앗기고 있는 시골의 농민들에게 연대를 표명하는 것 말고도 시급한 과제가 많다는 생각이 문득 든다. 이곳에서는 각자 제 앞가림을 해야 한다. 이런 사정 때문에 정부는 농업 발전을 장려하는 일을 유럽 투자자들에게 맡겨도 된다고 착각을 한다. 독립하고 50년 동안 정부가 하지 못한 일을 맡기는 것이다.

여전히 호텔로 가는 길을 막고 있는 강물을 바라보면서 나는 압달라 음킨디가 베를린에서 한 발표를 곱씹어 본다. 발표 마지막에 그는 충격적인 내용의 슬라이드를 몇 장 보여 주었다. 첫 번째는 자트로파 묘목으로 뒤덮인 녹색 평원의 모습인데, 굉장히 황량한 인상을 불러일으켰다. 두 번째는 똑같은 이미지를 배경으로 삼았는데, 이번에는 문구가 있었다. '미래 세대가 땅 한 뙈기 남겨 주지 않은 당신들의 무덤을 불태울 겁니다.' 이번에는 무하가의 농민들이 생각난다. 무하가의 인구는 늘어날 테지만, 2년 전에 비해 땅은 3분의 1이 줄었다. 1년 뒤에는 땅이 더 줄어들지 않을 것이라는 보장도 전혀 없다. 많은 아이들이 자기가 태어난 땅에서 생존을 이어갈 수 없는 처지가 될 것이다. 아마 이 아이들은 도시로 떠날 테고, 노점상으로 간신히 살아가는 이들의 숫자는 더욱 늘어날 것이다. 어쩌면 한때 자신의 땅이었던 지역을 지배하는 바로 그 회사에서 일용직 노동자로 일할지도 모른다. 그들이 자기 조상들의 무덤을 불태울지는 모르겠다. 하지만 마을 회의에서 그들의 땅을 아무 대가도 없이 포기한 해는 분명 기억할 것이다.

# 인터넷 업데이트–'땅뺏기' 관련 주요 사이트 주소

땅뺏기가 비교적 새로운 주제임을 감안할 때, 이 현상을 추적하는 웹사이트 주소를 몇 개 적어두는 게 유용할 것이다. 여기 열거한 사이트들은 대부분 이미 이 책의 본문이나 주석에서 언급된 바 있다.

**farmlandgrab.org** 비정부기구인 그레인이 운영하는 사이트. 땅뺏기와 관련된 모든 기사를 추적하는 빈틈없는 언론 리뷰 사이트.

**grain.org** 지난 3년 동안 땅뺏기 현상에 관심을 환기시킨 비정부기구의 웹사이트.

**landcoalition.org** 국제 조직들의 협회인 국제토지연맹International Land Coalition의 웹사이트. 이 연맹은 로마에 본부를 두고 공정한 토지 이용권을 위해 활동한다.

**fao.org** 유엔 식량농업기구 웹사이트.

**oaklandinstitute.org** 캘리포니아에 본부를 둔 연구소로 식량 주권과 농업 투자에 관해 많은 연구를 수행하고 있다.

**viacampesina.org** 세계 각지 소농 협회 연합체인 비아캄페시나의 웹사이트.

**ifpri.org** 국제식량정책연구소International Food Policy Research Institute의 웹사이트. 워싱턴에 본부를 둔 이 연구소는 '기아와 빈곤을 종식시킬 지속 가능한 해법을 찾는' 일을 과제로 삼고 있다.

**earth-policy.org** 레스터 브라운이 창설하고 운영하는 워싱턴의 지구정책연구소Earth Policy Institute의 웹사이트.

**soyatech.com** 미국과 유럽의 농업 투자자들을 위해 네트워크 형성 회의를 조직하는 그룹.

**iied.org** 국제환경발전연구소International Institute for Environment and Development의 웹사이트. 런던에 본부를 둔 이 연구소는 땅뺏기에 관해 많은 연구를 수행하고 있다.

# 찾아보기

# 땅뺏기
새로운 식민주의 현장을 여행하다

초판 1쇄 펴낸 날 2014년 8월 4일

지은이  스테파노 리베르티
옮긴이  유강은
펴낸이  이광호
펴낸곳  도서출판 레디앙
디자인  Annd

등록  2012년 11월 13일 제318-2012-00136호
주소  서울 강서구 공항대로 481(등촌동, 2층)
전화  02-3663-1521  팩스  02-6442-1524
전자우편  redianbook@gmail.com

ISBN 979-11-953189-0-2 03300

**Land Grabbing. Come il mercato delle terre crea il nuovo colonialismo**
© Stefano Liberti, 2011

Translation copyright © 2013, by Redian Publishing Co.
Arranged through Icarias Literary Agency, Seoul, Korea

* 책값은 뒤표지에 있습니다.